B.I.-Hochschultaschenbücher
Band 544

Geschichte der physikalischen Begriffe

Teil 2: Die Wege zum heutigen Naturbild

von

Friedrich Hund

Professor an der Universität Göttingen

2., neu bearbeitete Auflage

Wissenschaftsverlag
Mannheim/Wien/Zürich

CIP-Kurztitelaufnahme der Deutschen Bibliothek

Hund, Friedrich:
Geschichte der physikalischen Begriffe / von Friedrich Hund. – Mannheim, Wien, Zürich : Bibliographisches Institut.
Teil 2. Die Wege zum heutigen Naturbild. – 2., neu bearb. Aufl. – 1978.
(BI-Hochschultaschenbücher ; Bd. 544)
ISBN 3-411-05544-8

Korrigierter Nachdruck 1987
Satz: Zechnersche Buchdruckerei, Speyer
Druck: Druckerei Krembel, Speyer
Bindearbeit: Pilger-Druckerei GmbH, Speyer
Printed in Germany
ISBN 3-411-05544-8

VORWORT

Das zweite Bändchen umfaßt den Zeitraum von der beginnenden Mathematisierung der nichtmechanischen Gebiete der Physik um 1800 bis zur Gegenwart. Dabei mußte vor allem die Geschichte der Quantentheorie ausführlicher behandelt werden als in der ersten Auflage.

Auch dieses Mal habe ich meiner Frau, Dr. I. HUND, zu danken für Durchsicht des Manuskripts und Hilfe bei der Korrektur.

Göttingen, im September 1978 F. HUND

INHALT

1. MATHEMATISIERUNG

Im 17. Jahrhundert begann das, was wir heute moderne Physik nennen. Aber auch der Beginn des 19. Jahrhunderts, bei dem dieses Bändchen einsetzt, bezeichnet einen deutlichen Einschnitt in der Geschichte der Physik. Bis dahin war die Mechanik der einzige mathematisch durchgeformte Zweig dieser Wissenschaft; jetzt wurden sehr rasch die Lehren von Elektrizität, Magnetismus und Licht, sowie Teile der Wärmelehre, die bis dahin weitgehend im Qualitativen geblieben waren, in mathematische Form gebracht.

Das physikalische Naturbild um 1800

Das physikalische Naturbild war im 18. Jahrhundert stark durch NEWTONS „Principia" von 1687 und seine in den „Fragen" zur Optik (1704, 1717) stehenden allgemeinen Ansichten geprägt. Das herrschende Wirkungsmodell des physikalischen Geschehens waren anziehende und abstoßende Kräfte zwischen den Atomen, aus denen man die Materie bestehend dachte. Wir wollen uns die Entstehung der beiden wesentlichen Begriffe dieses Modells, der Kraft und des Atoms, kurz vergegenwärtigen.

Daß man nach der Ursache einer Änderung der Geschwindigkeit (nicht des Ortes) eines Körpers zu fragen hatte, dafür war GALILEIS Einsicht wichtig, daß das Wesentliche bei Fall und Wurf eine konstante Beschleunigung nach unten ist. Daß eine Änderung der Geschwindigkeitsrichtung ähnlich betrachtet werden kann, zeigten HUYGENS' und NEWTONS Überlegungen zur Kreisbewegung. Die Gleichung

$$m\ddot{\boldsymbol{x}} = \boldsymbol{F} \tag{1}$$

des Grundgesetzes für die Bewegung eines Körpers unter dem Einfluß einer Kraft, steht zwar nicht in dieser Form bei NEWTON, wird aber von ihm benutzt. Daß die Reibung eine Kraft im Sinne der Gleichung (1) ist, dafür stehen Beispiele im zweiten Buch der Principia. Die Wechselwirkung

$$\boldsymbol{F}_1 = -\boldsymbol{F}_2$$

zweier Körper und ihr Zusammenhang mit dem Impulssatz steht bei NEWTON, und sein Paradigma für eine Wechselwirkung ist das Gesetz für die Gravitationskraft

$$F \sim \frac{m_1 m_2}{r^2}.$$

Die Newtonsche Fassung der Prinzipien der Mechanik und seine Theorie der Planeten erhielt dann eine geschmeidigere Ausgestaltung durch die Infinitesimalrechnung. EULERS Leben war der einheitlichen Fassung und Anwendung dieser Mechanik gewidmet. Er dehnte sie auf Flüssigkeiten und feste Körper aus, indem er diese als aus Massenpunkten bestehend ansah. Für andere Autoren war mehr der Begriff der potentiellen Energie bestimmend. Er war vorgeformt in GALILEIS Einsicht in die Äquivalenz von Höhe und Bewegung

$$v^2 + 2gh = \text{const};$$

er war deutlich in HUYGENS' Erhaltungssatz für die mechanische Energie

$$\sum \frac{m}{2} v^2 + \sum Gh = \text{const};$$

allgemeine Ausdrücke der potentiellen Energie

$$\int P\,\mathrm{d}p + Q\,\mathrm{d}q + R\,\mathrm{d}r + \cdots$$

spielten in LAGRANGES systematischer Darstellung eine zentrale Rolle.

Der Atomismus, das zweite wichtige Element im neuen Naturbild, war in der Antike nur eine im Qualitativen gebliebene Ansicht vom Bau der Körper; sie war auch nicht die herrschende. Im 17. Jahrhundert lebte sie wieder auf; die bedeutenden Physiker und Chemiker hingen ihr mehr oder weniger an, besonders auch NEWTON. In der 31. Frage zur Optik stellte er seine Ansicht ausführlich dar; er sprach dabei von den harten Partikeln, aus denen alle Körper zusammengesetzt scheinen. Die Kräfte zwischen den Partikeln dachten er und die Physiker und Philosophen des 18. Jahrhunderts nach dem Vorbild der Gravitationskraft. Die Undurchdringlichkeit der Atome wurde dann bald als Folge starker aber nur in kurzem Abstand wirkender abstoßender Kräfte angesehen; die Atome wurden so mit Masse versehene punktförmige Kraftzentren.

Die Differentialgleichungen für die Bewegung von Massenpunkten waren nun das Paradigma für das physikalische Geschehen geworden. Dieses Wirkungsmodell zeigte strenge Determinierung des zeitlichen Ablaufs durch den Zustand in einem bestimmten Zeitpunkt (Angabe der

Örter und Geschwindigkeiten der Massenpunkte). LAPLACES Vorstellung eines Wesens, das den gegenwärtigen Zustand der Welt zur Kenntnis nehmen und daraus alles künftige Geschehen ausrechnen könnte, machte diesen Zug deutlich.

Die anderen Gebiete der Physik schienen sich in dieses Naturbild einzufügen. NEWTONS Vorstellung der Lichtteilchen wurde weitgehend angenommen und erst am Anfang des 19. Jahrhunderts überwunden. Die elektrischen und magnetischen Erscheinungen wurden als Kraftwirkungen zwischen den Teilchen der elektrischen und magnetischen Fluida gedacht; das Coulombsche Gesetz war dem Newtonschen Gravitationsgesetz analog. Erst die wichtigen Entdeckungen des 19. Jahrhunderts führten allmählich zu einer anderen Ansicht des Elektromagnetismus; sie sprengten dann das Wirkungsmodell der Newtonschen Physik.

Das 19. Jahrhundert

Vergegenwärtigen wir uns jetzt die allgemeinen Züge des neuen Jahrhunderts. Das ausgehende 18. Jahrhundert bedeutete im politisch-gesellschaftlichen Bereich eine Wende. Das ständische Gefüge der Gesellschaft war zerbrochen oder am zerbrechen. In England war der Prozeß allmählich abgelaufen, in Frankreich durch die Revolution beschleunigt; in Deutschland kam er später. Die Napoleonische Umformung von 1796–1815 hinterließ ein ziemlich stabiles Europa, das bis 1914 wenig erschüttert wurde. In diese Zeitspanne fällt der Beginn der Industriekultur; mit ihr vollzog sich die Europäisierung der Welt. Die Verarmung, die am Anfang dieser Zeit infolge der Volksvermehrung entstanden war, wurde durch Auswanderung, dann durch Industrialisierung überwunden. Gewaltige Investitionen fanden statt, man denke an die Erbauung der meisten wichtigen Eisenbahnlinien in wenigen Jahrzehnten.

In geistiger Hinsicht ist die Zeit zunächst gekennzeichnet durch die Verarbeitung der Aufklärung. Reaktionen gegen diese waren die von Deutschland ausstrahlende „Romantik", von der auch die Naturwissenschaft nicht unbeeinflußt blieb, und der „deutsche Idealismus". Die Spannung zwischen der „gewachsenen Welt" und der „rational geplanten Welt" wurde spürbar. Ahnungen eines kommenden groben und rohen Zeitalters kamen auf: A. TOCQUEVILLE (1835), später J. BURCKHARDT und F. NIETZSCHE. In die geistige Welt der Gebildeten kam eine Entfremdung von Naturwissenschaften und Geisteswissenschaften. Z. B. mit der Philosophie G. W. HEGELS wie mit anderen philosophischen Systemen konnten die Vertreter der Naturwissenschaften nichts anfangen. Von diesen wurde vielmehr C. DARWINS Lehre von der Entwicklung der biologischen Arten durch natürliche Zuchtwahl als bedeutendes Ereignis empfunden; sie bot eine kausale, also „natürliche" Erklärung an. Sie ließ ahnen, daß viel mehr Erscheinungen der Natur, als man bisher dachte, einer der Physik nahestehenden Deutung fähig seien.

Es entstanden neue Institutionen der Forschung und der wissenschaftlichen Ausbildung. In Frankreich wurde die neugegründete École Polytechnique für die Physik von großer Bedeutung. An der führenden Rolle, die dieses Land im ersten Drittel des Jahrhunderts spielte, war sie erheblich beteiligt. Der Typ des Forschers, der als Hochschullehrer den Nachwuchs für Forschung und Lehre und für eine die Forschung verwertende Praxis heranbildet, tauchte hier auf. Etwas später zog in England und in Deutschland die naturwissenschaftliche Forschung in die Universitäten ein. Daneben blieben, vor allem in England, private Forschungsstätten bestehen.

Für den Aufschwung der mathematischen Physik in Paris am Anfang des 19. Jahrhunderts war auch die enge persönliche Beziehung wichtig, die zwischen NAPOLEON und einigen führenden Forschern bestand. Sie kam zum Teil dadurch zustande, daß BERTHOLLET, FOURIER, MALUS am ägyptischen Feldzug teilnahmen und an der Gründung eines wissenschaftlichen Institutes mit Laboratorien in Kairo mitwirkten; weiter war nicht unwichtig, daß LAPLACE einer der Prüfer NAPOLEONS bei seinem Studienabschluß in der Militärakademie gewesen war, überhaupt, daß NAPOLEON ein positives Verhältnis zur Forschung und eine gute mathematische Bildung hatte. BERTHOLLET und LAPLACE wurden Mitglieder des Senats (der ersten Kammer); LAPLACE war sogar einige Wochen lang Innenminister, nachher jahrelang Kanzler des Senats mit einem sehr hohen Einkommen. Kurz nach der Jahrhundertwende bildete sich die „Société d'Arcueil", die eine Weile so wichtig war wie die Französische Akademie oder die Royal Society[1]. In dem genannten Vorort von Paris hatten BERTHOLLET und LAPLACE ihre Häuser nebeneinander, dort wurde experimentiert, und es fanden regelmäßige Sitzungen statt. Dieser exklusiven Gesellschaft gehörten außer den beiden Gründern u.a. A. VON HUMBOLDT, BIOT, GAY-LUSSAC, bald auch MALUS, ARAGO, DULONG und POISSON an.

In England schritt die „industrielle Revolution" am schnellsten voran. Die Fabrikanten waren auch wissenschaftlich interessiert; sie bildeten wissenschaftliche Vereinigungen. In London wurde die „Royal Institution" auf Betreiben von BENJ. THOMPSON gegründet; sie sollte natur-

[1] M. CROSLAND, The Society of Arcueil, London 1967.

wissenschaftliche Bildung in weite Kreise tragen; ein Abgleiten der Institution zum Treffpunkt der feinen Gesellschaft ließ sich dabei nicht ganz vermeiden.

In allen fortgeschrittenen Ländern bildeten sich Vereinigungen von Forschern. Die „Gesellschaft Deutscher Naturforscher und Ärzte" nahm 1822 ihre Versammlungen auf. In England wurde (1831) die „British Association for the Advancement of Science" ein Mittelpunkt der wissenschaftlichen Auseinandersetzungen.

Physik im 19. Jahrhundert[2]

Das Programm der Physik um 1800 war, die Naturerscheinungen durch Kräfte zwischen Partikeln zu verstehen. „Kraft" und „Stoff" waren Schlagworte der populären Naturphilosophie. Dieses Naturbild wurde im 19. Jahrhundert einerseits bestätigt, andererseits in seiner Herrschaft bedroht. Die kinetische Theorie der Wärmeerscheinungen (Abschnitt 9) schien die korpuskular-kinetische Auffassung der physikalischen Erscheinungen zu stützen. Die Erscheinungen der Elektrizität, des Magnetismus, des Lichtes fügten sich nicht ein, führten vielmehr zu einer ganz anderen Art, Vorgänge der Natur zu betrachten. Der Gipfel dieser Entwicklung, die Theorie des elektromagnetischen Feldes, die auch das Licht umfaßte, begründete ein neues allgemeines Denk- und Anschauungsschema (Abschnitte 4–6).

Während um 1800 die Mechanik der einzige mathematisierte Zweig der Physik war, kam in den ersten Jahrzehnten des neuen Jahrhunderts (wie schon gesagt) sehr rasch die Mathematisierung von Elektrizitätslehre, Optik und Wärmelehre in Gang.

Diese Gebiete wurden exakte Wissenschaften.

Zur Ordnung des vielmaschigen Netzes der historischen Entwicklung möchten wir der neueren Geschichte der physikalischen Begriffe zwei Schemata zugrunde legen. Das eine geht von den Dingen der Natur aus,

[2] Einen Eindruck von der raschen Entwicklung der Physik zwischen 1820 und 1840 und ihrer Kenntnisnahme durch angesehene Physiker mag die 1825–1845 erschienene Neubearbeitung von J. S. T. GEHLERS Physikalischem Wörterbuch vermitteln. Bei Stichworten, die früh im Alphabet stehen, herrscht noch der Stil der qualitativen Physik. Bei Stichworten, die später kommen, werden die vorher geäußerten Ansichten über den gleichen Gegenstand revidiert, der Gebrauch von Gleichungen und exakten Angaben nimmt zu; manche Gebiete erhalten lehrbuchartige Darstellungen. Zu den Subskribenten des umfangreichen Werkes (über 10000 Seiten) gehörten außer Schul- und Hochschulbibliotheken und Professoren auch nicht wenige Ärzte, Apotheker, Lehrer, Pfarrer und Studenten.

die den vorwissenschaftlichen Menschen mehr oder weniger eindrucksvoll gegenübertreten. Von diesen Dingen führte der Weg der Geschichte (Abb. 1) zu vier heutigen Theorien: der klassischen Mechanik, der statistischen Physik, der Feldtheorie und der Quantentheorie. Davon war die Mechanik am Ende des 18. Jahrhunderts im wesentlichen festgelegt. Sie war aus der großen Synthese des 17. Jahrhunderts hervorgegangen, die die geometrische Astronomie und die qualitative Physik vereinigte. Für Wärme, Magnetismus, Elektrizität, Licht kamen die Synthesen erst im 19. Jahrhundert, für die Lehre von den Stoffen erst im 20. Wesentliche Zäsuren glauben wir also um 1600 beim Beginn der „naturwissenschaftlichen Revolution" und kurz nach 1800 in der Mathematisierung der gesamten Physik zu sehen.

Die hauptsächlichen Knotenpunkte dieser mathematischen Physik sind dann das Entstehen einer Feldtheorie, das der Statistischen Physik und das der Quantentheorie.

Abb. 2 gibt die Abschnitte an, in denen die einzelnen Entwicklungsschritte behandelt werden.

Das andere sich anbietende Schema entspricht der Art, wie die Naturerscheinungen verstanden werden. Die klassische Mechanik bleibt im „Vordergrunde", der makroskopisch sinnlich durchschaubar ist. Die elektromagnetischen Erscheinungen und das Licht wurden erst verständlich vor dem Hintergrunde eines Feldes. Die Erscheinungen der Wärme konnten zwar mit den Sätzen der „Thermodynamik" zutreffend beschrieben werden; aber der zweite Hauptsatz blieb unverständlich, damit auch der Temperaturbegriff. Erst durch Zurückführung auf einen mikroskopischen Hintergrund in der statistischen Physik wurden diese Dinge verstanden. Die Eigenschaften der Stoffe schließlich fanden erst in einer Theorie des Atoms eine Erklärung; diese Theorie ist nicht mehr anschaulich.

Dem entspricht eine Dreigliederung des Stoffes: der Weg zum Feldbegriff, der Weg zur statistischen Physik, der Weg zur Quantentheorie und ihren Weiterbildungen.

An Aktualität traten Mechanik und geometrische Optik zurück. Aber auch in diesen Gebieten sind Fortschritte zu verzeichnen. R. W. HAMILTON in Dublin fand 1828 die Analogie zwischen dem optischen Prinzip des kürzesten Lichtwegs und dem mechanischen Prinzip der kleinsten Wirkung und kam dann 1834 auf die Äquivalenz des später nach ihm genannten Wirkungsprinzips mit den Lagrangeschen Gleichungen und auf die „kanonische" Form der Bewegungsgleichungen.

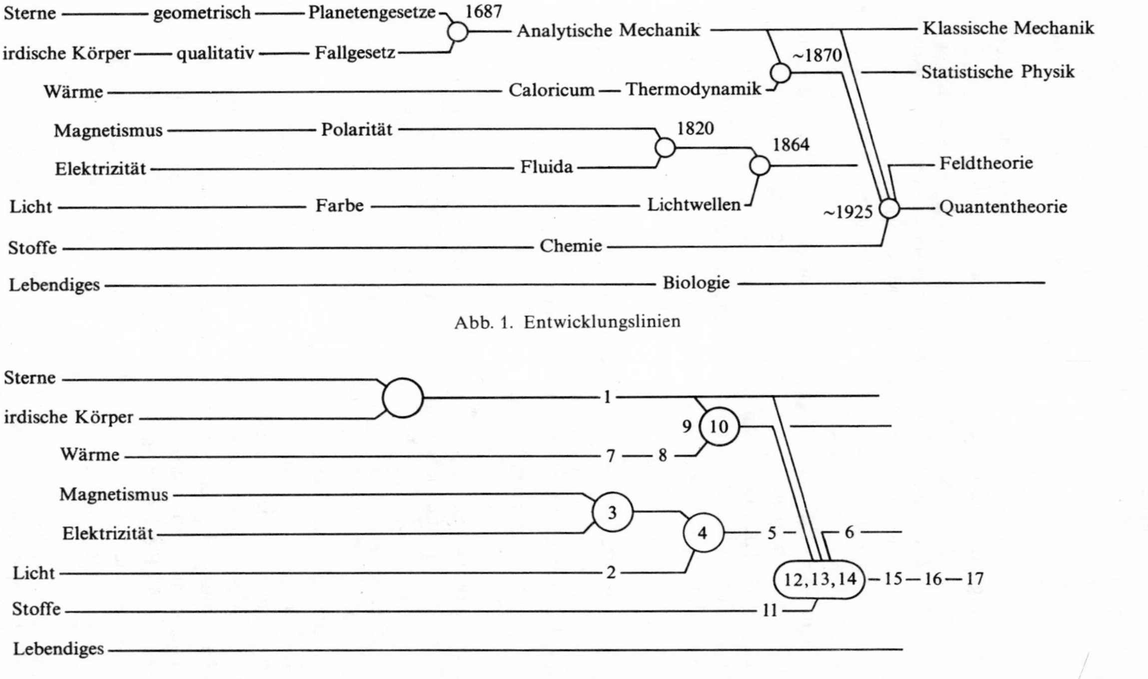

Abb. 1. Entwicklungslinien

Abb. 2. Einteilung in Abschnitte

Daß die einfachen Gleichungen der Mechanik nur in speziellen Bezugssystemen gelten, wußte man seit NEWTON. Er und HUYGENS hatten auch die in rotierenden Bezugssystemen auftretenden Zentrifugalkräfte abgeleitet. Eine systematische Behandlung von Bewegungen in rotierenden Bezugssystemen lieferte 1830 G. CORIOLIS, angeregt durch maschinentechnische Aufgaben. Den Anteil der Trägheitskräfte, die von der Geschwindigkeit gegen das Bezugssystem abhängen, nennt man nach ihm.

Gegen Ende des Jahrhunderts kam eine rege Diskussion der Grundlagen der Mechanik in Gang, bei der sich etwa drei Ausgangspunkte zeigten. Die eine Richtung bevorzugte Massenpunkte und Kräfte zwischen ihnen. Starre Bindungen wurden auf Kräfte zwischen den kleinsten Teilen der Körper zurückgeführt gedacht. MAXWELLS Büchlein Matter and motion ist ein gutes Beispiel[5]. Bei der zweiten Richtung standen die Extremalbedingungen und damit der Energiebegriff im Vordergrund, ihr gehörte HELMHOLTZ an. H. HERTZ schließlich verwarf den Kraftbegriff. Er wollte alle Kräfte auf starre Bindungen zurückführen und nahm dabei unbeobachtbare Massen und Bewegungen in Kauf[6]. Die konkrete Durchführung ist er aber schuldig geblieben.

Am Ausgreifen der mathematischen Physik über die Mechanik hinaus war zunächst Frankreich führend bei wesentlichem Anteil von Akademie, Arcueil und Ecole Polytechnique.

Einer der führenden Männer am Anfang der mathematischen Physik des 19. Jahrhunderts war S. LAPLACE (1749–1827). Er hatte zusammen mit LAVOISIER den Begriff der Wärme klären helfen. Sein fünfbändiges Werk über Himmelsmechanik enthielt die Anfänge der Potentialtheorie und Fortschritte in der theoretischen Mechanik. Seine Wahrscheinlichkeitstheorie hat weithin befruchtend gewirkt. Aus der damals jungen Generation ist besonders S. POISSON zu nennen (1781–1840) als Begründer einer mathematischen Elektro- und Magnetostatik; aber er hat auch die analytische Mechanik verfeinert und auf Schwingungen und Wellen angewandt, alles neben einer großen Last an Prüfungs- und Verwaltungstätigkeit. Auf die Ørstedsche Entdeckung (1820) der magnetischen Wirkung eines elektrischen Stromes hin entstand unter den Händen der französischen Forscher BIOT, AMPÈRE und LAPLACE eine mathematische Theorie des Elektromagnetismus (Abschnitt 3). Schon kurz vorher besaß FRESNEL eine mathematische Wellenoptik (Abschnitt 2) und FOURIER eine mathematische Theorie der Wärmeleitung (Abschnitt 7).

[5] J.C. MAXWELL, Substanz und Bewegung (deutsche Übersetzung), Braunschweig 1878.
[6] H. HERTZ, Die Prinzipien der Mechanik, Nachdruck Darmstadt 1963.

In England bereitete FARADAY mit der Entdeckung der elektromagnetischen Induktion und der Betonung der Vorstellung von magnetischen und elektrischen Kraftlinien das neue Wirkungsmodell des elektromagnetischen Feldes vor, das dann in der Maxwellschen Theorie gefaßt wurde und das Licht als elektromagnetische Erscheinung zeigte (Abschnitt 4).

An der Schaffung der Thermodynamik (Abschnitt 8) sind Frankreich mit CARNOT, Großbritanien mit W. THOMSON und Deutschland mit CLAUSIUS beteiligt. Die statistische Deutung der Wärmeerscheinungen ist dann weitgehend das Werk von BOLTZMANN (Abschnitt 10).

Für die deutsche Tradition war das mathematisch-physikalische Seminar wichtig, das F. NEUMANN zusammen mit C. G. J. JACOBI um 1830 in Königsberg gründete und aus dem zahlreiche Forscher hervorgingen. NEUMANN selbst (1798–1895) hat z.B. der mathematischen Fassung der Optik und der Elektrizitätslehre zur Präzision verholfen. Vorlesungen über spezielle Gebiete der Physik kamen auch um 1830 auf. H. HELMHOLTZ (1821–1894), zunächst Militärarzt, wurde einer der vielseitigsten Naturforscher. Er war Professor der Physiologie und machte dieses Gebiet zu einer exakten Wissenschaft, auf dem Berliner Lehrstuhl der Physik (seit 1870) schuf er eine bedeutende Schule. Er selbst bereicherte alle wichtigen Gebiete der Physik. Systematische Vorlesungen über theoretische Physik hielt er (als Präsident der neugegründeten Physikalisch-Technischen Reichsanstalt) erst nach dem Tode von KIRCHHOFF.

G. KIRCHHOFF (1824–1887), Schüler von F. NEUMANN war längere Zeit Professor in Heidelberg (mit BUNSEN und HELMHOLTZ), seinen systematischen Zyklus von Vorlesungen über theoretische Physik hielt er von 1875 an in Berlin. Er hat allen wichtigen Gebieten der theoretischen Physik zur Präzision verholfen. Die Vorlesungstradition von KIRCHHOFF und HELMHOLTZ ist heute noch an deutschen Universitäten zu spüren.

Das 20. Jahrhundert

Im 19. Jahrhundert hatte die Physik ihr Gebiet gewaltig erweitert. Ihr Denkmodell war nicht mehr ausschließlich das eines Systems von Partikeln, zwischen denen Kräfte wirken. Die Vorstellung eines Feldes, dessen Veränderungen durch „Feldgleichungen“ wie die Maxwellschen bestimmt waren, war aufgekommen. Doch glaubten viele Physiker, daß der Abschluß der Physik nahe sei. Sie wurden bald eines Besseren belehrt.

Die Maxwellsche Theorie des elektromagnetischen Feldes war um 1900 anerkannt. Aber der Äther, den man sich als Träger dieses Feldes vorstellte, war irgendwie nicht greifbar, er entzog sich der experimentellen Untersuchung. Vom Äther konnte man hoffen, daß er den schwierigen Begriff des absoluten Raumes ersetzte. Mit dem Fragwürdigwerden des ersten wurde auch der zweite wieder ein Problem. In der statistischen Thermodynamik konnten die spezifischen Wärmen der Gase nur mit künstlichen Hypothesen erklärt werden; man mußte statistisch nicht wirksame Freiheitsgrade hinnehmen. Der Bau der Molekeln und der Atome erschien so experimentell nicht greifbar.

Am Anfang des neuen Jahrhunderts sprach der 76jährige W. THOMSON Lord KELVIN über die Wolken, die auf der Theorie von Wärme und Licht lagen (19th century clouds over the theory of heat and light[3]). Die eine Wolke war der Äther, der sich elastisch wie ein fester Körper verhielt, durch den sich die Planeten ohne Reibung bewegten, dessen Ruhe oder Bewegung nicht feststellbar war. Die andere Wolke war die Verteilung der Energie auf die Freiheitsgrade eines Körpers. Auf die noch nicht verstandenen Ansätze zur Erforschung des Baues der Materie ging er nicht näher ein. Elektrische Entladungen in Gasen, Kathodenstrahlen, Röntgenstrahlen und Radioaktivität gaben im neuen Jahrhundert bald wichtige Hinweise. Die Vielfalt der Spektrallinien erschien verwirrend.

Die Krise des Äthers und des absoluten Raumes fand weitgehend eine Lösung in der speziellen und allgemeinen Relativitätstheorie 1905–15 (Abschnitte 5 und 6), die Krise der statistischen Physik und des Atombaues in der Quantentheorie 1900–27 (Abschnitte 10 bis 15). Auf beiden Linien zeigte es sich, daß die Begriffe und Theorien der bisherigen Physik, die man dann die klassische Physik nannte, dem Bereich der gewöhnlichen Dimensionen der Ausdehnung und der Geschwindigkeit angepaßt waren und sich nicht ungeändert auf kleinere oder weltweite Bereiche oder auf hohe Geschwindigkeit übertragen ließen. Beschreibungen, wie wir sie im gewöhnlichen Bereiche vornehmen, nennen wir anschaulich.

Die Ausdehnung der Physik auf das atomar Kleine, auf das Weltweite und auf Geschwindigkeiten, die der des Lichtes gleichkommen, hat zu einer Abkehr von der anschaulichen Beschreibbarkeit der Vorgänge geführt, zu neuen Begriffen von Raum und Zeit, von Masse und Energie, von Partikeln und Feld, von Wechselwirkung und Kausalität.

[3] Lord KELVIN, Phil. Mag 2, 1 (1901).

Diese Schritte über Grenzen fielen in das erste Drittel unseres Jahrhunderts, das einen der erregendsten Abschnitte in der Geschichte der Physik darstellt. Bald darauf setzten neue Überschreitungen ein, von der atomaren Dimension (von 10^{-10} m) zu der des Atomkernes (10^{-15} m) von der chemischen Energie etwa 10 kWh je kg Brennstoff zu über 100 Millionen kWh je kg.

Durch die Steigerung der Wirkungen und der Kosten ist die Physik in den Sog von Interessen und in die Strategie der Mächte geraten. Die Naturwissenschaft des 17. Jahrhunderts war eine späte Frucht des städtischen Bürgertums; die Mathematisierung und Verbreiterung im 19. Jahrhundert hing mit den Wirkungen der Französischen Revolution zusammen. Gegen Ende des Jahrhunderts stellte sich eine Art Gleichklang von Forschung, Wirtschaft und Staat her. Atomkernreaktor, Radar, Laser sind Früchte des zweiten Weltkrieges. Raumfahrt und militärische Interessen haben Einfluß auch auf die Grundlagenforschung. Die Industrieforschung bedarf staatlicher Hilfe und die demokratischen Entscheidungsorgane sind überfordert. Und das zu einer Zeit, da drohender Energie- und Rohstoffmangel der Physik neue dringende Aufgaben stellen und die Teilung der Welt in Völker, die sich Grundlagenforschung leisten können und solche, die es nicht können, neue Probleme aufwirft.

2. LICHTWELLE[1]

Periodische Welle

Die Lehre vom Licht hat im 18. Jahrhundert ziemlich stagniert. Wesentliche Erkenntnisse stammten aus dem 17. Bekannt war so um 1800 das Brechungsgesetz, wonach einfallender Strahl, gebrochener Strahl und Lot auf die Grenzfläche in einer Ebene liegen und $\sin\alpha_1/\sin\alpha_2$ vom Einfallswinkel α_1 unabhängig ist. Man wußte auch, daß die Bestandteile des Lichtes einheitliche Farbe, einheitliche Brechbarkeit, einheitliche Länge der periodischen „Anwandlungen" (für die einzelne Farbe der Brechbarkeit umgekehrt proportional) hatten und daß das Licht eine gewisse Seitlichkeit haben konnte, die sich beim Doppelspat zeigte. Man kannte auch den Wert der Lichtgeschwindigkeit im Vakuum. Die Tatsachen fanden verschiedene Deutung. Mit der Vorstellung von Lichtteilchen lautete das Brechungsgesetz (DESCARTES, NEWTON)

$$\frac{\sin\alpha_1}{\sin\alpha_2}=\frac{v_2}{v_1}=\frac{n_2}{n_1}$$

mit mediumbedingten Lichtgeschwindigkeiten v_1, v_2; mit der Vorstellung von Ausbreitungsfronten in einem Medium (HUYGENS) lautete es

$$\frac{\sin\alpha_1}{\sin\alpha_2}=\frac{v_1}{v_2}=\frac{n_2}{n_1}\,.$$

Gleichbedeutend mit beiden Fassungen (auch das Reflexionsgesetz einschließend) war die Aussage: unter den geometrisch möglichen Lichtwegen zwischen zwei Punkten ist der wirkliche Lichtweg (Abb. 3) der, bei dem die Größe $n_1 l_1 + n_2 l_2$ ein Extremum ist; gleichbedeutend mit der zweiten Fassung war das Extremum der Zeit, die das Licht braucht (FERMAT).

[1] E. MACH, Die Prinzipien der physikalischen Optik, Leipzig 1921.
E. WHITTAKER, History of the theories of aether and electricity. 1910, 1951, nachgedruckt New York 1973.
Einleitungen zu den einzelnen Beiträgen in der Encyclopädie der mathematischen Wissenschaften, Bd. 5, um 1900.

An die Teilchen glaubten NEWTON und seine Anhänger wegen der geradlinigen Ausbreitung des Lichts und wegen des Fehlens einer Reibung der Himmelskörper, was gegen einen Äther sprach. An einen im Äther sich ausbreitenden Druck oder eine Bewegung glaubten DESCARTES, HUYGENS, EULER; letzterer brachte die Farbe mit einer Schwingungszahl in Zusammenhang. NEWTON *kannte die Periodizität beim Licht, deutete aber die Farben an dünnen Schichten nicht mit Wellen;* HUYGENS *kannte die Lichtwelle, erwähnte aber Periodizität, Wellenlänge, Beugung und Farbe nicht.*

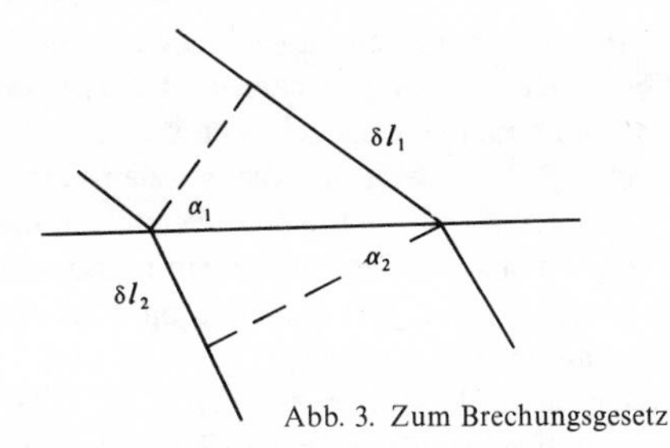

Abb. 3. Zum Brechungsgesetz

Zu den Hemmungen, die NEWTON vor der Lichtwelle hatte, der er ja sehr nahe gekommen war, gehörte außer weltanschaulichen Gründen und Ablehnung Descartesscher Hypothesen sicher auch die Benutzung des Descartesschen Brechungsgesetzes, das für die Periodenlänge einer bestimmten Farbe auf $l \sim 1/v$ führte. Mit dem Huygensschen Brechungsgesetz hätte er $l \sim v$ erhalten, also die Periodenlänge als Wellenlänge erkennen können.

Im Zuge des Abrückens der Physik von DESCARTES und der steigenden Anerkennung NEWTONS blieb im 18. Jahrhundert die Teilchenvorstellung des Lichts herrschend. *Aber die Lichtteilchen waren eine Sackgasse der Entwicklung.* Weder die Periodizität des Lichts wurde weiter verfolgt, noch die Erscheinung der Doppelbrechung genau untersucht.

Diese Stagnation der Optik wurde am Anfang des 19. Jahrhunderts überwunden durch zwei Entdeckungen, durch eine theoretische, nämlich die Deutung der Beugungserscheinungen als Interferenz von Wellen, und durch eine experimentelle, daß polarisiertes Licht auch bei Spiegelung auftritt.

TH. YOUNG (1773–1829) war als eine Art Wunderkind aufgewachsen, studierte Medizin und Physik (u. a. in Göttingen) und wurde Arzt. Er bereicherte Physiologie und klinische Medizin. Er war anerkannter Ägyptologe und konnte auf dem Stein von Rosette den demotischen Text lesen und einige Hieroglyphen entziffern. Seine Präzisierung der Beziehung zwischen Zug und Dehnung elastischer Körper war für die Elastizitätstheorie wichtig. Weiter gab er sich mit Schallwellen ab und wurde so mit der gegenseitigen Durchdringung zweier Wellenzüge vertraut. Die Erscheinung demonstrierte er an Wasserwellen in einer Wanne. Er erklärte (1801–1803) die Farben an dünnen Schichten mit periodischen Wellen, die sich durchdringen, und er las aus NEWTONS Messungen der Aufeinanderfolge der periodischen Anwandlungen die Wellenlänge des Lichts ab. Blaues Licht hatte eine kürzere Wellenlänge als rotes.

Auch andere Interferenzerscheinungen verstand er bald als Folge periodischer Wellen. Daß bei den Streifen hinter einem dünnen Draht zwei Lichtbündel zusammenwirkten, zeigte er, indem er durch Abdecken des Lichts auf einer Seite des Drahts die Streifen zum Verschwinden brachte. Die Beugung am Spalt suchte er zu verstehen, indem er Wellen betrachtete, die von den Spalträndern ausgingen und durch die einfallenden Lichtwellen erregt wurden. Die Beugung an zwei Spalten verstand er mit von beiden ausgehenden Wellenzügen, die sich bei bestimmten Ablenkungswinkeln verstärken oder schwächen. Er erkannte, daß zum Zustandekommen solcher Interferenzen Lichtbündel zusammenwirken müssen, die von der gleichen Stelle einer Lichtquelle stammen (kohärent sind). YOUNGS Ansichten fanden zunächst wenig Beachtung. Auch nach den Untersuchungen FRESNELS setzte sich die Vorstellung der periodischen Welle nur langsam durch.

A. FRESNEL, Schüler der École Polytechnique, Ingenieur für Wasserbau, der nebenbei mit Licht experimentierte, deutete ebenfalls, ohne von YOUNG zu wissen, Interferenzerscheinungen mit Lichtwellen. Er widmete sich von 1815 bis zu seinem frühen Tode 1827 der Bestätigung seiner Vorstellung vom Licht, als einer Schwingung in einem allgegenwärtigen Medium. Er verbesserte die Überlegung beim Spalt, indem er periodische Wellen betrachtete, die von allen Stellen des Spaltes aus nach einer bestimmten Richtung gehen und die sich je nach dem Ablenkungswinkel oder der Farbe ganz oder zum Teil gegenseitig auslöschen. Er benutzte hier und bei anderen Betrachtungen das, was man das Huygenssche Prinzip nennt. Zwischen Lichtquelle L und einem Punkt P auf der beleuchteten Fläche dachte er sich eine Zwischenfläche (Abb. 4); er teilt sie in Zonen ein, deren Ränder F jeweils Lichtwege LFP ergaben, die um eine halbe Welle auseinanderlagen, so daß die Lichtbündel aus benachbarten Zonen sich gegenseitig weitgehend auslöschten. FRESNEL untersuchte experimentell vielerlei Beugungserscheinungen und maß auch (1822) Wellenlängen mit dem bekannten „Fresnelschen“ Spiegelversuch. Etwa gleichzeitig maß J. FRAUNHOFER Wellenlängen mit Gittern, geritzten und solchen, die aus parallelen Fäden bestanden.

Durch YOUNG *und* FRESNEL *waren die Beugungserscheinungen verstanden mit periodischen Lichtwellen, die den einzelnen Farben entsprechen.*

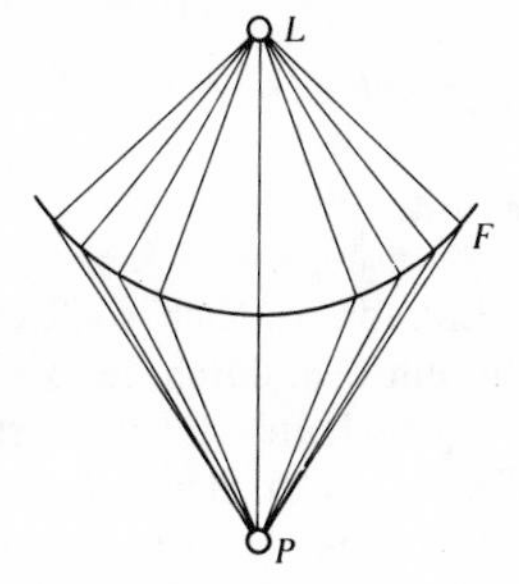

Abb. 4. FRESNELS Zonenkonstruktion

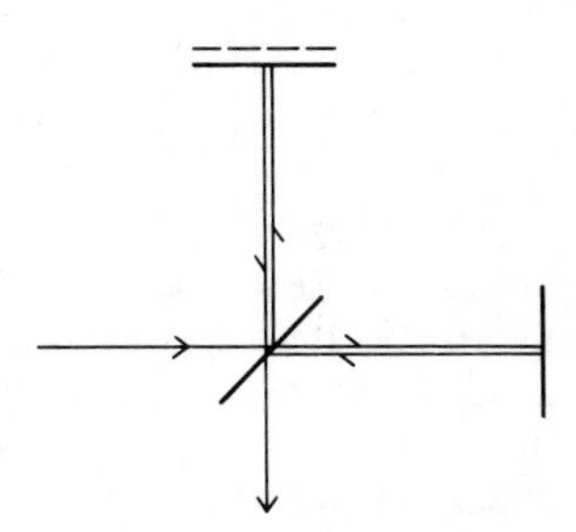

Abb. 5. MICHELSONS Interferometer

FRESNEL und D.F. ARAGO konstruierten auch ein Interferometer, in dem das Licht auf zwei Wegen geleitet wurde. Sie regten damit eine Entwicklung an, die in vielen Schritten schließlich zu dem Interferometer von A. A. MICHELSON führte, bei dem die beiden Lichtwege aufeinander senkrecht standen (Abb. 5) und durch Verschiebung der Spiegel stetig verändert werden konnten. Die der Veränderung entsprechende Verschiebung von Interferenzstreifen konnte so stetig verfolgt werden. Mit dieser Vorrichtung konnte MICHELSON 1883 die Anzahl der Lichtwellen je m für verschiedene Spektrallinien sehr genau messen.

Transversale Welle

NEWTON hatte aus den Erscheinungen am Doppelspat auf eine Unsymmetrie des Lichts senkrecht zur Strahlrichtung geschlossen. Erst 100 Jahre später wurden die Kenntnisse darüber erweitert. Angeregt durch eine Preisaufgabe der Französischen Akademie experimentierte E. L. MALUS mit dem Doppelspat und fand (1808) dabei, daß Licht, das unter einem bestimmten Winkel an einer Glasscheibe reflektiert wurde, sich wie Licht verhielt, das aus einem Doppelspat kam. Er schloß wie

NEWTON auf eine Orientierung der Lichtteilchen senkrecht zur Strahlrichtung und nannte die so auftretende Seitlichkeit des Lichtes „Polarisation" nach einem von NEWTON gemachten Vergleich mit der Orientierung eines Magneten. Das Wort ist in vielfältiger Bedeutung in die „romantische" Physik, später in den politischen Sprachgebrauch übergegangen, dort der Symmetrie Abb. 6b entsprechend, nicht der Symmetrie Abb. 6a der Optik.

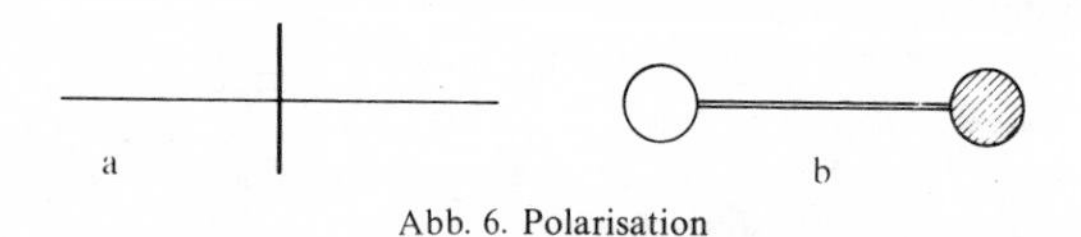

Abb. 6. Polarisation

D. F. ARAGO, ein geschickter Experimentator, verglich sogleich genauer das bei Reflexion polarisierte Licht mit dem durch den Doppelspat polarisierten. Es zeigte die gleichen Eigenschaften. Er definierte die „Polarisationsebene" so, daß bei Reflexion unter dem günstigsten Winkel das reflektierte Licht in der Einfallsebene polarisiert ist und daß bei anderem Winkel das in der Einfallsebene polarisierte Licht vorherrscht. Das Gesetz für den Einfallswinkel, das vollständige Polarisation ergibt, fand D. BREWSTER; es ist der Winkel, bei dem reflektierter und gebrochener Strahl senkrecht stehen. Auch FRESNEL nahm sich der Erscheinung der Polarisation an; ihn interessierte die Rolle der Polarisation bei den Interferenzerscheinungen. Zusammen mit ARAGO konnte er zeigen, daß senkrecht zueinander polarisierte Lichtbündel miteinander keine Interferenz zeigten. Schließlich erwog YOUNG, als ihm ARAGO davon erzählt hatte, die Transversalität der Lichtwelle, und FRESNEL schloß aus dem mit ARAGO angestellten Versuch, daß die Welle rein transversal (ohne longitudinalen Bestandteil) sein müsse. Ob die Richtung der Schwingung parallel oder senkrecht zu der nach ARAGO definierten Polarisationsrichtung stünde, mußte noch offenbleiben.

Die Polarisationserscheinungen waren nun im Prinzip verstanden mit der Vorstellung transversaler Lichtwellen.

Mathematische Optik

Für eine Theorie der Ausbreitung von transversalen Wellen in einem elastischen Äther war es noch etwas zu früh. Aus der im 18. Jahrhundert ausgebauten analytischen Mechanik, die im Werk von LAGRANGE zusammengefaßt war, konnte man entnehmen, daß in kompressiblen

Flüssigkeiten und Gasen (skalare) Druckwellen möglich sind, die bei kleinen Druckschwankungen der Gleichung

$$-\frac{1}{c^2}\ddot{p}+\Delta p=0$$

folgten. Die Theorie anderer Elastika war nur in Spezialfällen bekannt; man kannte die longitudinalen und transversalen Schwingungen einer elastischen Saite; man wußte auch, daß in inkompressibeln festen Körpern transversale Scherwellen möglich sind.

So war die entstehende mathematische Optik zunächst eine mathematische Beschreibung der Phänomene, noch keine Physik des Äthers. Diese frühe mathematische Optik hat hauptsächlich FRESNEL um 1820 geschaffen[2]. Sie enthielt Schwingung und Fortpflanzung transversaler Wellen im Äther und im isotropen Medium, geometrische Beschreibungen der Gesetze der Kristalloptik und Formeln für Reflexion, Brechung und Polarisation an Grenzflächen.

Für die Schwingungen im Äther wurde eine Gleichung

$$\ddot{\xi}=-\omega^2\xi$$

mit Lösungen

$$\xi=a\sin(\omega t+\alpha)$$

angenommen. Die Fortleitung einer solchen Schwingung wurde mit

$$\xi=a\sin\left[\omega\left(t-\frac{x}{c}\right)+\alpha\right] \tag{1}$$

beschrieben. Die Übereinanderlagerung von drei Wellen (1) gleicher Frequenz und in der x-, y-, und z-Richtung schwingend ergab eine elliptisch schwingende Welle. Grenzfälle davon waren die linear und die zirkular schwingende Welle. Dem Umstand, daß die Erfahrung nur transversale Wellen zeigt, trug FRESNEL Rechnung, indem er in der Fortschreitrichtung der Welle keine elastische Kraft annahm. Bei natürlichem Licht nahm er raschen Wechsel der Schwingungsrichtung an. Die von ARAGO kürzlich entdeckte Drehung der Polarisationsebene beim Quarz verstand FRESNEL, indem er für zirkular schwingende Wellen die Laufgeschwindigkeit vom Umlaufssinn abhängen ließ. Die Interferenz von Lichtbündeln konnte er nun durch Addition der Auslenkungen

$$\xi=\xi_1+\xi_2$$

[2] Die wichtigen Abhandlungen von FRESNEL und F. NEUMANN finden sich in Ostwalds Klassikern.

beschreiben. Dabei maß er die Lichtintensität durch die kinetische Energie; der Ausdruck

$$\dot{\xi}^2 = \dot{\xi}_1^2 + \dot{\xi}_2^2 + 2\dot{\xi}_1 \dot{\xi}_2$$

zeigte dann die Abhängigkeit vom Unterschied der Phasen α [in (1)] der beiden interferierenden Wellenzüge. Das galt für longitudinale und transversale Wellen. Wenn zwei transversale Wellen senkrecht zueinander polarisiert sind, so folgt, daß keine Interferenz auftritt.

Das Licht besteht also aus harmonisch transversal und elliptisch schwingenden Bestandteilen.

In der Optik anisotroper Medien kam FRESNEL mit glücklicher Intuition auf die heute noch nach ihm genannten geometrischen Konstruktionen, die mit Schnitten von Ellipsoiden (die die Anisotropie beschreiben) und Ebenen (die die Fortschreitrichtung angeben) zu jeder Fortschreitrichtung zwei Geschwindigkeiten und die dazugehörigen zwei aufeinander senkrechten Schwingungsrichtungen ergeben. FRESNELS Begründungen waren unvollkommen, aber die Konstruktionen blieben im wesentlichen richtig. Heute werden sie natürlich mit Hilfe der elektromagnetischen Größen $\boldsymbol{E}$, $\boldsymbol{D}$, $\boldsymbol{B}$ hergeleitet.

Auch bei den Erscheinungen an Grenzflächen, die wir heute mit der Stetigkeit der Parallelkomponente von $\boldsymbol{E}$ und der Senkrechtkomponenten von $\boldsymbol{D}$ und $\boldsymbol{B}$ ableiten, hatte FRESNEL eine glückliche Intuition. Eine richtige Elastizitätstheorie hätte stetigen Durchgang von ξ durch die Grenzfläche gefordert, und das hätte nicht zu den wirklichen Verhältnissen bei Reflexion und Brechung gepaßt. Er ließ die Parallelkomponente von ξ stetig hindurchgehen und nahm noch den Energiesatz hinzu. Er konnte dafür keine mechanische Begründung geben. Aber er bekam Formeln für die reflektierte und die durchgehende Welle, die die Polarisationsverhältnisse und die Intensitäten richtig wiedergaben, wenn man die Schwingungsebene senkrecht zur Polarisationsebene annahm. Die Formeln konnten später in der elektromagnetischen Theorie des Lichts begründet werden.

Mit glücklicher Geometrie erhielt FRESNEL *eine weitgehend richtige Kristalloptik und mit mechanisch nicht verständlichen Annahmen über das Verhalten an Grenzflächen richtige Formeln für Reflexion und Brechung.*

FRESNEL hat zahlreiche praktische Anwendungen seiner Theorie gemacht und Vorrichtungen zur Herstellung verschiedener Arten des polarisierten Lichts und zur Analyse von Licht in bezug auf seine polarisierten Bestandteile erdacht. Die Farben beim Beobachten von Kristallen im polarisierten Licht konnten, besonders von G. AIRY, auf der Grundlage von FRESNELS Theorie erklärt werden. Wenn man das nur kurze Leben bedenkt, das FRESNEL beschieden war (1788–1827), staunt man über die gewaltige Leistung. Sie war ein wesentlicher Beitrag zur entstehenden Physik von Feldern.

Die damals so genannte Undulationstheorie des Lichts wurde auch in Fachkreisen nicht gleich akzeptiert. In GEHLERS Wörterbuch der Physik finden wir beim Stichwort „Brechung" (1825) nur die Lichtteilchen, bei „Inflektion" und bei „Licht" (1829, 1831) aber die Youngschen und Fresnelschen Vorstellungen; bei „Polarisation" (1834) stehen die Fresnelschen Formeln und im Beitrag „Undulation" wird (1839) die Wellentheorie des Lichts auf 300 Seiten abgehandelt. Jetzt hatte sie sich durchgesetzt.

Physik des Äthers

Was FRESNEL um 1820 schuf, war eine phänomenologische Beschreibung, keine wirkliche Physik des Äthers. Man erstrebte aber eine solche, und zwar eine mechanische Erklärung der Erscheinungen am Licht. Man bekam jedoch in der Folgezeit bei diesen Bemühungen eine mechanisch nicht interpretierbare Theorie eines Äthers, die nicht eindeutig wurde und nicht voll befriedigte. Wäre sie gelungen, so hätte sie der elektromagnetischen Theorie mit den Feldgrößen $\boldsymbol{E}$, $\boldsymbol{D}$, $\boldsymbol{B}$ äquivalent sein müssen. Aber soviel konnte man aus den Informationen über das Licht nicht schließen.

Was konnte aus der Theorie eines dreidimensionalen elastischen Kontinuums herausgeholt werden? Verrückungen im Kontinuum führen zu Deformationen; bei einer Flüssigkeit gilt für die Dichte:

$$\rho \sim -\operatorname{div} \xi .$$

Im allgemeinen Fall wird der Tensor D der Deformation eine Ableitung des Vektors der Verrückung:

$$D = \mathrm{Abl}\, \xi .$$

Aus dem Deformationstensor folgt ein Spannungstensor, bei kleinen Deformationen in der Flüssigkeit:

$$\mathrm{d}p \sim \mathrm{d}\rho ,$$

allgemein:

$$S = (\varepsilon) D ,$$

wo (ε) viele elastische Konstanten vereinigt. So folgt eine Bewegungsgleichung, bei der Flüssigkeit

$$\rho\,\ddot{\xi} = -\operatorname{grad} p \sim \operatorname{grad}\operatorname{div}\xi$$

$$\frac{1}{c^2}\,\ddot{p} = \Delta p, \tag{2}$$

allgemein

$$\rho\,\ddot{\xi} = \operatorname{Abl} S = \operatorname{Abl}[(\varepsilon)\operatorname{Abl}\xi].$$

Im isotropen Fall ist diese Gleichung einfach. Mit reiner Volumenelastizität gilt (2). Bei reiner Scherungselastizität wird die Scherungsspannung durch rot ξ ausgedrückt und die Kraft wiederum durch die Rotation dieser Spannung. Beide Arten Elastizität zusammen geben

$$\ddot{\xi} = c_l^2 \operatorname{grad}\operatorname{div}\xi - c_t^2 \operatorname{rot}\operatorname{rot}\xi, \tag{3}$$

wo c_l^2 und c_t^2 elastische Konstanten sind. Zerlegt man ξ in einen rotationsfreien Anteil ξ_l und einen divergenzfreien Anteil ξ_t, so stellt der erste eine longitudinale Welle dar mit der Wellengleichung

$$\ddot{\xi}_l = c_l^2 \operatorname{grad}\operatorname{div}\ddot{\xi}_l,$$

der zweite eine transversale Welle mit

$$\ddot{\xi}_t = -c_t^2 \operatorname{rot}\operatorname{rot}\xi_t.$$

Eine rein transversale Lichtwelle setzt ein inkompressibles Medium voraus. In anisotropen Medien erhält man drei Laufgeschwindigkeiten; die zugehörigen Wellen sind nur genähert longitudinal und transversal.

Im historischen Gang hat man zunächst mit molekularen Modellen eine etwas speziellere Gleichung als (3) abgeleitet. A. L. CAUCHY hat die Spannung als Tensor erkannt und dann für isotrope Medien die Gleichung (3) gefunden (1828). Für anisotrope Medien erhielt er eine Gleichung mit vielen Konstanten; er suchte diese den Fresnelschen Konstruktionen, die er für richtig hielt, anzupassen. Er fand für diese Anpassung keine mechanische Deutung. Für Brechung und Reflexion suchte er mit ad hoc eingeführten Grenzbedingungen die Fresnelschen Formeln zu erhalten. In der Folgezeit gab es dann verschiedene Varianten dieser Äthertheorie. Man konnte in verschiedenen Medien die Elastizität oder die Dichte des Äthers verschieden annehmen und erhielt so einmal die Schwingungsebene senkrecht zur Polarisationsebene, das andere Mal parallel zu ihr (F. NEUMANN 1832).

Im Jahrzehnt 1822–1832 *wurden phänomenologische Theorien des Äthers aufgestellt; sie konnten nicht mehr mechanisch interpretiert werden, und eine Entscheidung zwischen verschiedenen Varianten der Theorie konnte nicht einwandfrei getroffen werden.*

Unter diesen Äthertheorien waren solche, die in formaler Hinsicht der späteren Maxwellschen Theorie nahekamen. Das gilt besonders für die von J. MAC CULLACH (1839/40) entworfene Theorie der optischen Erscheinungen an Kristallen, mit der er die von FRESNEL intuitiv gefundenen Sätze ableiten konnte. Im isotropen Grenzfall ergab seine Theorie die Bewegungsgleichung

$$\ddot{\xi} = -k \operatorname{rot} \operatorname{rot} \xi,$$

mit $\operatorname{div} \xi = 0$ also

$$\ddot{\xi} = k \Delta \xi,$$

also transversale Wellen. Im anisotropen Fall, den er behandelte, waren die Gleichungen etwas komplizierter. Um die Fresnelschen Beziehungen zu erhalten, wählte er als Übergangsbedingungen zwischen zwei Medien den stetigen Durchgang von ξ und der zur Grenzfläche parallelen Komponente von $k \operatorname{rot} \xi$. Das war wohl das Maximum dessen, was man aus den optischen Erscheinungen für eine Art Feldtheorie herausholen konnte. MAC CULLAGHS Gleichungen entsprechen den aus der späteren Maxwellschen Theorie folgenden, wenn man $\xi = \boldsymbol{B}$ oder H (Magnetisierung des Mediums außer Betracht lassend) und $\operatorname{rot} \xi = \boldsymbol{D}$ setzt. Die stichhaltige Begründung der Übergangsbedingungen konnte erst durch die Maxwellsche Verknüpfung mit der elektrischen Ladung und dem elektrischen Strom gegeben werden, die den Größen eine physikalische Deutung gab (Abschnitt 4). Auch nach der Aufstellung der elektromagnetischen Theorie des Lichts durch J. C. MAXWELL hörten Bemühungen um Äthertheorien nicht gleich auf. Bis etwa 1890 wurden Modelle eines elastischen Äthers mit künstlichen Annahmen über das Verhalten im Vakuum oder isotropen Körper und mit künstlichen Bedingungen an den Grenzflächen zweier Medien diskutiert.

Inzwischen wurde auch die Geschwindigkeit des Lichts in Luft und Wasser gemessen. FOUCAULT und FIZEAU fanden um 1850 die Geschwindigkeit der Brechzahl umgekehrt proportional, also der Newtonschen Periodenlänge proportional. Das bestätigte die Huygenssche Deutung des Brechungsgesetzes und stand im Widerspruch zu der von DESCARTES und NEWTON.

Die genannten Äthermodelle, die (bei isotropem Medium) auf eine Gleichung der Form (3) führten, ergaben keine Abhängigkeit der Lichtgeschwindigkeit von der Frequenz. Eine solche Dispersion zu verstehen, dafür gab es verschiedene Möglichkeiten. Die Wellengleichung konnte von höherer Ordnung in den Ableitungen von ξ sein. Das zerstörte die Symmetrie von Zeit und Ort, und Lösungen

$$f(x-c\,t)$$

waren dann nicht mehr möglich. CAUCHY betrachtete um 1830 Kraftgesetze zwischen Molekeln, bekam für ebene Wellen Gleichungen der Form

$$\ddot{\xi}=\alpha\frac{\partial^2 \xi}{\partial x^2}+\beta\frac{\partial^4 \xi}{\partial x^4},$$

wobei die höheren Glieder merklich wurden, wenn die Reichweite der Kräfte an die Größenordnung der Wellenlänge kam. Aber warum gab es dann im leeren Raum keine Dispersion? Eine andere Möglichkeit war die Mitbewegung der Materie durch den Äther, die bei F. NEUMANN (um 1840) zur Gleichung

$$\ddot{\xi}=\alpha\,\Delta\xi+\beta\,\xi$$

führte. Nach der experimentellen Entdeckung der anomalen Dispersion wurde schließlich von W. SELLMAIER (1872) die Mitbewegung elastisch gebundener Materieteilchen erwogen:

$$m(\ddot{x}+\omega_0^2\,x)=-\beta\,\xi,$$

was bei einer Welle mit der Frequenz ω auf

$$x\sim\frac{\beta/m}{\omega_0^2-\omega^2}\,\mathrm{e}^{\mathrm{i}\omega t}$$

und für den Brechnungsindex bei Vorhandensein mehrerer elastischer Frequenzen ω_i auf

$$n^2-1=\sum_i\frac{A_i}{\omega_i^2-\omega^2}$$

führte. H. HELMHOLTZ verstand damit qualitativ die anomale Dispersion und die Absorption in der Umgebung der Frequenzen ω_i.

Während die primitive Form der Wellentheorie des Lichts die Beugungserscheinungen erklärte, suchten die Ausgestaltungen dieser Theorie die Eigenschaften zunächst eines mechanisch gedachten, dann mehr und mehr eines unbekannten Äthers zu erfassen. Der Äther verhielt sich wie ein fester Körper mit künstlichen Eigenschaften. Er war durchlässig für Materie, und die Materie war durchlässig für ihn. *Eine Physik des Äthers trat allmählich neben eine Physik der Materie.* Der Äther war ein unstoffliches Medium eigener Art geworden.

3. ELEKTROMAGNETISMUS[1]

Umgestaltung

Die Lehre von der Elektrizität und dem Magnetismus ist im Laufe des 19. Jahrhunderts grundlegend umgestaltet worden. Vergleichen wir den Stand von 1790 und 1890: Um 1790 kannte man die beiden elektrischen Fluida mit + und − Elektrizität; sie wurden im Leiter beweglich gedacht, im Isolator nicht. Das Kraftgesetz zwischen zwei Ladungsträgern

$$F \sim \frac{Q_1 Q_2}{r^2}$$

erklärte z.B. die Verhältnisse am Kondensator. Konstante elektrische Ströme gab es noch nicht. Man kannte auch die magnetischen Fluida; sie waren nur begrenzt trennbar. Um 1890 hingegen waren die Maxwellschen Gleichungen des elektromagnetischen Feldes anerkannt. Die darin auftretenden Größen $\boldsymbol{E}$, $\boldsymbol{D}$, ρ, $\boldsymbol{B}$, $\boldsymbol{H}$, $\boldsymbol{i}$ wurden nicht mehr mechanisch gedeutet. Man benutzte die Materialgleichungen $\boldsymbol{i}=\sigma\boldsymbol{E}$, $\boldsymbol{D}=\varepsilon\boldsymbol{E}$, $\boldsymbol{B}=\mu\boldsymbol{H}$ und hatte als Verknüpfung von elektromagnetischem Feld und Mechanik schon beinahe die Beziehung für die Kraft $\boldsymbol{F}=\rho\boldsymbol{E}+\boldsymbol{i}\times\boldsymbol{B}$. Die elektromagnetische Welle konnte mit elektrischen Mitteln hergestellt werden.

Gegen Ende des 19. Jahrhunderts finden wir für Elektrizität und Magnetismus eine völlig veränderte Theorie.

Die Elektrizität fing an, die Welt zu verändern. Um 1890 fuhren die ersten Straßenbahnen mit Gleichstrom; der Drehstrommotor war gerade erfunden und die ersten Überlandleitungen wurden gebaut. Es gab Lehrstühle der Elektrotechnik an Hochschulen; Fachschulen dieses Gebietes folgten bald. Die Ablösung des Zeitalters der Dampfmaschine durch das der Elektrifizierung war im Gange.

Die Entwicklung der Begriffe zeigt die Tabelle 1. Aus der Lehre von den Kräften zwischen den elektrischen Fluida entstand eine mathematische Elektrostatik für Vakuum und Leiter, später auch für Dielektrika. Entsprechend entstand eine Magnetostatik; idealer Grenzfall wurde hierfür der Dipol. Die Herstellung länger dauernder elektrischer Entladungen mittels der galvanischen Elemente bereitete den neuen Begriff

[1] E. WHITTAKER, History etc.

Tabelle 1. Elektromagnetische Begriffe

elektrische Kräfte	statische Felder, Dielektrika
magnetische Kräfte	Dipol
galvanische Entladung Thermoelektrizität	elektrische Strömung, Spannung, Stromstärke, Chemie, Energie
magnetische Wirkung der elektrischen Entladung	Einheit von Elektrizität und Magnetismus
Induktion	Kraftlinien, Feld, Energie

des elektrischen Stromes und die Klärung der Begriffe Spannung und Stromstärke vor und führte zu chemischen Einsichten; sie erleichterte den allgemeinen Energiebegriff. Die magnetische Wirkung der elektrischen Entladung festigte den Begriff des elektrischen Stromes und führte Elektrizität und Magnetismus zusammen; sie zeigte neue Möglichkeiten der Wirkung von Kräften. Die Induktionserscheinungen leiteten zur Vorstellung von Kraftlinien und zu neuen Einsichten über die Energie. Die mathematische Fassung schuf dann eine Feldtheorie der elektromagnetischen Erscheinungen und des Lichts. Die Entstehungszeiten sind (ungefähr):

1810–1820	mathematische Elektro- und Magnetostatik,
1800–1830	elektrische Ströme, Elektrochemie,
1820–1825	Elektromagnetismus,
1825–1840	Maßbestimmungen,
1830	Induktion, Kraftlinien,
1860	elektromagnetisches Feld.

Der Einbruch der Mathematik in die Elektrizitätslehre setzte, wie bei der Optik und (wie wir später sehen werden) bei der Wärmelehre, recht rasch zwischen 1810 und 1820 ein. Die vier ersten Schritte der obigen Aufzählung wollen wir in diesem Abschnitt kennenlernen; die Schritte, die zum elektromagnetischen Feld führten, sollen im nächsten Abschnitt folgen.

Elektro- und Magnetostatik

Die Elektrostatik fassen wir heute in den Gleichungen

$$\oint \boldsymbol{E}\,\mathrm{d}\boldsymbol{x}=0 \qquad \oiint \boldsymbol{D}\,\mathrm{d}\boldsymbol{f}=Q \tag{1}$$

zusammen. Die erste garantiert die Existenz eines Potentials zum Felde $\boldsymbol{E}$, die zweite verknüpft die Feldgröße $\boldsymbol{D}$ mit der Ladung Q. Die Verbindung zur Mechanik wird durch die Kraft

$$\boldsymbol{F}=q\boldsymbol{E} \tag{2}$$

auf eine Probeladung q hergestellt. Zu diesen allgemeinen Gleichungen treten Materialgleichungen: im Leiter $\boldsymbol{E}=0$, im Vakuum $\boldsymbol{D}=\varepsilon_0 \boldsymbol{E}$, im Dielektrikum $\boldsymbol{D}=\varepsilon \boldsymbol{E}$. Die Grundlage für die Gleichungen (1), (2) ist das $1/r^2$-Gesetz der elektrischen Kraft. Die weitere Geschichte ist die der mathematischen Ausgestaltung. Das Dielektrikum kam erst später. Auch die Geschichte der Magnetostatik im Anfange des 19. Jahrhunderts ist die ihrer mathematischen Fassung.

Die Ausgestaltungen von Gravitationstheorie und Elektrostatik gingen Hand in Hand. Das Kraftgesetz $F \sim 1/r^2$ war durch die Abnahme der Intensität des Lichts nahegelegt. Vom Potential $V \sim 1/r$ machte NEWTON in der Beziehung

$$m v^2 - \frac{C}{r} = \mathrm{const}$$

implicite Gebrauch. Im übrigen ist der Potentialbegriff von EULER, DANIEL BERNOULLI und LAGRANGE geklärt worden. Die Gleichung

$$\Delta V=0$$

hat LAPLACE in der Himmelsmechanik benutzt, die Gleichung

$$\Delta V = \pm 4\pi\rho \tag{3}$$

D. POISSON 1812 für Gravitation und Elektrostatik. Sie war das Äquivalent für

$$V=\sum \frac{Q}{r}.$$

LAPLACE und besonders POISSON aus der Société d'Arcueil wurden die Begründer einer mathematischen Elektrostatik. Als wichtig für elektrische Untersuchungen erkannte POISSON die Konstanz des Potentials auf Leiteroberflächen. Er konnte sie nicht voll beweisen; er vermutete bei Leitern, daß die Kraft senkrecht zur Oberfläche steht und der Ladungsdichte proportional ist. LAPLACE bewies es. POISSON berechnete die Ladungsverteilung auf einfachen Leiteroberflächen. Systematische Untersuchungen der entsprechenden Randwertaufgabe der Potentialtheorie wurden erst um 1850 begonnen.

Zusammen mit der Potentialtheorie wurde nach 1810 die Elektrostatik in die mathematische Physik einbezogen.

Auch die Magnetostatik wurde von POISSON begründet (um 1820) als Theorie zweier Fluida, die sich nicht weit voneinander entfernen können. Er kannte für den Pol die Beziehung (hier in moderner Schreibweise wiedergegeben):

$$\boldsymbol{F} \sim -p \operatorname{grad} \frac{1}{r},$$

für einen in der x-Richtung gelegenen Dipol:

$$\boldsymbol{F} \sim -\operatorname{grad} \frac{\partial}{\partial x} \frac{m}{r},$$

allgemein:

$$\boldsymbol{F} \sim -\operatorname{grad} \left(\boldsymbol{m} \operatorname{grad} \frac{1}{r} \right).$$

Für räumlich verteilte Magnetisierung fand er:

$$\boldsymbol{F} = -\operatorname{grad} V \qquad V = \iiint \boldsymbol{M} \operatorname{grad} \frac{1}{r} \, \mathrm{d}\tau,$$

mit Teilintegration (Überwälzen der Differentiation)

$$V = \oiint \frac{\boldsymbol{M}}{r} \, \mathrm{d}\boldsymbol{f} - \iiint \frac{1}{r} \operatorname{div} \boldsymbol{M} \, \mathrm{d}\tau;$$

er fand so Pole an der Oberfläche und da, wo $\boldsymbol{M}$ Quellen hatte. POISSON schuf auch ein Modell für weiches magnetisierbares Material. Für einen kugelförmigen Leiter des magnetischen Fluidums in einem Magnetfeld $\boldsymbol{H}$ fand er das magnetische Moment:

$$\boldsymbol{m} = R^3 \boldsymbol{H}.$$

Bei einer magnetischen Substanz dachte er solche leitenden Kugeln wie Schrotkugeln in eine nichtleitende Masse eingebettet. Mit dem Volumenanteil k der leitenden Kugeln erhielt er die Magnetisierung:

$$\boldsymbol{M} = \frac{3}{4\pi} k \boldsymbol{H}.$$

Die Formeln wurden später auf Dielektrika übertragen ($\boldsymbol{P} \sim \boldsymbol{E}$).

Wesentlichen Anteil an der Weiterentwicklung der Elektro- und Magnetostatik hatte G. GREEN. Er war damals Bäcker und Müller im väterlichen Betrieb; er studierte später, starb aber früh. Er blieb zunächst ziemlich unbekannt. In seiner Abhandlung[2] über die Anwendung der mathematischen Analysis auf Elektrizität und Magnetismus (1828) wollte er die Benutzung der Mathematik in der Physik erleichtern. In der Einleitung wird die „Potentialfunktion" eingeführt, und gleich am Anfang steht das bekannte allgemeine Theorem

$$\iiint U \Delta V \,\mathrm{d}\tau - \iiint V \Delta U \,\mathrm{d}\tau = \oiint U \frac{\partial V}{\partial n} \mathrm{d}f - \oiint V \frac{\partial U}{\partial n} \mathrm{d}f,$$

das man später den Greenschen Satz nannte. Er enthielt die Beziehung:

$$\iiint \frac{1}{r} \Delta U(\boldsymbol{x}') \,\mathrm{d}\tau' = -4\pi U(\boldsymbol{x})$$

und für eine Flächenladung:

$$\frac{\partial U}{\partial n} = -4\pi\sigma.$$

GREEN machte Anwendungen z. B. auf das Feld innen und außen an der Spitze einer leitenden Kegelfläche. In der Magnetostatik erhielt er Ergebnisse ähnlich den Poissonschen mit anderer Schlußweise. GAUSS kannte wesentliche Sätze schon vor GREEN, hat sie aber nicht veröffentlicht. Später hat er dann den ganzen Zusammenhang zwischen Ladungsdichte und Potential mathematisch voll befriedigend behandelt.

Durch POISSON, GREEN *und* GAUSS *erlangte die Analysis eine Geschmeidigkeit, die es erlaubte, das Problem der Verteilung der Ladung auf Leitern und der elektrischen Kräfte zwischen Leitern anzugreifen.*

GREENS Arbeiten wurden erst 1850 durch W. THOMSON in weiteren Kreisen bekannt. Dann war aber in Cambridge wie in Glasgow eine englisch-schottische Schule der mathematischen Physik entstanden, die die französische in der Führung ablöste.

C. F. GAUSS (1777–1855) ist als einer der ersten Mathematiker aller Zeiten bekannt. Zwischen reiner Mathematik und ihren Anwendungen wechselnd, hat er der Astronomie, der Geophysik und der Physik viel gegeben. Er hat die glänzende Reihe der Göttinger Mathematiker begonnen, die sich u. a. mit P. LEJEUNE-DIRICHLET, B. RIEMANN, F. KLEIN, D. HILBERT fortsetzte, alles Männer, denen auch die Physik viel verdankt.

[2] In Ostwalds Klassikern finden sich Abhandlungen von ØRSTED, SEEBECK, OHM und GREEN.

Konstante Ströme, Elektrochemie

Die Entdeckung von L. Galvani war um 1800 von A. Volta als im wesentlichen physikalische Erscheinung erkannt worden: Metalle, die sich berühren, zeigen eine Spannungsdifferenz; die Metalle lassen sich in eine Spannungsreihe ordnen; die Folge Metall, Feuchtes, anderes Metall gibt einen elektrischen Strom. Die frühen „galvanischen Zellen" gaben aber nur für kürzere Zeiten eine einigermaßen konstante elektrische Strömung; es traten Ermüdungserscheinungen auf (infolge chemischer Veränderungen); galvanische Zellen, die lange Zeit konstante Verhältnisse zeigen, gibt es erst seit 1836. Es war darum wichtig, daß Th. Seebeck 1821 die Thermoelektrizität entdeckte[2]. Sie ermöglichte konstante und leicht hintereinander zu schaltende Quellen elektrischer Wirkungen.

Die genannten Entdeckungen stellten Aufgaben. Was geschieht im galvanischen Element und im Leiterkreis? Was ist die Ursache der Entladung? Diese letztere Frage führte zur Erkenntnis der elektrischen Natur der chemischen Affinität und zur Kenntnis von Energieäquivalenten. Der Begriff des elektrischen Stromes entstand nur langsam und wurde erst nach Entdeckung der magnetischen Wirkung richtig gefaßt. Die Präzisierung der Begriffe Stromstärke und Spannung führte auch nur langsam zur Verknüpfung mit dem mathematischen Begriff des Potentials.

Was die Beziehung zwischen elektrischer Entladung und Chemie angeht, so hatte man zwar schon früher bemerkt, daß die Entladung von elektrischen Kondensatoren durch Wasser hindurch in diesem Gase entstehen ließ; aber erst mit den länger dauernden Entladungen konnte man um 1800 die Zersetzung von Wasser und von Salzlösungen wirklich studieren. Daß bei Durchgang durch Wasser die Gase Wasserstoff und Sauerstoff im Volumenverhältnis 2:1 entstehen, wies J.W. Ritter nach[3]. Der Vorschlag, die zersetzte Stoffmenge zur Messung der Intensität der Entladung zu benutzen, tauchte sogleich auf.

Man vermutete, daß auch die Bewegung der Elektrizität in der galvanischen Zelle mit einem chemischen Vorgang zusammenhinge. Ritters Hinweis, daß die galvanische Wirksamkeit von Metallen ihrer chemischen Affinität zu Sauerstoff parallel ginge (1797), hat man später als Anfang der wissenschaftlichen Elektrochemie angesehen. Da Ritters Abhandlungen sehr mit spekulativer Naturphilosophie durchsetzt

[3] J.W. Ritter, Die Begründung der Elektrochemie, ausgewählt und kommentiert von A. Hermann, Ostwalds Klassiker, Neue Folge.

waren, wurden sie nicht gewürdigt. RITTER war ein Vertreter der „romantischen Naturphilosophie" jener Zeit, für die die Einheit aller Kräfte, die Vereinigung von Gegensätzen, „Polarität", „Wahlverwandschaft" kennzeichnend waren. Elektrizität wurde zum Symbol für allerhand sprachlich nicht recht Faßbares.

Auch H. DAVY war von jener philosophischen Richtung beeinflußt; aber er blieb ein klarer Experimentator. Seit etwa 1800 stellte er systematische Untersuchungen über die Elektrolyse an. Er stellte Na und K durch Elektrolyse her. Er studierte, was mit den in eine Säure eingetauchten Metallen bei Elektrizitätsdurchgang geschah. Seine Vorstellung war etwa die: der chemische Vorgang hält ein Ungleichgewicht der elektrischen Fluida aufrecht, und eine Strömung im Leiter sucht es auszugleichen; *die chemische Affinität ist elektrischer Natur.*

Voraussetzung einer zeitgemäßen Theorie der chemischen Affinität war die Hypothese J. DALTONS: die Körper bestehen aus Molekeln, die für den Stoff charakteristisch sind, und diese Molekeln sind Aggregate aus wenigen Atomen in festem Zahlenverhältnis. Eine elektrische Theorie der chemischen Affinität gab nach den genannten Vorarbeiten von DAVY 1811 J. BERZELIUS. Er nahm an, daß an den Atomen elektrische Ladungen säßen, positive und negative; die des einen Vorzeichens wäre jeweils stärker oder wirksamer, die positive bei H, Na, K, Cu ..., die negative bei Cl, O, S .... Die chemische Affinität beruhte auf der Anziehung zwischen den jeweils wirksamen Ladungen.

Seine Arbeiten gingen damals in physikalische Bücher ein. In der Chemie jedoch drang er nicht durch. Die organische Chemie paßte nicht dazu. Die Vorstellung des elektropositiven und elektronegativen Charakters der chemischen Elemente war nur begrenzt verwendbar. Geklärt wurden die Verhältnisse ja erst 100 Jahre später mit der Elektronenstruktur der Atome und der Quantentheorie.

Den wichtigsten quantitativen Satz der Elektrochemie – so wichtig wie der von der Konstanz der Massenverhältnisse bei chemischen Verbindungen – entdeckte M. FARADAY (nach der noch zu besprechenden Klärung der Begriffe Stromstärke und Ladung). 1832 fand er die bei der Elektrolyse übergegangene elektrische Ladung Q proportional der übergegangenen Stoffmenge M,

$$Q \sim It \sim M$$

unabhängig von den übrigen Umständen. Im folgenden Jahre fand er

$$Q \sim \frac{w}{A} M,$$

die Proportionalität mit der Anzahl der übergegangenen Äquivalente (w ist die Wertigkeit, A das Atomgewicht, A/w das Äquivalentgewicht des jeweiligen chemischen Elements).

1 g H, 8 g O, 16 g S, 35 g Cl, 33 g Zn tragen (abgesehen vom Vorzeichen) dieselbe Ladung. Dieses elektrochemische Äquivalentgesetz, wie es heute heißt, konnte später so ausgesprochen werden: Jedes Äquivalent Stoff trägt bei der Elektrolyse eine Einheit Elektrizität. Aber FARADAY dachte nicht in den Vorstellungen des Atomismus. Die Tragweite der Faradayschen Beziehung zwischen Elektrizitäts- und Stoffmenge wurde auch nicht gleich erkannt. GEHLERS Wörterbuch erwähnt sie 1836 im Beitrag „Säule" nicht. Daß das Faradaysche Gesetz auf eine natürliche Einheit der elektrischen Ladung hindeutet, haben wohl erst MAXWELL und HELMHOLTZ um 1880 erkannt.

Magnetische Wirkung

Die Magnetisierung von Nadeln bei elektrischen Entladungen hat man gelegentlich beobachtet. Aber der Elektromagnetismus begann 1820 mit einer Entdeckung durch H. C. ØRSTED. Dieser dänische Physiker war auch Anhänger der romantischen Naturphilosophie, für die die verschiedenen Erscheinungen einen einheitlichen Hintergrund haben sollten. Er erhielt Anregungen durch einen Besuch bei J. W. RITTER. Er suchte jahrelang nach einer Wirkung der Elektrizität auf den Magnetismus. 1820 nun entdeckte er die Ausrichtung einer Magnetnadel in der Nähe eines Drahtes, durch den die Entladung einer galvanischen Kette ging. Dabei fand er die möglichen Richtungen der Nadel auf Kreisen um den stromführenden Draht; er sprach von einem Wirbel um diesen.

Die Entdeckung hatte eine rasche Entwicklung in Paris, wo es fähige Physiker gab, zur Folge. Am 21. 7. teilte ØRSTED seine Entdeckung mit; am 4. 9. berichtete ARAGO darüber in der Französischen Akademie; am 11. 9. demonstrierte er sie und interessierte A. M. AMPÈRE, der, als eine Art Wunderkind aufgewachsen, sich bis dahin mit verschiedenen Wissenschaften abgegeben hatte und nun zur Physik kam. Am 18. und 25. 9. zeigte AMPÈRE die gegenseitige Beeinflussung beweglicher Drähte, durch die die Entladung ging; er demonstrierte also das, was später Wirkung von Strom auf Strom hieß. Er verfocht auch die Ansicht, daß Magnetismus auf strömender Elektrizität beruhe. Am 30. 10. gaben J. B. BIOT und S. SAVART bei einem geraden Draht für die magnetische Kraft $F \sim 1/r$, senkrecht zur Drahtrichtung und senkrecht zum Lot auf den Draht an. Auch für geknickte Leiter fanden sie mit LAPLACES Hilfe, daß die magnetische Kraft sich aus Beiträgen $\sin\vartheta \mathrm{d}s/r^2$ der Lichtelemente $\mathrm{d}s$ zusammensetzt (ϑ der Winkel zwischen Drahtrichtung und Verbindungslinie). Die Beziehung war äquivalent zu

$$\boldsymbol{H} \sim \oint \frac{\mathrm{d}\boldsymbol{s} \times \boldsymbol{r}}{r^3} \tag{4}$$

Wir dürfen bei den französischen Physikern des Jahres 1820 nicht von vorneherein den heutigen Begriff des elektrischen Stromes voraussetzen [4]. Man dachte in elektrostatischen Begriffen und faßte die galvanische Elektrizität als eine „Entladung" auf, ähnlich der einer Leidener Flasche. Man sprach von der „gegenseitigen Vernichtung" der beiden Elektrizitätsarten. Neben die noch nicht überzeugend beantwortete Frage, was in der galvanischen Kette geschehe, trat die neue Frage nach dem Verhältnis von Elektrizität und Magnetismus. Unter dem Eindruck der neuen Entdeckungen bildete AMPÈRE den Begriff des elektrischen Stromes als einer physikalischen Größe aus. Aus den Experimenten schloß er, daß Elektrizität und Magnetismus dasselbe wären. Ruhende Elektrizität und bewegte Elektrizität wirken verschieden, und Magnetismus hat mit strömender Elektrizität zu tun.

Die Beziehung (4) hätte zu einer Feldvorstellung führen können. Aber die Entwicklung ging in der Richtung von Gesetzen für Kräfte zwischen Stromelementen weiter. AMPÈRE suchte die Kraft zwischen stromführenden Leiterstücken, also einen Ausdruck (Abb. 7)

$$\mathrm{d}^2 F = \frac{\mathrm{d}s_1 \, \mathrm{d}s_2}{r^n} f(\vartheta_1, \vartheta_2, \omega) \, .$$

Er umging also die Größe $\boldsymbol{H}$ in (4). Aus den experimentell gefundenen Tatsachen, daß die Kräfte zwischen zwei Leitern proportional den Stromstärken $I_1 I_2$ sind, daß sie bei ähnlicher Vergrößerung der Anordnung

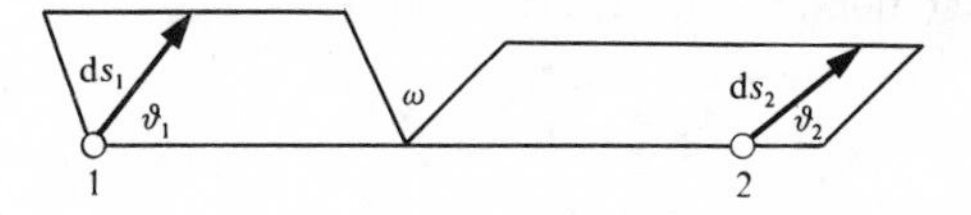

Abb. 7. Zum Ampèreschen Gesetz

[4] TH. M. BROWN, The electric current in early 19th century french physics, Hist. Stud. Phys. Sci. **1**, 61 (1969).

der Leiter die gleichen bleiben (zwischen Leiterelementen also wie $1/r^2$ gehen), daß die vom ganzen Leiter 2 auf ein Element ds_1 des Leiters 1 auf diesem senkrecht steht, und aus der (willkürlichen) Annahme, daß die Kraft zwischen zwei Leiterelementen ds_1 und ds_2 die Richtung der Verbindungslinie habe, aus diesen vier Voraussetzungen schloß AMPÈRE in den folgenden Jahren (1821–1825) auf den von ds_2 herrührenden an ds_1 angreifenden Anteil der Kraft:

$$\begin{aligned} d^2 F_1 &= I_1 I_2 \frac{ds_1 \, ds_2}{r^2} (2 \sin \vartheta_1 \sin \vartheta_2 \cos \omega - \cos \vartheta_1 \cos \vartheta_2) \\ &= I_1 I_2 \frac{ds_1 \, ds_2}{r^2} (2 \cos \varepsilon - 3 \cos \vartheta_1 \cos \vartheta_2) \end{aligned}$$

(ε ist der Winkel zwischen den Richtungen von ds_1 und ds_2). In Vektorschreibweise ist das:

$$d^2 \boldsymbol{F}_1 = I_1 I_2 \boldsymbol{r} \left[-2 \frac{d\boldsymbol{s}_1 \, d\boldsymbol{s}_2}{r^3} + 3 \frac{(d\boldsymbol{s}_1 \boldsymbol{r})(d\boldsymbol{s}_2 \boldsymbol{r})}{r^5} \right]. \tag{5}$$

Parallele Leiterelemente $d\boldsymbol{s}_1$, $d\boldsymbol{s}_2$, die senkrecht zur Verbindungslinie $\boldsymbol{r}$ stehen, ziehen sich bei gleichgerichteten Strömen an; parallele Leiterelemente, die in der Verbindungslinie liegen, stoßen sich bei gleichgerichteten Strömen ab. Die Beziehung (5) definierte Begriff und Maß der Stromstärke durch die Kraftwirkung. Bei diesem Begriff wurde offengelassen, ob viel Elektrizität langsam oder wenig Elektrizität schnell floß, ob positive oder negative Ladung oder ob beide Ladungen sich bewegten. Die Beziehung sagte, daß zwischen bewegten elektrischen Ladungen andere Kräfte wirkten als zwischen ruhenden. AMPÈRES Kraft blieb jedoch insofern im Newtonschen Rahmen, als sie in Richtung der Verbindungslinie der Leiterelemente wirkte und Actio gleich Reactio war.

Durch Integration über den Leiter 2 erhielt AMPÈRE

$$\begin{aligned} d\boldsymbol{F}_1 &= \tfrac{1}{2} I_1 I_2 d\boldsymbol{s}_1 \times \boldsymbol{D}_2 \\ \boldsymbol{D}_2 &= \oint \frac{d\boldsymbol{s}_2 \times \boldsymbol{r}}{r^3}. \end{aligned} \tag{6}$$

Er hätte also als Kraft zwischen den Leiterelementen ds_1, ds_2 auch

$$d^2 F_1 = \frac{I_1 I_2}{2 r^3} d\boldsymbol{s}_1 \times (d\boldsymbol{s}_2 \times \boldsymbol{r}) = \frac{I_1 I_2}{2 r^3} [-\boldsymbol{r}(d\boldsymbol{s}_1 \, d\boldsymbol{s}_2) + d\boldsymbol{s}_2 (d\boldsymbol{s}_1 \boldsymbol{r})]$$

schreiben können. Diese Kraft hätte nicht in Richtung der Verbindungslinie gewirkt, und es wäre Actio nicht gleich Reactio gewesen. AMPÈRE hat aber seine „Directrix" $\boldsymbol{D}_2$ des Leiters 2 nur als Rechengröße angesehen.

Die Beziehung zwischen der Formel (4) von BIOT, SAVART und LAPLACE und dem Ausdruck (6) von AMPÈRE wurde erst allmählich klar. H. GRASSMANN empfand 1845 das Gesetz (5) als unphysikalisch und die Forderung einer in der Verbindungslinie wirkenden Kraft als willkürlich; er schrieb das Elementargesetz

$$\mathrm{d}^2 \boldsymbol{F}_1 = \frac{I_1 I_2}{r^3} \mathrm{d}\boldsymbol{s}_1 \times (\mathrm{d}\boldsymbol{s}_2 \times \boldsymbol{r}) . \tag{7}$$

Auch W. WEBER schrieb 1846

$$\mathrm{d}^2 \boldsymbol{F}_1 = I_1 \mathrm{d}\boldsymbol{s}_1 \times \boldsymbol{H}$$

$$\boldsymbol{H} = I_2 \oint \frac{\mathrm{d}\boldsymbol{s}_2 \times \boldsymbol{r}}{r^3} .$$

Kräfte, die nicht in der Verbindungslinie wirkten und für die Actio und Reactio verschieden waren, waren damals, als man noch ganz in Newtonschen Vorstellungen dachte, sehr ungewohnt. Sie erleichterten die Abkehr vom Newtonschen Denkschema und die Hinwendung zum Begriff des physikalischen Feldes.

AMPÈRE fand weiter die Äquivalenz eines Stromkreises mit einer Schicht von Magneten. Er machte die Hypothese, daß in einem Magneten molekulare Ströme fließen, und zwar Ringströme, daß also der Magnetismus eine elektrische Erscheinung sei.

Magnetismus und Elektrizität, die bisher nur Analogien gezeigt hatten, waren nun zu einer Theorie vereinigt. Sie gehen nicht symmetrisch in die Theorie ein; man kann Magnetismus auf Elektrizität, aber nicht Elektrizität auf Magnetismus zurückführen. *Man gewöhnte sich an Kräfte, die nicht in Richtung der Verbindungslinien wirkten.*

F. NEUMANN leitete (1847) die Kräfte aus einer potentiellen Energie

$$V = - I_1 I_2 \oint_1 \oint_2 \frac{\mathrm{d}\boldsymbol{s}_1 \, \mathrm{d}\boldsymbol{s}_2}{r} \tag{7}$$

ab; die einzelnen Leiterstücke gaben den Beitrag

$$\mathrm{d}V = - I_1 I_2 \frac{\mathrm{d}\boldsymbol{s}_1 \, \mathrm{d}\boldsymbol{s}_2}{r} .$$

Dieses Neumannsche elektrodynamische Potential erlaubte alle Fragen über die Kräfte bei konstanten Strömen zu beantworten.

Maßbestimmungen

Die Möglichkeit, dauernde Ströme herzustellen, forderte die Klärung der Begriffe Spannung, Stromstärke, Widerstand. Die Spannung wurde intuitiv durch die Zahl der hintereinandergeschalteten galvanischen Zellen, später auch der Thermoelemente ausgedrückt. Den Begriff des elektrischen Potentials gab es zwar seit POISSON (1812), das Wort seit GREEN (1828); aber der Zusammenhang dieses Potentials der Mathematik mit der Spannung der Physiker wurde nicht sofort gesehen. Die Stromstärke wurde durch die in der Zeiteinheit zersetzte Menge Wasser oder übergeführte Menge Cu gemessen. Nach 1820 kamen magnetische Instrumente zur Strommessung auf, und das Ampèresche Kraftgesetz zwischen Strömen bot eine absolute Messung der Stromstärke an.

Es definierte gemäß (5) eine elektrodynamische Einheit der Stromstärke. Die spätere internationale Einheit der Stromstärke wurde jedoch mittels

$$\mathrm{d}\boldsymbol{F}_1 = I_1 I_2 \frac{\mathrm{d}\boldsymbol{s}_1 \times (\mathrm{d}\boldsymbol{s}_2 \times \boldsymbol{r})}{r^3} \tag{8}$$

bzw. für parallele Stromstücke im senkrechten Abstand r mittels

$$\mathrm{d}F_1 = -2\, I_1 I_2 \frac{\mathrm{d}s_1\, \mathrm{d}s_2}{r^2}$$

definiert; die so folgende Einheit wurde 10 A genannt. Die Namen der Einheiten, A bei der Stromstärke, C bei der Ladung, erinnern daran, daß AMPÈRE den Begriff des elektrischen Stromes gebildet und COULOMB das wichtigste Gesetz für die elektrische Ladung erkannt hat.

Eine Beziehung zwischen der Stärke eines elektrischen Stromes und seinen Ursachen, also den „elektromotorischen Kräften" der galvanischen Apparate, suchten u.a. AMPÈRE, CAVENDISH, DAVY. Auch G.S. OHM. In seinen Abhandlungen (seit 1812) findet sich richtiges und falsches. Schließlich fand er die gesuchte Beziehung vorgeformt in FOURIERS Abhängigkeit des Wärmestroms von der Temperaturdifferenz (Abschnitt 7):

$$J = \frac{T_1 - T_2}{W}$$

oder $$J = -\kappa q \frac{\mathrm{d}T}{\mathrm{d}x}$$

(q ist der Querschnitt des Wärmeleiters). Mit n Thermoelementen und einem Draht der Länge l fand er 1826 für die magnetisch gemessene Stromstärke
$$I = \frac{n a}{n b + l}.$$

Dies deutete er (1827) als $$I = \frac{U}{R_i + R_a}$$

oder $$I = \sigma q \frac{\mathrm{d}U}{\mathrm{d}x}$$

mit einer Spannung $U \sim n$, einem inneren Widerstand $R_i \sim n$ und einem äußeren Widerstand $R_a \sim l/q$. Ohm war damals an einer Anstalt mit guten Experimentiermöglichkeiten, die als Anfang einer Universität Köln gedacht war, aber dann doch nur ein Gymnasium blieb. Er ließ sich schließlich beurlauben, lebte, wirtschaftlich schlecht gestellt, in Berlin, wurde wenig beachtet. Später lehrte er am Polytechnikum in Nürnberg, fand im Alter Anerkennung und wurde schließlich Professor der Physik an der Münchener Universität.

Im zweiten Viertel des 19. Jahrhunderts wurde dann ein absolutes Maßsystem für die elektromagnetischen Größen aufgebaut. Eine vom Endergebnis gesehene Übersicht lautet folgendermaßen: Es gibt ein elektrostatisches Maßsystem auf Grund der Beziehung für die Energie zwischen zwei Ladungen
$$V = \frac{Q^2}{4\pi\varepsilon_0 r}$$
oder für die Energie eines Kondensators
$$W = \frac{Q^2}{2C}.$$
Setzt man $4\pi\varepsilon_0 = 1$, so wird C in Längeneinheiten gemessen. Dann kann die Messung der Ladung und der Spannung auf die Messung einer Energie oder Kraft (etwa zwischen zwei Kondensatorplatten „Ladungswaage“) zurückgeführt werden. Die Stromstärke wird durch Ladung je Zeiteinheit ausgedrückt und etwa durch periodische Entladung eines Kondensators gemessen. Es gibt weiter ein elektrodynamisches Maßsystem, das (wie die Ampèresche dynamische Stromeinheit) auf der potentiellen Energie zweier Leiter
$$V = -I^2 L$$

beruht, wo L gemäß (6) durch eine Länge ausgedrückt wird. Mittels der Kraft zwischen zwei Stromspulen („Stromwaage") kann so die Stromstärke gemessen werden. Man kann dabei noch den Umweg über das Magnetfeld gehen, mit der potentiellen Energie zwischen zwei Magnetpolen

$$V = \frac{p^2}{r}$$

magnetische Einheiten einführen. Die Beziehung (4) erlaubt dann die Messung des Stromes.

Historisch wurde zuerst von AMPÈRE die obenerwähnte elektrodynamische Einheit der Stromstärke eingeführt (1825 mit pond statt dyn als Krafteinheit). Dann begann GAUSS (1832) den Weg über die magnetischen Einheiten. Aus Schwingungen eines Magneten des Moments M in einem Magnetfeld der Stärke H konnte MH als Energiegröße in mechanischen Einheiten gemessen werden. Durch Vergleich des von M herrührenden Feldes mit dem Feld H konnte M/H bestimmt werden. So waren Einheiten für die magnetischen Größen gegeben. W. WEBER benutzte sie zur Messung der Stromstärke; bei einem kreisförmigen Leiter, der von ihm benutzten Tangentenbussole, ist nach (4) im Mittelpunkt:

$$H = \frac{2\pi I}{r}.$$

Später benutzte WEBER auch das elektrodynamische Maß mit einem dem Ampèreschen äquivalenten Kraftgesetz. Da AMPÈRE keine genauen Messungen angestellt hatte, mußte WEBER sie nachholen. 1851 gab er dann drei Maße für die Stromstärke an: das elektrochemische, das elektrodynamische oder elektromagnetische und das elektrostatische. Da das elektromagnetische und das elektrostatische Maß durch Beziehungen

$$I_m^2 = \frac{V}{l} \qquad I_s^2 = \frac{Q^2}{t^2} = \frac{Vl}{t^2}$$

mit einer Länge l definiert sind, ist $I_s/I_m = l/t$ eine Geschwindigkeit. W. WEBER und R. KOHLRAUSCH maßen das Verhältnis 1857 mit Hilfe von Induktionserscheinungen. Die internationalen Einheiten von 1881 und die absoluten Einheiten von heute fußen auf dem elektromagnetischen Maßsystem, damals mit g, cm, s:

$$10\,\mathrm{A} = 1\,\frac{\sqrt{\mathrm{g\,cm}}}{\mathrm{s}} \qquad 1\,\mathrm{V} = 10^8\,\frac{\sqrt{\mathrm{g\,cm^3}}}{\mathrm{s^2}} \qquad 1\,\mathrm{VA} = 10^7\,\frac{\mathrm{erg}}{\mathrm{s}},$$

heute mit kg, m, s, A:

$$1\,\mathrm{VA} = 1\,\frac{\mathrm{Nm}}{\mathrm{s}}.$$

Die praktische Anordnung der Ladungswaage gab W. THOMSON, die der Stromwaage H. HELMHOLTZ an.

Für W. WEBER (1804–1891), jungem Professor der Physik in Göttingen, war die Freundschaft mit dem älteren GAUSS bestimmend. Als einer der „Göttinger Sieben“ mußte er 1837 seinen Lehrstuhl aufgeben, wurde aber bald nach Leipzig berufen, wo er seine Maßbestimmungen fortsetzte, 1849 konnte er nach Göttingen zurückkehren. Unter ihm ist hier ein fruchtbares physikalisches Forschungsinstitut entstanden.

4. VOM ELEKTRISCHEN FLUIDUM ZUM ELEKTROMAGNETISCHEN FELD

Der 1820 entdeckte Zusammenhang von Elektrizität und Magnetismus fand durch BIOT, SAVART, LAPLACE, AMPÈRE eine mathematische Formulierung. Nach AMPÈRE konnte die Kraft auf ein Leiterstück

$$\mathrm{d}\boldsymbol{F}_1 = I_1\,\mathrm{d}\boldsymbol{s}_1 \times I_2 \frac{\mathrm{d}\boldsymbol{s}_2 \times \boldsymbol{r}}{r^3}$$

geschrieben werden. Aus dem Coulombschen Gesetz hätte man

$$\oint \boldsymbol{E}\,\mathrm{d}\boldsymbol{x} = 0 \qquad \oiint \boldsymbol{E}\,\mathrm{d}\boldsymbol{f} \sim Q,$$

aus dem Biot-Savart-Ampèreschen

$$\oiint \boldsymbol{H}\,\mathrm{d}\boldsymbol{f} = 0 \qquad \oint \boldsymbol{H}\,\mathrm{d}\boldsymbol{x} \sim I$$

herauslesen können. Aber man hatte vorläufig keinen Anlaß zu solcher Feldtheorie. An den vier Gleichungen sehen wir aber, was, abgesehen von der noch ausstehenden Bildung der Feldvorstellung, an der vollständigen Theorie des elektromagnetischen Feldes noch fehlte: die Beziehungen zwischen $\boldsymbol{E}$ und $\boldsymbol{D}$, $\boldsymbol{B}$ und $\boldsymbol{H}$, weiter die zeitlichen Veränderungen. Die Beziehung für $\dot{\boldsymbol{B}}$ ist das Faradaysche Induktionsgesetz, die für $\dot{\boldsymbol{D}}$ stammt von MAXWELL. Wir werden darum in diesem Abschnitt FARADAYS Untersuchungen, ihre mathematische Verarbeitung und MAXWELLS Theorie samt ihrer Weiterbildung und Anerkennung zu behandeln haben.

FARADAY

MICHAEL FARADAY (1791–1867) war eine halbe Generation jünger als AMPÈRE und GAUSS, die er nicht verstand, und eine halbe Generation älter als WILHELM WEBER, der ihn nicht verstand. Er hatte nur eine einfache Schulbildung genossen, lernte das Buchbinderhandwerk, las viel, besonders die Encyclopaedia Britanica und ein Chemiebuch, machte eigene Versuche, hörte öffentliche wissenschaftliche Vorträge und arbeitete sie aus. 1813 wurde er Assistent, zeitweise wohl auch Diener von H. DAVY an der Royal Institution, einer schon erwähnten privaten

Gesellschaft zur Verbreitung naturwissenschaftlicher Kenntnisse. FARADAY experimentierte dort, schrieb kleine Abhandlungen, verflüssigte Chlor, wurde allmählich selbständiger und experimentierte über Elektromagnetismus. 1824 wurde er in die Royal Society gewählt; bei einer um 1831 zu treffenden Entscheidung zwischen Geldverdienen und wissenschaftlicher Forschung blieb er bei dieser. Seine Entdeckungen zeichnen sich durch richtigen Instinkt und Unvoreingenommenheit aus. Die wichtigsten sind

1831	die elektromagnetische Induktion,
1832–1833	das elektrochemische Äquivalenzgesetz,
1837–1838	der Einfluß der Dielektrika,
1845	die Drehung der Polarisationsebene und der Diamagnetismus[1].

Die erstgenannte führte ihn auf die Vorstellung der magnetischen Kraftlinien, die zweite auf die Suche nach weiteren Äquivalenzen und auf Gedanken, die dem allgemeinen Energiesatz nahekamen, die dritte auf die Vorstellung der Nahewirkung und der elektrischen Kraftlinien. FARADAY war von der romantischen Naturphilosophie nicht unbeeinflußt. Der Gedanke der Einheit aller Naturkräfte lag ihm am Herzen und bestimmte auch die Richtung seines Suchens.

Einzelne Induktionserscheinungen haben schon ARAGO und AMPÈRE gesehen, aber nicht gedeutet. FARADAY suchte seit 1825 nach einem Analogon zur elektrostatischen Influenz, also einer Art Influenzwirkung eines Stromes auf einen Leiterkreis (Abb. 8). 1831 fand er schließlich, daß eine Änderung des Stromes im Leiter 1 einen Stromstoß im Leiter 2 hervorruft. Auch Bewegen des stromführenden Leiters 1 oder Bewegen des Leiters 2 oder Nähern eines Magneten an den Leiter 2 gab einen

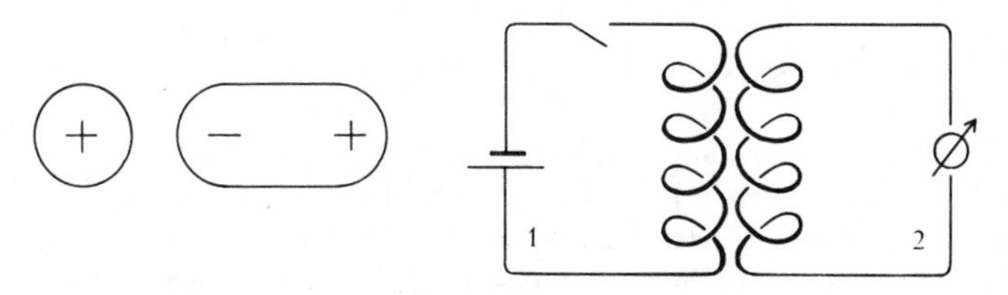

Abb. 8. Influenz und Induktion

[1] M. FARADAYS Experimentaluntersuchungen über Elektrizität (1832–1850) und die wichtigsten Abhandlungen von F. NEUMANN, H. HELMHOLTZ und J. C. MAXWELL sind in Ostwalds Klassikern abgedruckt.

solchen Stromstoß. FARADAY stellte fest: es kommt auf die Änderung des magnetischen Zustandes bei 2 an. Er bildete sich die Vorstellung geschlossener magnetischer Kraftlinien um einen Strom herum oder durch einen Magneten hindurch und in seiner Umgebung; die Dichte der Kraftlinien sollte die magnetische Kraft an der jeweiligen Stelle angeben. Denkt man sich ein Kraftlinienbündel der Länge nach zu einer Kraftröhre von wechselndem Querschnitt q vereinigt, so ändert sich die Dichte der Kraftlinien (also das, was wir heute magnetische Flußdichte B nennen) gemäß $Bq = \text{const}$. FARADAY fand durch Versuche: Wenn ein Leiterstück durch Kraftlinien bewegt wird, so ist der Induktionsstrom proportional der Zahl der geschnittenen Kraftlinien und umgekehrt proportional dem Widerstand des Leiters. Wenn bewegtes Leiterstück (der Länge l), Bewegungsgeschwindigkeit (v) und Kraftlinien aufeinander senkrecht stehen (Abb. 9), so entsteht die elektromagnetische Kraft

$$U \sim B v l;$$

im ganzen entsteht also eine Umlaufspannung proportional der Zahl der in der Zeiteinheit geschnittenen Kraftlinien. Wir schreiben heute

$$U = -\oint \boldsymbol{B}(\boldsymbol{v} \times \mathrm{d}\boldsymbol{s}).$$

FARADAY überzeugte sich durch sorgfältige Versuche, daß die auf verschiedene Weise erzeugten elektrischen Ströme übereinstimmende Eigenschaften hatten.

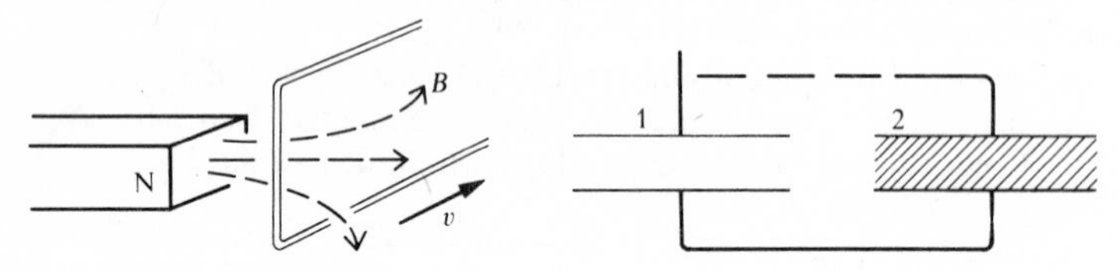

Abb. 9. Zur Induktion

Abb. 10. Messung der Dielektrizitätskonstante

Induktionserscheinungen erforschte fast gleichzeitig auch J. HENRY in Amerika. E. LENZ in Petersburg fand bald die Regel, daß der Induktionsstrom seiner Ursache entgegen wirkt. Auf Induktion beruhende stromerzeugende Maschinen wurden bald konstruiert, ebenso Induktoren mit Unterbrecher.

Für die Elektrochemie bildete FARADAY die Vorstellung, daß bei Stromdurchgang durch eine geeignete Flüssigkeit die Molekeln in Teile verschiedener Ladung zerrissen werden und sich dann mit Teilen benachbarter Molekeln vereinigen; er hatte also noch nicht die Vorstellung ursprünglicher Ionen. Seine quantitativen Sätze haben wir schon erwähnt. Die übergeführte elektrische Ladung ist der übergeführten Stoffmenge proportional, unabhängig von Konzentration der Lösung, von Temperatur und Elektrodengröße (1832). Die übergeführte Ladung entspricht der Zahl der übergeführten chemischen Äquivalente (1833). FARADAY hat auch die Namen Anode, Kathode, Elektroden eingeführt. Die Vorgänge im Elektrolyt und in der galvanischen Zelle hat er als Umwandlung von „Kraft" angesehen. Chemische Affinität geht in elektrische Kraft über oder umgekehrt (die Beziehung: elektrische Arbeit gleich Ladung mal Potentialdifferenz, fehlte noch). Kraft entsteht nicht von selbst (1840). So sind bei FARADAY chemische und elektrische Energie in die Erhaltung der Energie einbezogen.

Über die Dielektrika experimentierte FARADAY um 1837. Er sah, wie ein Dielektrikum die elektrischen Kräfte verändert, so wie weiches Eisen die magnetischen Kräfte. Ein Dielektrikum hält eine elektrische Polarisation aufrecht, ein Elektrolyt tut es nicht. FARADAY maß die „Verteilungsfähigkeit" eines Dielektrikums für elektrische Kraft, indem er einem mit Luft gefüllten Kondensator (1 in Abb. 10) einen mit dem Dielektrikum gefüllten Kondensator (2 in Abb. 10) parallel schaltete, ohne die Ladung zu ändern. Wegen

$$C_1 = \frac{Q}{U_1} \qquad C_1 + C_2 = \frac{Q}{U} \qquad \frac{C_2}{C_1} = \frac{U_1 - U}{U}$$

maß er mit den Spannungen das Verhältnis der Dielektrizitätskonstanten. Um die Verhältnisse im Dielektrikum zu verstehen, bildete er die Vorstellung elektrischer Kraftlinien mit einem Zug in der Längsrichtung und einem Druck quer dazu. Das Coulombsche Gesetz machte er sich damit verständlich. Ein Dielektrikum sucht solche Kraftlinien in sich hinein zu ziehen.

Faraday hat den Zustand des Dielektrikums als wesentlich für das elektrische Geschehen erkannt.

Um 1840 zeigt sich bei FARADAY eine Art Erschöpfungspause, aber 1845 kamen neue Entdeckungen. Wie auch andere suchte FARADAY einen Zusammenhang von Licht, Elektrizität und Magnetismus, und er forschte nach der Wirkung eines elektrischen Stromes oder eines Magnetfeldes auf ein Lichtbündel. Schon seit 1834 suchte er eine Drehung der Polarisationsebene des Lichtes in einem stromdurchflossenen Elektrolyten. 1845 fand er eine solche in Bleiglas, das einem Magnetfelde ausgesetzt war. Im gleichen Jahre fand er bei Wismut Magnetisierung mit umgekehrtem Vorzeichen. Andeutungen, daß es Substanzen gibt, die sich magnetisch anders verhalten als etwa Eisen, hat man auch vorher schon bemerkt.

Es kommen nun spekulative Abhandlungen über den Zusammenhang des Lichtes mit elektrischen und magnetischen Kraftlinien. FARADAY entwarf das Programm einer elektromagnetischen Theorie des Lichts, bei der ein Äther unnötig war und bei der die elektromagnetischen Kraftlinien und ihre Wirkung in die Nähe das wesentliche waren. MAXWELL hat es später durchgeführt.

Kaum ein anderer Physiker hat so viele wichtige Entdeckungen gemacht wie FARADAY. *Die quantitative Erfassung der Induktionserscheinungen und der Elektrolyse, die quantitative Kennzeichnung der Dielektrika und das Denkschema der Kraftlinien sind für die Theorienbildung entscheidend geworden. Er sah die elektromagnetischen Erscheinungen als Nahewirkung, als Vorgänge im Raume zwischen den elektrischen Körpern und den Magneten. Wesentlich waren für ihn nicht die Ladungen, sondern die Kraftlinien im Raume.*

FARADAY konnte seine Kraftlinienvorstellung nicht mathematisch präzisieren; sie wurden auch (vor MAXWELL) von anderen nicht aufgenommen. Die Entwicklung ging vielmehr zunächst in der formalen, durch AMPÈRE vorgeschriebenen Richtung weiter.

Mathematische Verarbeitung

Entsprechend der potentiellen Energie eines magnetischen Dipols

$$V = -\boldsymbol{m}\boldsymbol{B}$$

und der Äquivalenz einer Schicht von Dipolen mit einem Stromkreis, setzte F. NEUMANN 1845 die potentielle Energie eines solchen Stromkreises in einem äußeren Magnetfeld

$$V = -J \iint \boldsymbol{B}\, \mathrm{d}\boldsymbol{f}.$$

Mit dem Biot-Savartschen Ausdruck für das von einem zweiten Stromkreis erzeugte Magnetfeld bekam er für die potentielle Energie zweier Stromkreise (in moderner Form geschrieben):

$$V = -I_1 I_2 \iint_1 \mathrm{d}\boldsymbol{f}_1 \oint_2 \frac{\mathrm{d}\boldsymbol{s}_2 \times \boldsymbol{r}}{r^3} = -I_1 I_2 \oint_1 \oint_2 \frac{\mathrm{d}\boldsymbol{s}_1\, \mathrm{d}\boldsymbol{s}_2}{r},$$

was man später

$$V = -I_1 I_2 L_{12} \tag{1}$$

abkürzte. Mit dem gleichen Potential drückte er das Induktionsgesetz aus, was auf der geometrischen Analogie beruhte, die durch das Vorkommen von $\boldsymbol{i} \times \boldsymbol{B}$ bei der Kraft und von $\boldsymbol{v} \times \boldsymbol{B}$ bei der Induktion gegeben ist. Für die als Folge eines veränderten Magnetfeldes entstehende Umlaufspannung ergab sich:

$$U_1 = -\frac{\mathrm{d}}{\mathrm{d}t} \iint_1 \boldsymbol{B}\,\mathrm{d}\boldsymbol{f} = -\frac{\mathrm{d}}{\mathrm{d}t}\left(I_2 \oint_1 \oint_2 \frac{\mathrm{d}\boldsymbol{s}_1\,\mathrm{d}\boldsymbol{s}_2}{r}\right),$$

was man

$$U_1 = -\frac{\mathrm{d}}{\mathrm{d}t}(I_2 L_{12}) \tag{2}$$

abkürzen konnte.

W. WEBER suchte fast gleichzeitig ein allgemeines Elementargesetz für die Kräfte zwischen ruhenden und bewegten Ladungen. Einen elektrischen Strom sah er als Bewegung positiver und negativer Ladungen nach entgegengesetzten Seiten, aber mit gleicher Geschwindigkeit an. Bei Annahme dieses ja zu speziellen Modells fand er

$$F = \frac{Q_1 Q_2}{r^2}\left[1 - \frac{1}{c^2}\left(\frac{\mathrm{d}r}{\mathrm{d}t}\right)^2 + \frac{2r}{c}\,\frac{\mathrm{d}^2 r}{\mathrm{d}t^2}\right]$$

im Einklang mit dem Ampèreschen Gesetz und den Induktionserscheinungen; c war dabei eine Konstante, die das elektrodynamische Maß der Stromstärke und der Ladung in das elektrostatische des Coulombschen Gesetzes überführte. Das Webersche Grundgesetz war, abgesehen von dem Hinweis auf die Konstante c (die die Lichtgeschwindigkeit war), kein fruchtbarer Umweg. Es wurde jahrzehntelang über das Gesetz diskutiert, das ja eine sehr spezielle Annahme über den Strom machte und ohne diese nicht galt. Nach Annahme der Maxwellschen Theorie schlief die Diskussion ein.

Inzwischen war der Gedanke der Erhaltung der Energie mehrfach verfolgt worden (Abschnitt 7). H. HELMHOLTZ stellte in seinem berühmten Vortrage von 1847 „über die Erhaltung der Kraft“ das Programm auf, alle physikalischen Erscheinungen auf Bewegung von Materieteilchen unter dem Einfluß von Kräften zurückzuführen, wonach es nur potentielle und kinetische Energie gab. Kraftgesetze

$$\boldsymbol{F} = f(r)\frac{\boldsymbol{r}}{r}$$

garantieren den Energiesatz. (1881 fügte er den Zusatz bei, daß auch geschwindigkeitsabhängige Kräfte wie

$$\boldsymbol{F} = -\operatorname{grad} V(\boldsymbol{x}) + G(\boldsymbol{x}, \dot{\boldsymbol{x}}) \times \dot{\boldsymbol{x}}$$

hinreichend seien.) Er suchte nun die mathematischen Ausdrücke für die Energie in den verschiedenen physikalischen Erscheinungen; seine Energiebilanz bei der Induktion ist aber nicht ganz geglückt.

Diese wurde erst allmählich in Ordnung gebracht. W. THOMSON, Professor in Glasgow, näherte sich ihr, indem er einem System von Strömen noch eine magnetische Energie gab. Für zwei Stromkreise konnte die Energiebilanz nun folgendermaßen lauten: Bei Bewegung der Stromkreise wird dem System zugeführt die mechanische Arbeit gemäß (1):

$$\delta A = -I_1 I_2 \delta L$$

und die elektrische Arbeit:

$$\delta E = (U_1^a I_1 + U_2^a I_2) \delta t,$$

wo U_1^a und U_2^a die von außen an die Leiterkreise angelegten Spannungen sind. Es entsteht nun die magnetische Energie gemäß (3)

$$\delta W = \delta(I_1 I_2 L)$$

und die Wärme

$$\delta H = [(U_1^a + U_1^i) I_1 + (U_2^a + U_2^i) I_2] \delta t,$$

wo U_1^i und U_2^i die durch Induktion entstehenden Spannungen sind. Die Bilanz

$$\delta A + \delta E = \delta W + \delta H$$

$$-2 I_1 I_2 \delta L = I_1 L \delta I_2 + I_2 L \delta I_1 + (U_1^i I_1 + U_2^i I_2) \delta t$$

$$0 = I_1 [\delta(I_2 L) + U_1^i \delta t] + I_2 [\delta(I_1 L) + U_2^i \delta t]$$

stimmt, wenn die induzierten Spannungen

$$U_1^i = -\frac{\mathrm{d}}{\mathrm{d}t}(I_2 L), \qquad U_2^i = -\frac{\mathrm{d}}{\mathrm{d}t}(I_1 L)$$

sind. Das ist eine energetische Begründung des Induktionsgesetzes. Aber so steht es noch nicht bei THOMSON, sondern z. B. erst in HATTENDORFS Ausarbeitung (1876) von B. RIEMANNS Vorlesung von 1861; wesentlich für RIEMANN war, daß sich „elektrodynamische Arbeit" der Leiter $-I_1 I_2 \delta L$ und „elektromotorische Arbeit" in den Leitern $I_1 \delta(I_2 L) + I_2 \delta(I_1 L)$ zu einem vollständigen Differential $\delta(I_1 I_2 L)$ ergänzen.

Durch F. NEUMANN, H. HELMHOLTZ, W. THOMSON *und* B. RIEMANN *ist der Induktionsvorgang mathematisch gefaßt worden.*

THOMSON wies auf mathematische Analogien zwischen verschiedenen physikalischen Erscheinungen hin, so der Größen $\boldsymbol{D}$ und $\boldsymbol{E}$ der Elektrizitätslehre mit Verrückung und Kraft, der Beziehung $\boldsymbol{F} = -\operatorname{grad} V$ für eine Kraft mit der für den Wärmestrom $\boldsymbol{j} \sim -\operatorname{grad} T$.

THOMSON konnte auch (1853) die elektrischen Schwingungen mathematisch erfassen. In einem Stromkreis gilt

$$U^{\mathrm{a}} + U^{\mathrm{i}} = RI;$$

wenn U^{a} durch eine Kondensatorentladung zustande kommt, gilt entsprechend:

$$\frac{Q}{C} - L\dot{I} = RI$$

$$L\ddot{Q} + R\dot{Q} + \frac{Q}{C} = 0$$

analog zur mechanischen Schwingung:

$$m\ddot{x} + r\dot{x} + kx = 0.$$

Für kleine Werte des Widerstandes R erhielt so THOMSON eine Formel für die Schwingungsfrequenz:

$$\omega^2 = \frac{1}{CL}.$$

Diese erleichterte die Maßbestimmungen, man konnte C im elektromagnetischen Maße messen. W. WEBER und R. KOHLRAUSCH fanden 1857 für die Konstante, die später der Lichtgeschwindigkeit entsprach, $c = 3{,}11 \cdot 10^{10}$ cm/s, während FIZEAU die Lichtgeschwindigkeit zu $3{,}15 \cdot 10^{10}$ cm/s bestimmt hatte.

Maxwellsche Theorie

Die Theorie des elektromagnetischen Feldes fassen wir heute in vier Grundgleichungen zusammen:

$$\left.\begin{aligned} \operatorname{div} \boldsymbol{B} &= 0 \\ \dot{\boldsymbol{B}} + \operatorname{rot} \boldsymbol{E} &= 0 \end{aligned}\right\} \leftarrow \quad \begin{aligned} \boldsymbol{B} &= \operatorname{rot} \boldsymbol{A} \\ \boldsymbol{E} &= -\dot{\boldsymbol{A}} - \operatorname{grad} U \end{aligned}$$

$$\left.\begin{aligned} -\dot{\boldsymbol{D}} + \operatorname{rot} \boldsymbol{H} &= \boldsymbol{i} \\ \operatorname{div} \boldsymbol{D} &= \rho \end{aligned}\right\} \rightarrow \quad \dot{\rho} + \operatorname{div} \boldsymbol{i} = 0,$$

deren Inhalt in der Abb. 11 anschaulich dargestellt wird (magnetische Feldlinien sind gestrichelt, elektrische als ununterbrochene Linien wiedergegeben). Die beiden oberen Gleichungen betreffen nur das „Feld"; sie können durch Einführung der Potentiale $U, \boldsymbol{A}$ erfüllt werden. Die unteren Gleichungen verknüpfen „Feld" und „Elektrizität". In den Größen $\boldsymbol{D}$ und $\boldsymbol{H}$ sind Eigenschaften der Materie enthalten; im Vakuum ist

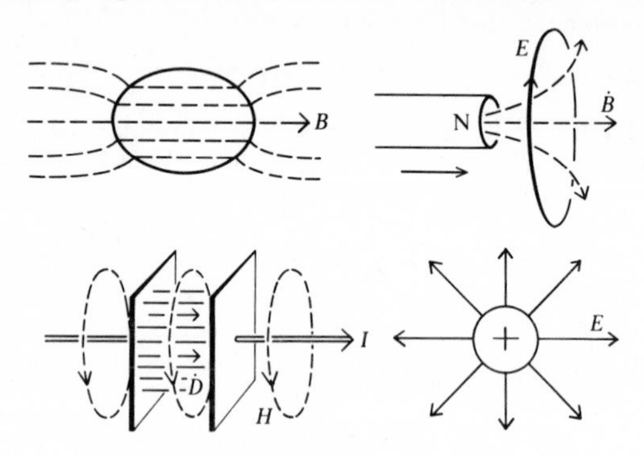

Abb. 11. Zur Maxwellschen Theorie

$\boldsymbol{D} \sim \boldsymbol{E}$, $\boldsymbol{H} \sim \boldsymbol{B}$. Aus den unteren Gleichungen folgt die Erhaltung der elektrischen Ladung. Die Verknüpfung mit der Mechanik kann durch die Kraftdichte

$$\boldsymbol{f} = \rho \boldsymbol{E} + \boldsymbol{i} \times \boldsymbol{B}$$

erfolgen. Zur Aufstellung solcher Gleichungen war mancherlei nötig. Einmal eine geschmeidige mathematische Ausdrucksform. Die besonderen Ableitungen der Vektoranalysis, die die Invarianz gegenüber Drehung und Verrückung zum Ausdruck bringt, die Ableitungen, die wir mit grad, div, rot bezeichnen, waren allmählich von EULER, POISSON, GREEN, GAUSS, GRASSMANN, F. NEUMANN, STOKES in ihrer Bedeutung erkannt worden; das Zeichen ∇ hat HAMILTON eingeführt. Weiter war nötig die Vorstellung der Nahewirkung und der Wichtigkeit eines Geschehens im Raume zwischen den elektrischen Körpern; diese Vorstellung hatte FARADAY. Das Induktionsgesetz schließlich war von diesem gefunden, von F. NEUMANN und W. THOMSON deutlicher formuliert worden. Es lag also seit etwa 1850 alles bereit. *Der Mann, der die Kenntnis der nötigen Tatsachen, physikalische Phantasie und Beherrschung des mathematischen Werkzeugs vereinigte, war* MAXWELL.

J. C. MAXWELL (1831–1879) war 40 Jahre jünger als FARADAY und nur wenig jünger als W. THOMSON und G. KIRCHHOFF. Er war Schotte wie W. THOMSON, studierte in Edinburgh und London, wo G. G. STOKES lebte. 1856 wurde er Professor in Edinburgh, 1860–1870 lebte er teils in London, wo er FARADAY kennenlernte, teils auf seinem Landsitz.

1871 wurde er der erste Leiter des Cavendish-Laboratoriums in Cambridge und eröffnete so die Reihe der glänzenden Namen der vier ersten Leiter: MAXWELL, Lord RAYLEIGH, J.J. THOMSON, RUTHERFORD. Seine wichtigsten Beiträge zur Feldtheorie des Elektromagnetismus waren die von 1855 über FARADAYS Kraftlinien, die von 1861–1864 über das elektromagnetische Feld und die Zusammenfassung von 1873.

Die Abhandlung von 1855 brachte noch kein neues Ergebnis, zeigte aber die Richtung an. Sie stand in der W. Thomsonschen Tradition der formalen Analogien; „physikalische Theorien kann man mit Analogien deutlich machen“; „mathematisch gleichartige Theorien können physikalisch verschiedenes bedeuten“. Beim Licht können die gleichen Sätze als Aussagen über Teilchen oder über Wellen gedeutet werden, bei der Elektrizität gleiche Formeln mit Fern- und Nahwirkung gedeutet werden. Im einzelnen wurden Flüssigkeitsströmung und elektrisches Feld gegenübergestellt:

$$k\,\boldsymbol{v} = -\operatorname{grad} p \qquad \frac{1}{\varepsilon}\boldsymbol{D} = -\operatorname{grad} U$$

$$\operatorname{div} \boldsymbol{v} = \rho \qquad \operatorname{div} \boldsymbol{D} = 4\pi\rho$$

$$\dot{w} = \tfrac{1}{2}\boldsymbol{v} \operatorname{grad} p \qquad w = \tfrac{1}{2}\boldsymbol{E}\boldsymbol{D} = -\tfrac{1}{2}\boldsymbol{D} \operatorname{grad} U,$$

an Grenzflächen

$$v_n \text{ stetig}, \quad \frac{\partial p}{\partial n} \text{ unstetig} \qquad D_n \text{ stetig}, \quad \frac{\partial U}{\partial n} = E_n \text{ unstetig},$$

weiter Flüssigkeitsströmung und elektrischer Strom:

$$k\,\boldsymbol{v} = -\operatorname{grad} p \qquad k\,\boldsymbol{i} = -\operatorname{grad} U.$$

Die Induktionserscheinungen wurden mit geschnittenen Kraftlinien verständlich gemacht. Der „elektrotonische Zustand“ bei FARADAY wurde durch den Feldlinienfluß Φ beschrieben; $\mathrm{d}\Phi/\mathrm{d}t$ gibt die elektromotorische Kraft bei der Induktion.

Nach Studium von THOMSON *und* GREEN *versuchte* MAXWELL, *den Faradayschen Ideen eine mathematische Fassung zu geben, die keine Hypothesen über die wirkliche Natur der Vorgänge erfordert. Seine Sätze sind äquivalent*

$$\Phi = \iint \boldsymbol{B}\,\mathrm{d}\boldsymbol{f} \qquad \oint \boldsymbol{H}\,\mathrm{d}\boldsymbol{x} = \iint \boldsymbol{i}\,\mathrm{d}\boldsymbol{f} = I;$$

H *ist durch* ***B***, ***i*** *durch* ***E*** *bestimmt.*

Die Abhandlung von 1861/62 „über physikalische Kraftlinien“ benutzte wieder mechanische Analogien; einige seien „somewhat awkward“

(mißlich), aber sie hülfen der Vorstellung. Ein Magnetfeld $\boldsymbol{H}$ (in Abb. 12 senkrecht zur Zeichenebene) entspricht dem Wirbel einer Strömung. Zwischen den Gebieten dieser Wirbel sind Rollen eingelegt; bei räum-

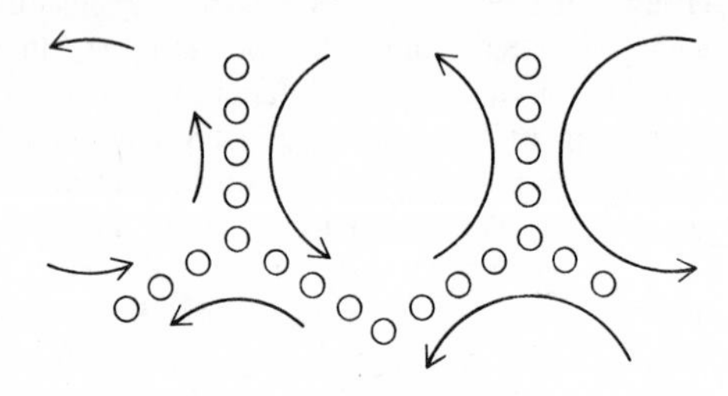

Abb. 12. MAXWELLS Modell

lich konstantem $\boldsymbol{H}$ werden sie gedreht, aber nicht fortbewegt; bei räumlich veränderlichem $\boldsymbol{H}$ bewegen sie sich aus kinematischen Gründen und geben so einen Strom $\boldsymbol{C}$

$$\boldsymbol{H} = \operatorname{rot} \boldsymbol{A}$$

$$\boldsymbol{C} = \operatorname{rot} \boldsymbol{H}.$$

Das wichtigste in dieser Abhandlung war die Einführung des Gliedes $-\dot{\boldsymbol{D}}$ in der dritten Grundgleichung. Ohne das Glied wäre $\operatorname{div} \boldsymbol{i} = 0$, die Theorie also unvollständig. MAXWELL hob es gar nicht hervor. Im elektrischen Strom war bei ihm, der in Anlehnung an FARADAY dachte, ohne weiteres der Verschiebungsstrom $\dot{\boldsymbol{D}}$ inbegriffen; es ist also

$$\operatorname{rot} \boldsymbol{H} = \boldsymbol{i} + \dot{\boldsymbol{D}},$$

und die Folgerung

$$\operatorname{div}(\boldsymbol{i} + \dot{\boldsymbol{D}}) = 0$$

wurde, verglichen mit dem Erhaltungssatz

$$\operatorname{div} \boldsymbol{i} + \dot{\rho} = 0,$$

zur Begründung der vierten Grundgleichung

$$\operatorname{div} \boldsymbol{D} = \rho$$

benutzt. Die Erweiterung der Biot-Savartschen Verkettung, die man $\operatorname{rot} \boldsymbol{H} = \boldsymbol{i}$ schreiben kann, zur Maxwellschen war also einfach eine Folge der Faraday-Maxwellschen Vorstellung vom Verschiebungsstrom, im Grunde der Analogie der Größe $\boldsymbol{D}$ mit einer Verrückung. Das mechanische Modell, das MAXWELL als Analogie benutzte, konnte infolge des Gliedes mit $\boldsymbol{D}=\varepsilon \boldsymbol{E}$ elastische Schwingungen ausführen; sie führten zu Wellen, deren Laufgeschwindigkeit $c \sim 1/\sqrt{\varepsilon}$ war. c zeigte sich dabei als die von WEBER und KOHLRAUSCH gemessene Konstante. Die Wellen im mechanischen Modell liefen also mit Lichtgeschwindigkeit. Bei MAXWELL blieb noch offen, ob der gleiche mechanische Vorgang die Erscheinungen des Lichts und des Elektromagnetismus lieferte, oder ob der Zusammenhang ein anderer wäre. „Wir können kaum die Annahme vermeiden, daß Licht und Elektrizität auf derselben Schwingung beruhen", folgerte MAXWELL.

Die Abhandlung von 1864 „a dynamical theory of electromagnetic field" war dann eine gerundete Darstellung, befreit von den künstlichen Hilfsmitteln der mechanischen Analogie. Sie war wirklich eine Theorie des elektromagnetischen Feldes. Die Feldgleichungen lauteten (mit uns gewohnten Bezeichnungen):

$$\boldsymbol{s}=\boldsymbol{i}+\dot{\boldsymbol{D}}$$

$$\mu \boldsymbol{H}=\operatorname{rot} \boldsymbol{A} \qquad \text{äquivalent:} \quad \operatorname{div} \boldsymbol{B}=0 \qquad \boldsymbol{B}=\mu \boldsymbol{H}$$

$$\operatorname{rot} \boldsymbol{H}=\boldsymbol{s} \qquad -\dot{\boldsymbol{D}}+\operatorname{rot} \boldsymbol{H}=\boldsymbol{i}$$

$$\boldsymbol{E}=-\dot{\boldsymbol{A}}-\operatorname{grad} U \qquad \dot{\boldsymbol{B}}+\operatorname{rot} \boldsymbol{E}=0$$

$$\boldsymbol{E}=\frac{1}{\varepsilon} \boldsymbol{D} \qquad \boldsymbol{D}=\varepsilon \boldsymbol{E}$$

$$\boldsymbol{E}=\frac{1}{\sigma} \boldsymbol{i} \qquad \boldsymbol{i}=\sigma \boldsymbol{E}$$

$$-\rho+\operatorname{div} \boldsymbol{D}=0 \qquad \operatorname{div} \boldsymbol{D}=\rho .$$

Die vier Grundgleichungen und die drei Materialgleichungen gaben eine Feldtheorie des Elektromagnetismus ohne mechanische Interpretation. Die Lehre von Elektrizität und Magnetismus konnte jetzt über das Denkschema der Mechanik hinaus schreiten.

Die Gleichungen (ohne $\boldsymbol{i}$ und ρ) wurden durch den Ansatz einer ebenen Welle gelöst; die Laufgeschwindigkeit war $1/\sqrt{\varepsilon \mu}$. Das Licht war eine elektromagnetische Störung, die gemäß den Feldgleichungen fortgeleitet wurde. *Jetzt* (1864) *waren Elektromagnetismus und Licht zu einer Theorie vereinigt.*

Der „treatise of electricity and magnetism" von 1873, ein ausführliches zusammenfassendes Lehrbuch, benutzte HAMILTONS Schreibweise der Vektoranalysis, $S\nabla$ für div, $V\nabla$ für rot, ∇ für grad, war aber eigentlich nicht übersichtlicher. $\boldsymbol{B}(=\mathrm{rot}\,\boldsymbol{A})$ und damit $\mathrm{div}\,\boldsymbol{B}=0$ wurden eingeführt. Die Wahl der Buchstaben des Alphabets hat sich seitdem weitgehend gehalten. Wir stellen gegenüber:

MAXWELL	heute	
$\mathfrak{A}$	$\boldsymbol{A}$	
$\mathfrak{B}$	$\boldsymbol{B}$	in den „magnetischen" Gleichungen
$\mathfrak{C}$	$\boldsymbol{i}+\dot{\boldsymbol{D}}$	
$\mathfrak{D}$	$\boldsymbol{D}$	in den elektrischen Gleichungen
$\mathfrak{E}$	$\boldsymbol{E}$	
$\mathfrak{F}$	$\boldsymbol{F}$	mechanische Kraft
$\mathfrak{G}$	$\boldsymbol{v}$	
$\mathfrak{H}$	$\boldsymbol{H}$	
$\mathfrak{I}$	$\boldsymbol{I}$	magnetische Polarisation
$\mathfrak{K}$	$\boldsymbol{i}$	

Die Abhandlung enthielt noch die Maxwellschen Spannungen und den Lichtdruck, auch die Einsicht, daß ein äußeres Magnetfeld nicht in einen vollkommenen Leiter eindringen kann, daß es vielmehr zu Oberflächenströmen führt, weiter die Beziehung $\varepsilon=n^2$ zwischen Dielektrizitätskonstante und optischer Brechzahl.

Wir haben *die wesentlichen Schritte zur Feldtheorie der Elektrizität* verfolgt: *die Entdeckung der Induktion und ihre Veranschaulichung mittels Kraftlinien, die Auffassung der Rolle des Dielektrikums als Nahewirkung, beides durch* FARADAY, *die mathematische Fassung des Induktionsgesetzes und* MAXWELLS *Gleichungen, deren Glied* $-D$ *die elektromagnetische Welle ergab.*

Aber für MAXWELL war das „Feld" eine Art Spannung im Dielektrikum oder im Äther, noch nicht eine neuartige physikalische Realität. Die Größe $\boldsymbol{D}$ z.B. hat er immer (auch im Vakuum) mit der Vorstellung einer Polarisation verbunden.

Fortgang

MAXWELLS Darstellung seiner Theorie war nicht so übersichtlich, wie sie hätte sein können. Sie wurde zunächst kaum verstanden, sowohl wegen der mathematischen Schwierigkeiten als auch wegen ihres dunklen physikalischen Sinnes.

Eine Abhandlung von Helmholtz aus dem Jahre 1870 vertrat den Standpunkt der Fernwirkung in Weberscher Tradition; sie hat aber schließlich mitgeholfen, Maxwell zu verstehen. Helmholtz gab darin ein Gesetz für die Kraftwirkung zwischen elektrischen Ladungen an, das einen unbestimmten Parameter enthielt und das für bestimmte Werte dieses Parameters zu Ergebnissen von Neumann, von Weber und von Maxwell führte. Er leitete eine Ausbreitung der elektrischen Fernwirkung mit endlicher Geschwindigkeit ab; für den einen Wert des Parameters fiel die longitudinale Welle weg.

Eine frühe Anwendung der Maxwellschen Theorie war die Berechnung von Reflexion und Brechung einer elektromagnetischen Welle mit Hilfe der Übergangsbestimmungen von $\boldsymbol{E}$, $\boldsymbol{D}$, $\boldsymbol{B}$, $\boldsymbol{H}$ an einer Grenzfläche durch H.A. Lorentz (1875). Er ging zwar von der Helmholtzschen Theorie aus, wählte aber den Parameter so, wie es Maxwell entsprach. Er erhielt die Fresnelschen Formeln. Seine Verwendung der elektromagnetischen Optik war der heutigen sehr ähnlich.

Die Darstellung der Maxwellschen Theorie wurde durch Heaviside und Hertz verbessert und übersichtlich gemacht.

O. Heaviside (1850–1925) war Techniker für Unterwasserkabel, gab wegen starker Schwerhörigkeit diese Tätigkeit auf, lebte dann ganz bescheiden und zurückgezogen und widmete sich dem Verstehen des „treatise“ von Maxwell. Er entfernte die elektromagnetischen Potentiale aus der Theorie. Wie er 1885 die Grundgleichungen schrieb, wollen wir genau wiedergeben:

$$\operatorname{curl} \boldsymbol{H} = \boldsymbol{I} \qquad \operatorname{div} \boldsymbol{B} = \sigma$$
$$\operatorname{curl} \boldsymbol{E} = \boldsymbol{G} \qquad \operatorname{div} \boldsymbol{D} = \rho .$$

$\boldsymbol{I}$ ist die Dichte des elektrischen Stromes (einschließlich $\dot{\boldsymbol{D}}$), $\boldsymbol{G}$ die des magnetischen Stromes (einschließlich $-\dot{\boldsymbol{B}}$), σ ist die Dichte der magnetischen Ladung. Man sieht, Heaviside hat die Symmetrie von $\boldsymbol{E}$ und $\boldsymbol{H}$ übertrieben. Die Vektoren bezeichnete er mit fetten lateinischen Buchstaben; denn „griechische können nur wenige lesen, gotische nur Handelsschüler schreiben“. O. Heaviside und J.H. Poynting leiteten den Energiesatz aus den Maxwellschen Gleichungen ab.

H. Hertz (1857–1894) experimentierte mit elektrischen Schwingungen, löste eine Preisaufgabe der Berliner Akademie über die Rolle des $\dot{\boldsymbol{D}}$-Gliedes bei Maxwell, indem er seine Bedeutung für das Auftreten von Wellen zeigte und (1887) experimentell nachwies, daß mit elektromagnetischen Mitteln hergestellte Wellen sich wie Licht verhielten. In seiner Abhandlung „über die Grundgleichungen der Elektrodynamik in ruhenden Körpern“ zeigte er auch die Analogie von $\boldsymbol{E}$, $\boldsymbol{D}$ mit $\boldsymbol{H}$, $\boldsymbol{B}$, schrieb die Gleichungen für das Vakuum aber mit $\boldsymbol{E}$ und $\boldsymbol{B}$; er gab HEAVISIDE die Priorität für die übersichtliche Schreibweise und die Elimination der Potentiale. Eine mechanische Interpretation der Gleichungen lehnte er ab; die Gleichungen selbst waren für ihn die Grundlage.

L. BOLTZMANN (1844–1906), mit dem wir uns im Abschnitt 10 noch eingehend befassen müssen, gab sich große Mühe mit MAXWELLS Theorie. Er übersetzte dessen Abhandlungen. In einem Vortrage von 1873 und ausführlich in seinen 1891–1893 erschienenen „Vorlesungen über MAXWELLS Theorie der Elektrizität und des Lichtes“ erläutert er die Theorie mit den mechanischen Analogien. Von der Mühe, die ihm das Verständnis machte, mag das Motto des Vorwortes zeugen: „so will ich denn mit saurem Schweiß Euch lehren, was ich selbst nicht weiß“, aber von dem gewaltigen Eindruck, den die Theorie auf ihn machte, das Zitat des Schlußsatzes dieses Vorwortes: „es ging ein Frühling auf in jenen Tagen“ und das Motto des zweiten Bandes: „war es ein Gott, der diese Zeilen schrieb ...“.

MAXWELLS Theorie fand einigen Widerstand: W. WEBER und R. CLAUSIUS waren dagegen, H. HELMHOLTZ verhielt sich zögernd; W. THOMSON hat bis zuletzt nur von der „so called electromagnetic theory of light“ gesprochen. Ein Grund der Hemmung mochte gewesen sein, daß die Beziehung $\varepsilon = n^2$ ja vielfach nicht stimmte. Aber zur Erklärung der Abweichungen lagen damals schon Anfänge einer Dispersionstheorie vor (Abschnitt 2).

H. A. LORENTZ widmete sich (nach der schon erwähnten Untersuchung des Verhaltens einer Lichtwelle an Grenzflächen) der Dispersionstheorie, d.h., er untersuchte das Mitschwingen elektrisch geladener Materieteilchen in einer elektromagnetischen Welle. Das Ergebnis ist als Lorenz-Lorentzsche Formel bekannt. Hierfür war es unwesentlich, ob man eine Fernwirkung oder eine Nahwirkung annahm. Aber dann ging LORENTZ zur Vorstellung der Nahwirkung über. In einem Vortrag (1891) verglich er verschiedene Auffassungen vom elektromagnetischen Geschehen und gab der Maxwellschen Theorie den Vorzug. Mit seiner „Elektronentheorie“, an der er nunmehr arbeitete, tat er einen wesentlichen Schritt zur Auffassung des elektromagnetischen Feldes als einer neuen Art physikalischer Realität. Er trennte deutlich Äther und Materie. Die Grundgleichungen des Feldes im Vakuum schrieb er mit einem einzigen elektrischen Vektor (heute $\boldsymbol{E}$) und einem einzigen magnetischen Vektor (heute $\boldsymbol{B}$); die Materie wurde durch eine Dichte ρ der Ladung, der elektrische Strom durch $\rho\,\boldsymbol{v}$ wiedergegeben. Die Gleichungen drückten eine Wechselwirkung zwischen Äther und Materie aus. Die Kraft auf elektrisch geladene Materieteilchen war

$$\boldsymbol{F}=e(\boldsymbol{E}+\boldsymbol{v}\times\boldsymbol{B}).$$

LORENTZ' Äther stellte eine neuartige Realität „Feld" dar. Für LORENTZ gab es gewöhnliche Materie, Elektronen und Äther (Feld).

Neben der Schreibweise der Elektronentheorie benutzte LORENTZ auch die mit vier Feldgrößen. In seinem Beitrag von 1903 zur „Encyclopädie der mathematischen Wissenschaften" stellte er die Analogie von $\boldsymbol{E}$ mit $\boldsymbol{H}$, $\boldsymbol{D}$ mit $\boldsymbol{B}$, ρ mit einer fiktiven magnetischen Ladungsdichte hin. Die heute übliche formale Analogie von $\boldsymbol{E}$ mit $\boldsymbol{B}$, $\boldsymbol{D}$ mit $\boldsymbol{H}$, ρ mit $\boldsymbol{i}$ hat sich erst mit der Lorentz-Invarianz (Abschnitt 5) durchgesetzt. Überhaupt hat erst diese Invarianz die volle Schönheit der Theorie offenbar gemacht.

Die Maxwellsche Theorie verknüpft ein Feld mit elektrisch geladener Materie; sie ist dualistisch. So etwas wie ein Elektron kann man mit ihr nicht erklären. G. MIE hat darum 1912 versucht, die Maxwellschen Gleichungen in kleinen Dimensionen so abzuändern, daß eine stabile Anhäufung von elektrischer Ladung als Folge der Feldgleichungen auftreten könnte. Die Maxwellsche Theorie läßt sich aus einem Variationsprinzip für die Feldgrößen U und $\boldsymbol{A}$ ableiten. Mit

$$L=-\tfrac{1}{2}(\boldsymbol{B}^2-\boldsymbol{E}^2)$$

$$\delta L=-\boldsymbol{B}\,\delta\boldsymbol{B}+\boldsymbol{E}\,\delta\boldsymbol{E},$$

wobei $\boldsymbol{B}=\operatorname{rot}\boldsymbol{A}$, $\boldsymbol{E}=-\dot{\boldsymbol{A}}-\operatorname{grad}U$ sein soll, erhält man die Gleichungen für das Vakuum, mit geeigneten Ergänzungsgliedern auch die Verknüpfung mit Ladung und Strom.

$$\delta L=-\boldsymbol{H}\,\delta\boldsymbol{B}-\boldsymbol{D}\,\delta\boldsymbol{E}$$

liefert die Gleichungen für Materie. MIE suchte nun abgeänderte Ansätze für $L(\boldsymbol{B},\boldsymbol{E})$, die so etwas wie das Elektron als Zustand des Feldes liefern sollten. Er erreichte keine befriedigende Theorie. Aber er hat das Variationsprinzip als Leitfaden in den Vordergrund gebracht, was bald wichtig werden sollte, und hat die Analogie von $\boldsymbol{E}$ mit $\boldsymbol{B}$, $\boldsymbol{H}$ mit $\boldsymbol{D}$ betont.

5. RELATIVITÄT

Relativitätsprinzip

Ein wichtiges Merkmal der heutigen Physik ist die Lorentz-Invarianz ihrer Theorien. Sie bedeutet die Gleichwertigkeit der Inertialsysteme und ein bestimmtes Verhalten natürlicher Maßstäbe und Uhren. Sie erfüllt zunächst ein vor Jahrhunderten erwogenes Prinzip, das Relativitätsprinzip. Ihre spezielle Form jedoch fußt auf der Nichterkennbarkeit von Bewegungen gegen den Äther und deren Verstehen in der elektromagnetischen Feldtheorie. Die Folge war eine tiefgehende Revision der Anschauungen von Raum und Zeit.

Vom Standpunkt der Kinematik aus gibt es nur relative Bewegungen. Für die Dynamik jedoch stellt sich die Frage: Gibt es Bezugssysteme, in denen die Gesetze der Physik besonders einfach lauten? Sehen wir uns die frühen Antworten an: Die aristotelische Physik mit der Beziehung zwischen Geschwindigkeit und Antrieb zeichnete die Ruhe vor der Bewegung aus, und zwar ruhte die Erde. Ein in Kreisen der Pythagoräer erwogenes Weltsystem, in dem die Fixsterne ruhten und die Erde rotierte, konnte zwar die Bewegungen am Himmel einfacher beschreiben, war aber schweren Einwänden der aristotelischen Physik ausgesetzt. Für ein drittes System, in dem die Fixsterne und die Sonne ruhten, die Erde rotierte und um die Sonne lief, galt das gleiche. Es hat sich darum in der Antike und im Mittelalter nicht durchgesetzt. Nach der Erneuerung dieses Weltsystems durch COPERNIKUS sah aber schon KEPLER, daß nur in diesem System eine physikalische Erklärung der Planetenbewegung möglich war. Während die antike Physik die ruhende Erde forderte, verlangte die (noch nicht geschaffene) neue Physik das kopernikanische Weltsystem.

Die neue Physik mit der Beziehung zwischen dem Vektor der Beschleunigung und dem der Kraft legt nun das Bezugssystem nicht eindeutig fest; diese Physik unterscheidet aber Rotation im absoluten Sinne von Rotationsfreiheit. Die Abplattung eines freischwebenden Flüssigkeitstropfens beweist seine Rotation, die Drehung der Schwingungsebene des Foucaultschen Pendels beweist die Rotation der Erde. Die neue Physik zeichnet also eine Schar von Bezugssystemen aus; *nur in diesen „Inertialsystemen“ gilt eine einfache Mechanik.*

Die Gleichwertigkeit verschiedener Inertialsysteme hat man schon früh zu Überlegungen benutzt. GALILEI erhielt die Wurfbewegung, indem er zum senkrechten Steigen und Fallen eines Körpers eine gleichförmige waagerechte Bewegung addierte, also die Transformation

$$x' = x + u\,t$$

$$z' = z$$

ausführte, die man heute „Galilei-Transformation" nennt. HUYGENS benutzte die Invarianz gegen Zufügung einer gleichförmigen Translationsbewegung bei der Ableitung der Gesetze des Stoßes. NEWTON war sich dieser Invarianz bewußt. Sein Gedankenversuch mit dem rotierenden Eimer Wasser zeigte, wie man absolute Rotation feststellen kann. Die Grundgleichungen der klassischen Mechanik

$$m_l\,\ddot{\boldsymbol{x}}_l = \boldsymbol{F}_l(\boldsymbol{x}_1\,\boldsymbol{x}_2\,\ldots)$$

sind eben invariant gegen eine Galilei-Transformation

$$\begin{aligned} \boldsymbol{x}' &= \boldsymbol{x} + \boldsymbol{v}\,t \\ t' &= t\,. \end{aligned} \tag{1}$$

Wie sich später herausstellte, war die Gleichsetzung der Zeitkoordinaten, die man stillschweigend vollzogen hatte, nur einer Fernwirkungstheorie mit der Möglichkeit momentaner Übertragung einer Wirkung angepaßt. Eine Nahewirkungstheorie forderte diese Gleichsetzung nicht. Aber zu dieser Einsicht waren noch große Schritte nötig.

Bewegung gegen den Äther?

Durch die Wellentheorie des Lichts mit der Annahme eines Äthers als Träger der Wellen kam ein neuer Gesichtspunkt in die Frage der Relativität der Bewegung. Bei der Annahme von Lichtteilchen konnte eine Naturkonstante „Lichtgeschwindigkeit" nur die Geschwindigkeit dieser Teilchen gegen den Sender sein. Bei der Annahme von Lichtwellen konnte es nur die Geschwindigkeit gegen das Medium, den Äther, sein. FRESNEL und seine Nachfolger in der Wellentheorie des Lichts nahmen darum einen (von kleinen Schwingungen abgesehen) in sich ruhenden Äther an. Konnte man nun aus Richtung und Größe der Geschwindigkeit von Licht im Bezugssystem des Laboratoriums eine Bewegung dieses Laboratoriums gegen den Äther feststellen?

Einiges lernte man aus der Aberration der Fixsterne. J. BRADLEY suchte, wie auch andere Astronomen, nach der Parallaxe der Fixsterne und fand 1728 die Aberration. Sie ist verständlich als Folge der Bewegung des Beobachters gegen die Fixsterne (Abb. 13 a). Für einen Fixstern auf der nördlichen Himmelskugel gibt die Aberration im Laufe der Jahreszeiten W, F, S, H als scheinbare Bewegung die der Abb. 13 c, und zwar unabhängig von seiner Entfernung. Die Parallaxe führte zu einer anderen scheinbaren Bewegung.

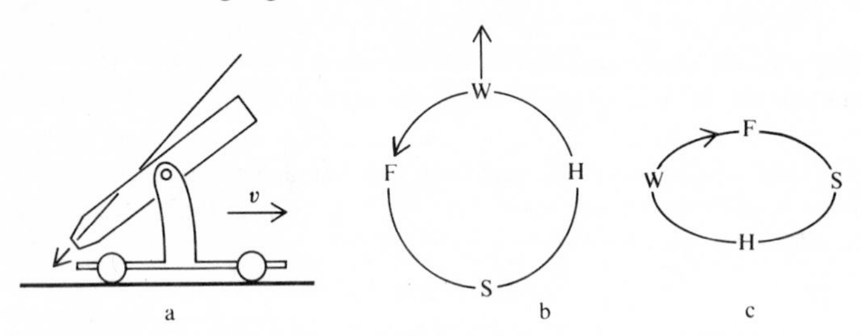

Abb. 13. Aberration

BRADLEY erklärte sich die Erscheinung mit der Vorstellung von Lichtteilchen. Die Größe der Aberration gab ihm v/c und damit auch die Lichtgeschwindigkeit im Verhältnis zur Erdbahn (wie bei RØMER). YOUNG sah, daß die Aberration auch mit der von ihm verkündeten Wellenvorstellung zu erklären sei, wenn man annahm, daß die Fixsterne im Äther ruhten. FRESNEL überlegte genauer, ob es bei der Erklärung der Aberration mit der Wellenvorstellung auf die Bewegung durch den Äther oder nur auf die Relativbewegung von Sender und Beobachter ankäme. Da das Licht im Fernrohr brechende Substanzen durchlief, dabei also eine von c abweichende Geschwindigkeit hatte, war die Überlegung kompliziert. Er fand (1816): Die Aberration hängt in der Näherung, in der $(v/c)^2$ vernachlässigt wird, nur von der Relativbewegung von Sender und Empfänger, nicht von der Bewegung des Mediums ab, wenn der Äther in brechender Materie der Bewegungsgeschwindigkeit v um $(1-1/n^2)\,v$ mitgeführt wird. Da später ein einfaches Experiment und eine einfache Überlegung dazu angestellt wurden, können wir die Überlegung FRESNELS übergehen.

Was sagten nun die Messungen der Lichtgeschwindigkeit selbst aus? Man konnte nur die Zeitdauer für einen Hin- und Rückweg eines Lichtbündels messen, im Falle einer Bewegung der Erde gegen den Äther von der Geschwindigkeit v in der Lichtrichtung also

$$t=\frac{l}{c+v}+\frac{l}{c-v}=\frac{2l}{c}\left(1+\frac{v^2}{c^2}t\ldots\right);$$

d. h., in der Näherung, die $(v/c)^2$ vernachlässigt, konnte man keinen Einfluß der Erdbewegung finden. H. FIZEAU, der 1849 die Lichtgeschwindigkeit mittels des rotierenden Zahnrads gemessen hatte, maß 1851 die Lichtgeschwindigkeit in strömendem Wasser und fand sie von der Strömungsrichtung abhängig, qualitativ zu FRESNELS Ansatz der Mitführung passend. M. HOEK zeigte dann 1868 experimentell, daß die Zeit, die das Licht zum Hinweg durch Wasser und Rückweg durch Luft (Abb. 14) braucht, die gleiche ist wie für den Hinweg durch Luft und

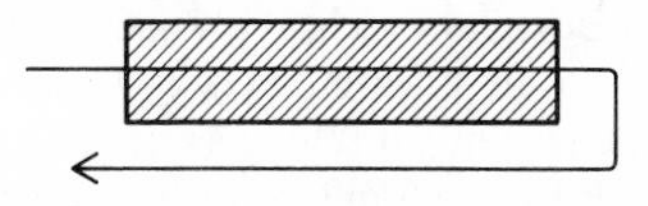

Abb. 14. HOEKS Versuch

den Rückweg durch Wasser. Mit der Geschwindigkeit v der Apparatur in der Lichtrichtung und einer Mitführung δ in der brechenden Substanz errechnete sich

$$t = \frac{l}{\frac{c}{n} - v + \delta} + \frac{l}{c+v}$$

und für den umgekehrten Lichtweg

$$t = \frac{l}{c-v} + \frac{l}{\frac{c}{n} + v - \delta}.$$

Aus der gemessenen Gleichheit der Zeiten folgt bei Vernachlässigung höherer Potenzen von v/c die Mitführung

$$\delta = \left(1 - \frac{1}{n^2}\right) v,$$

also FRESNELS Ansatz, G. B. AIRY zeigte schließlich 1871, daß ein wassergefülltes Fernrohr die gleiche Aberration der Sterne zeigt wie ein leeres.

Wegen der Mitführung des Äthers ($\sim 1 - 1/n^2$) *ist die Bewegung gegen den Äther in erster Näherung* ($\sim v/c$) *nicht erkennbar.*

Aber es blieben ja die Effekte zweiter Ordnung ($\sim v^2/c^2$). Schon MAXWELL verglich die Zeit des Hin- und Herganges von Licht für eine

Bewegung gegen den Äther und senkrecht zum Äther

$$t_{\parallel}=\frac{l}{c+v}+\frac{l}{c-v}\approx\frac{2l}{c}\left(1+\frac{v^2}{c^2}\right)$$
$$t_{\perp}=\frac{2l}{\sqrt{c^2-v^2}}\approx\frac{2l}{c}\left(1+\frac{v^2}{2c^2}\right); \tag{2}$$

sie ergab sich als von der Geschwindigkeit der Apparatur gegen den Äther und von ihrer Bewegungsrichtung abhängig. Die Bewegung gegen den Äther müßte also an Effekten zweiter Ordnung feststellbar sein. A. MICHELSON suchte (einem Vorschlag MAXWELLS folgend) mit seinem Interferometer (Abb. 5) einen Einfluß der Orientierung des Apparates auf die Interferenzerscheinungen. Er fand keinen (1881); aber die Meßgenauigkeit reichte vielleicht nicht ganz; v^2/c^2 ist bei der Erdbewegung um die Sonne ja 10^{-8}. Die Wiederholungen des Versuches mit E.W. MORLEY (1887) und mit D.C. MILLER zeigten aber klar:

Auch in zweiter Näherung ($\sim v^2/c^2$) konnte eine Bewegung gegen den Äther nicht gemessen werden.

Diesem erstaunlichen Ergebnis gegenüber konnten sich (1892) G. FITZGERALD und H.A. LORENTZ nur mit der Hypothese helfen, daß die Länge der Arme der Apparatur von der Bewegung gegen den Äther abhinge. Eine Kontraktion in der Bewegungsrichtung mit dem Faktor $\sqrt{1-v^2/c^2}$ oder eine entsprechende Dehnung senkrecht dazu machte die Ausdrücke einander gleich.

Elektrodynamik bewegter Körper

Kann man an anderen elektromagnetischen Erscheinungen eine Bewegung gegen den Äther feststellen? Die elektromagnetischen Kräfte und die Induktionserscheinungen scheinen nur von der Relativbewegung der Körper abzuhängen. Wenn (Abb. 15a) eine elektrische Ladung q sich an einem Magneten vorbei bewegt, so erfährt sie die Kraft

$$\boldsymbol{F}=q\,\boldsymbol{v}\times\boldsymbol{B}.$$

Wenn aber die Ladung ruht und der Magnet sich bewegt, so induziert er ein elektrisches Feld senkrecht zur Bewegungsrichtung, und die Ladung erfährt die Kraft

$$\boldsymbol{F}=q\boldsymbol{E}.$$

Wenn (Abb. 15b) ein Magnet in einen Leiterkreis gestoßen wird, so entsteht darin ein elektrisches Feld $\boldsymbol{E}$ und eine Umlaufspannung. Bewegt sich der Leiterkreis gegen den Magneten, so ist kein Feld $\boldsymbol{E}$ da, aber die positiven und negativen Ladungen im Leiter erfahren Kräfte $\boldsymbol{F}=q\,\boldsymbol{v}\times\boldsymbol{B}$. Die Beschreibung des Sachverhalts hängt also vom zugrunde gelegten Bezugssystem ab; der physikalische Sachverhalt selbst ist aber anscheinend nur von der Relativbewegung der Körper abhängig. Um das im einzelnen übersehen zu können, braucht man eine Elektrodynamik bewegter Körper.

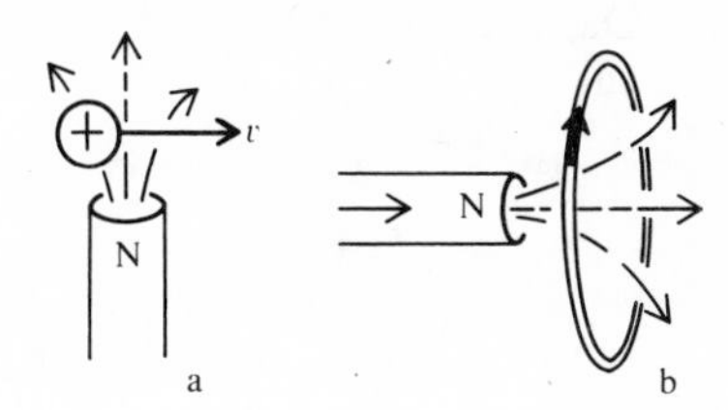

Abb. 15. Zur Elektrodynamik bewegter Körper

H. HERTZ ließ seinen früher erwähnten Grundgleichungen der Elektrodynamik in ruhenden Körpern solche in bewegten Körpern folgen. Sie waren durch Zusätze erweitert, die in einfachen Fällen die Vorgänge nur von der Relativbewegung abhängig machten. H.A. LORENTZ baute dann im Zuge seiner Elektronentheorie auch eine Elektrodynamik im bewegten Körper auf. Beim Übergang von einem Bezugssystem zu einem geradlinig gleichförmig dazu bewegten benutzte er Transformationen

$$\boldsymbol{x}'=\boldsymbol{x}+\boldsymbol{v}\,t \tag{3}$$

$$\left.\begin{aligned}\boldsymbol{E}'&=\boldsymbol{E}-\frac{\boldsymbol{v}}{c}\times\boldsymbol{B}\\ \boldsymbol{B}'&=\boldsymbol{B}+\frac{\boldsymbol{v}}{c}\times\boldsymbol{E}.\end{aligned}\right. \tag{4}$$

Er fand es auch zweckmäßig, die Zeitkoordinate zu transformieren

$$t'=\frac{\boldsymbol{v}\,\boldsymbol{x}}{c^2}+t. \tag{3'}$$

So erhielt er für das Licht eine von $\boldsymbol{v}$ unabhängige Geschwindigkeit. Aus

$$x=c\,t$$

geht nämlich durch Transformation hervor:

$$x' = (c+v)\,t$$

$$c\,t' = (v+c)\,t,$$

also

$$x' = c\,t'.$$

Er nannte diese Zeitkoordinate „Ortszeit“, hat sie aber nur als Rechengröße angesehen. Die Bedeutung für die Struktur von Raum und Zeit hat er nicht erkannt. Die Transformation (3, 3′, 4) ist übrigens nicht reziprok. Aus (3, 3′) folgt

$$\boldsymbol{x} = \boldsymbol{x}' - \boldsymbol{v}\,t,$$

die Beziehung

$$\boldsymbol{x} = \boldsymbol{x}' - \boldsymbol{v}\,t'$$

also nur in der Näherung, die bei v/c aufhört. LORENTZ konnte die Mitführung $1-1/n^2$ ableiten.

Die in $\boldsymbol{v}$ *linearen Transformationen von* H. A. LORENTZ *garantierten, daß in erster Näherung* ($\sim v/c$) *alle Erscheinungen nur von den Relativbewegungen abhängen. Aber in zweiter Ordnung blieb ein Einfluß des Bezugssystems.*

Einen Schritt zur vollständigen Unabhängigkeit vom Bezugssystem hat schon W. VOIGT 1887 getan. Er bemerkte in einer Abhandlung über den Doppler-Effekt die Invarianz der Wellengleichung des Lichts

$$-\frac{1}{c^2}\,\ddot{\psi} + \Delta\psi = 0$$

bezüglich der Transformation

$$\begin{aligned} x' &= x + v\,t \\ y' &= \sqrt{1-\beta^2}\,y \qquad \beta = \frac{v}{c} \\ z' &= \sqrt{1-\beta^2}\,z \\ t' &= \frac{v\,x}{c^2} + t. \end{aligned}$$

Die Transformation wäre reziprok gewesen, wenn er bei allen vier Ausdrücken den Faktor $1/\sqrt{1-\beta^2}$ vorgesetzt hätte. Die Bemerkung von VOIGT blieb unbeachtet. H. A. LORENTZ gab 1899 die Transformation

$$x' = \frac{x + v t}{\sqrt{1-\beta^2}}$$

$$y' = y$$

$$z' = z$$

an; für t' gab er aber nicht den richtigen Ausdruck.

Begründung der Relativitätstheorie

Man war nun nahe an der Einsicht, die man heute die Lorentz-Invarianz der Elektrodynamik nennt. Der Durchbruch geschah 1904–1905 in drei Abhandlungen, einer von H. A. LORENTZ (27. 5. 1904 der Amsterdamer Akademie vorgelegt), einer von H. POINCARÉ (5. 6. 1905 der Französischen Akademie vorgelegt, 23. 7. 1905 zum Druck gegeben) und einer von A. EINSTEIN (30. 6. 1905 eingesandt). Der formale Inhalt der drei Abhandlungen war sehr ähnlich, die Begründungen und die dahinter stehenden Haltungen waren verschieden[1].

Die Abhandlung von LORENTZ enthielt jetzt die Transformation

$$\begin{aligned} x' &= l\frac{x + v t}{\sqrt{1-\beta^2}} \\ y' &= l y \\ z' &= l z \\ t' &= l\frac{\frac{v}{c^2}x + t}{\sqrt{1-\beta^2}}, \end{aligned} \tag{5}$$

weiter die Transformation für die Komponenten von $\boldsymbol{E}$ und $\boldsymbol{B}$; die von ρ und $\rho\boldsymbol{v}$ waren nicht ganz in Ordnung. Die Transformation der Maxwellschen Gleichungen in der Fassung der Lorentzschen Elektronentheorie führte in der zweiten Näherung (bis v^2/c^2) auf dieselben Gleichungen. Durch etwas indirekte Schlüsse wurde dann $l = 1$ gesetzt. Wenn alle Kräfte sich so verhalten, wie die Elektronen, dann ist der

[1] Zwei der Abhandlungen sind (neben anderen) wiederabgedruckt in: H. A. LORENTZ, A. EINSTEIN, H. MINKOWSKI. Das Relativitätsprinzip, 1913. Späteren Auflagen wurde eine Abhandlung von H. WEYL zugefügt. Neudruck Darmstadt 1961.

Wegfall der Effekte von v^2/c^2 in der Erfahrung verständlich, so folgerte LORENTZ. Er leitete die Deformation eines bewegten Elektrons ab. In seiner Abhandlung hat er die Relativität der Bewegung nicht als Postulat eingeführt. Er hat noch 1910 an den ruhenden Äther geglaubt, die absolute Gleichzeitigkeit nur „ungern" aufgegeben, sein t' also nur als Rechengröße angesehen.

H. POINCARÉ kannte (1905) die Lorentzsche Abhandlung; er ergänzte sie. Er transformierte t, $\boldsymbol{x}$; ρ, $\rho\,\boldsymbol{v}$; U, $\boldsymbol{A}$ gleichartig (wie Vierervektoren in der späteren Auffassung) und zeigte die strenge Invarianz der Maxwellschen Gleichungen für Vakuum. Sie lassen sich aus einem invarianten Wirkungsprinzip ableiten. Er studierte die „Lorentz-Gruppe" der Transformation (5) mit einer Drehung im Raume der Koordinaten x, y, z, $i\,c\,t$. Die Mathematik der Transformation und die Invarianz sind bei ihm sehr durchsichtig.

A. EINSTEIN kannte (1905) die Lorentzsche Abhandlung nicht. Er fragte: Was ist Gleichzeitigkeit von Ereignissen an entfernten Stellen? Man könne sie nur durch Austausch von Lichtsignalen definieren (eine spätere Formulierung: zwei Ereignisse sind gleichzeitig, wenn Lichtsignale, die von ihnen ausgehen, auf der Mitte der Verbindungsstrecke gleichzeitig eintreffen). Die strenge Gültigkeit der Relativität der Bewegung, also der Nichtunterscheidbarkeit der Inertialsysteme führte er als Postulat ein. Aus den Ansätzen

$$x' = \alpha\,x + \beta\,t$$

$$t' = \gamma\,x + \delta\,t,$$

dem universellen, für alle Inertialsysteme gültigen Wert c der Lichtgeschwindigkeit und aus der Reziprozität folgerte er die Lorentz-Transformation (5) mit $l = 1$. Dies war für EINSTEIN bloße „Kinematik". Zur „Physik" gehörte für ihn, daß Uhren und Maßstäbe dieser Transformation folgten, daß also eine sich entfernende und wieder zurückkehrende Uhr gegenüber einer gebliebenen nachginge. Dies war die erste Fassung des bekannten Uhrenparadoxons, das P. LANGEVIN durch das drastische „Zwillingsparadoxon" ersetzte. EINSTEIN zeigte dann das Additionstheorem der Geschwindigkeiten. Mit Transformation der elektromagnetischen Größen, auch der richtigen von ρ und $\rho\,\boldsymbol{v}$, zeigte er die Invarianz der Elektrodynamik. Das postulierte Prinzip der Relativität gab also EINSTEIN den Zugang zu physikalisch relevanten Aussagen über das Verhalten von Uhren und Maßstäben.

Den Anfang zur speziellen Relativitätstheorie machte H. A. LORENTZ, *die physikalische Grundlage und den physikalischen Gehalt zeigte*

A. EINSTEIN, *die mathematische Struktur ist bei* H. POINCARÉ *am klarsten.*

H. A. LORENTZ (1853–1928) war den größten Teil seines Lebens mit der Leidener Universität verbunden. Seine Weiterbildung der Maxwellschen Theorie und seine Beiträge zum optischen Verhalten der Materie haben wir kennengelernt. In seinen späteren Jahren hat er viel für die internationale Zusammenarbeit der Physiker getan und wurde die große Autorität in der theoretischen Physik. Auch für sein Land hat er durch Mitarbeit an den Plänen zur Trockenlegung der Zuidersee (dem jetzigen Ysselmeer) gewirkt. Der fast gleichaltrige H. POINCARÉ (1854–1912) lehrte an der Pariser Universität. Er galt vielen als der erste Mathematiker seiner Zeit. Die Physik verdankt ihm außer dem Beitrag zur Relativitätstheorie fruchtbare Verfahren der Himmelsmechanik. Der jüngere A. EINSTEIN (1879–1955) stand in einer Gruppe ungefähr gleichaltriger bedeutender Physiker: M. VON LAUE, L. MEITNER, P. EHRENFEST, J. FRANCK, M. BORN, P. DEBYE und N. BOHR. Seine physikalischen Leistungen sind durch Unvoreingenommenheit und Erfassung des wesentlichen physikalischen Kerns ausgezeichnet. Seine Relativitätstheorie schrieb er als Angestellter des Schweizerischen Patentamtes, in der Folgezeit war er Professor an verschiedenen deutschsprachigen Hochschulen, 1914–1933 in Berlin; dann wanderte er nach den Vereinigten Staaten aus. Auf seine anderen Leistungen werden wir noch zurückkommen.

Vollendung der Relativitätstheorie

Die Relativitätstheorie behauptete die Gültigkeit der Lorentz-Invarianz in der ganzen Physik. Da sie in der bisherigen Mechanik nicht galt, mußte eine relativistische Mechanik ausgearbeitet werden. Vor 1905 machte schon die Maxwellsche Theorie des elektromagnetischen Feldes Aussagen über die im Felde steckende Energie und über den Feldimpuls. Das bedeutete einen Zusatz zur Trägheit eines geladenen Körpers. So errechnete J. J. THOMSON (1881) für einen kugelförmigen Leiter eine zusätzliche Masse

$$m = \frac{4}{3} \frac{E}{c^2}, \tag{6}$$

wo E die Energie des elektrischen Feldes war. H. POINCARE stellte (1900) für die mit einem Energietransport der Dichte S verbundene Dichte des Feldimpulses die Beziehung

$$p=\frac{S}{c^2}$$

auf (was man $m=E/c^2$ lesen konnte). Weiter meinte er (1903), daß vielleicht jegliche Masse elektromagnetischen Ursprungs sei. F. HASENÖHRL berechnete (1904) die Kraft bei Beschleunigung eines mit Strahlung erfüllten Hohlraumes: sie entsprach der Masse (6). Elektromagnetische Feldenergie bekam also eine Trägheit der Größenordnung E/c^2.

Ansätze zu relativistischen Bewegungsgleichungen gab EINSTEIN in seiner Abhandlung von 1905; sie hatten noch nicht eine zweckmäßige Form. Daß Übertragung von Strahlung auch eine Übertragung von Masse gemäß

$$E=m c^2$$

bedeutet, zeigte er kurz danach. M. PLANCK sah sofort die Wichtigkeit der Einsteinschen Arbeiten. Er gab (1906) den Bewegungsgleichungen mit

$$\boldsymbol{F}=\frac{\mathrm{d}}{\mathrm{d}t}\frac{m\boldsymbol{v}}{\sqrt{1-\beta^2}} \qquad E_{\mathrm{Kin}}=\frac{m c^2}{\sqrt{1-\beta^2}}$$

und der Größe

$$L=-m c^2\sqrt{1-\beta^2}$$

im Wirkungsprinzip die bleibende Form. Der für die Mechanik wichtige Begriff des starren Körpers war wegen der aus der Lorentz-Transformation folgenden Längenänderung in der bisherigen Form nicht mehr haltbar. M. BORN studierte (1909) den relativistisch starren Körper. M. VON LAUE und G. HERGLOTZ führten (1911) eine relativistische Mechanik deformierbarer Körper durch, E. LAMLA (1912) eine Theorie der Flüssigkeiten geringster Kompressibilität.

Voraussetzung für eine mathematisch elegante Formulierung der Relativitätstheorie war der Ausbau der Vektor- und Tensoranalysis mit zweckmäßiger Schreibweise der Komponenten. Er war allmählich im 19. Jahrhundert erfolgt. Um 1870 sah man die Zweckmäßigkeit der Schreibweise

$$x_m y_n - y_m x_n = A_{mn} = -A_{nm}$$

für die mit einer Drehung zusammenhängenden Größen, und man definierte einen Vektor (a_x, a_y, a_z) durch die Invarianz von

$$a_x x + a_y y + a_z z\,.$$

Um 1900 führten dann C. Ricci und T. Levi-Civita die Schreibweise mit den oberen und unteren Indices für schiefwinklige und für krummlinige Koordinaten ein.

Poincaré hatte schon 1905 gesehen, daß in der Relativitätstheorie t, $\boldsymbol{x}$; ρ, $\rho\,\boldsymbol{v}$; U, $\boldsymbol{A}$ gleichartig transformiert werden, im Grunde also den Begriff des Vierervektors im Zeit-Raum-Kontinuum erfaßt; er hatte auch die Lorentz-Transformation als Drehung im x, y, z, $\mathrm{i}\,c\,t$-Raum erkannt. H. Minkowski hat dann das vierdimensionale Zeit-Raum-Kontinuum zur Verdeutlichung der Relativitätstheorie benutzt. In seinem Kölner Vortrag von 1908 gebraucht er starke Worte von der Union von Zeit und Raum. Bewegungen von Massenpunkten veranschaulichte er durch „Weltlinie im x, y, z, t-Raum. Die Gruppe G_c der Lorentz-Transformationen läßt das Quadrat des „Abstandes“

$$c^2\,t^2 - \boldsymbol{x}^2$$

invariant. Die Differentialgleichungen des Lichts folgen der Gruppe G_c, das Verhalten starrer Körper einer Gruppe G_∞, die mit $c \to \infty$ aus G_c entsteht. Beide zusammen würden ein Bezugssystem auszeichnen. Aber die ganze Physik richtet sich nach der Gruppe G_c.

Die in Abb. 16 gezeichnete Minkowskische Doppelkegelfläche enthält die durch einen Raumzeitpunkt hindurchgehenden möglichen Licht-

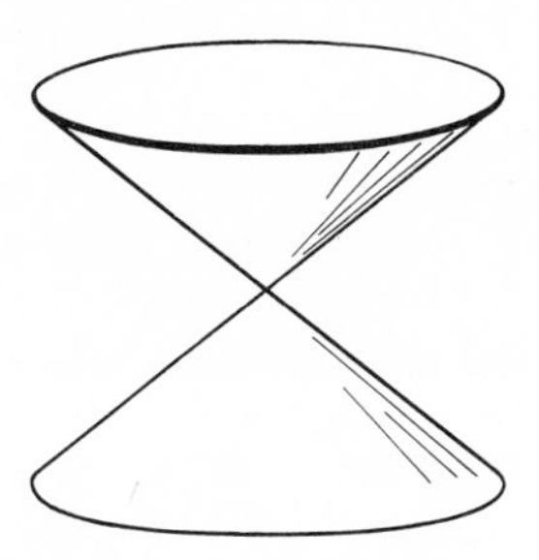

Abb. 16. Minkowskis Doppelkegel

bewegungen (die Zeitkoordinate steht in der Abbildung senkrecht; von den drei Raumkoordinaten ist eine unterdrückt). Die innerhalb des oberen Kegels liegenden Raumzeitpunkte sind in absolutem Sinne „zukünftig“ gegenüber dem in der Kegelspitze liegenden Raumzeitpunkt; die Punkte innerhalb des unteren Kegels sind in absolutem Sinne „vergangen“. Punkte außerhalb des Doppelkegels können als gegenwärtig angesehen werden, je nach Wahl des Bezugssystems relativ zukünftig, gleichzeitig oder vergangen; sie können vom Raumzeitpunkt des Scheitels keine Wirkung empfangen, und sie können ihm keine Wirkung vermitteln.

Man kann zeitartige (innerhalb des Doppelkegels) und raumartige Vierervektoren unterscheiden, die Eigenzeit τ einer bewegten Partikel gemäß

$$c^2\,d\tau^2 = c^2\,dt^2 - d\boldsymbol{x}^2$$

definieren, die Begriffe Vierergeschwindigkeit, Viererbeschleunigung einführen und damit eine relativistische Mechanik aufbauen. V. LAUE benutzte in seinem Buche (1911) die Vierervektoren, führte die Tensoren B^{0k}, B^{ik} $(i, k = 1, 2, 3)$ für $\boldsymbol{E}$ und $\boldsymbol{B}$ ein und schrieb kovariante Gleichungen. H. WEYL benutzte in dem viel gelesenen Buche „Raum, Zeit, Materie" (1918)[2] die Beziehungen von RICCI und LEVI-CIVITA. Auch die Schönheit der Maxwellschen Theorie des elektromagnetischen Feldes kam jetzt erst voll zur Geltung. Die in dem Buche gelungene Durchdringung von Mathematik, Physik und Philosophie hat uns Studenten damals begeistert.

Über die Relativitätstheorie wurde naturgemäß heftig diskutiert. Die sachliche Diskussion mag ihren Höhepunkt um 1910 gehabt haben. LORENTZ und MICHELSON nahmen die Theorie nicht an. Um 1920 kam dann in Deutschland eine politisch und emotional gefärbte Auseinandersetzung in Gang. Aber bleiben wir bei der fachlichen. Manche Physiker mochten nicht auf den Äther als Träger physikalischer Wirkungen verzichten; manche zweifelten, ob die in den Transformationen auftretenden Größen reine Rechengrößen waren oder physikalische Tatsachen ausdrückten, ob z.B. das Uhrenparadoxon nur theoretische Rechnungen illustrierte oder reale Aussagen machte. Die Ablenkung rascher Kathodenstrahlen in elektrischen Feldern bestätigte (nach anfänglichen Widersprüchen) schließlich die relativistische Abhängigkeit des Impulses von der Geschwindigkeit; die Verkürzung der mittleren Lebensdauer der in der kosmischen Strahlung rasch bewegten Mesonen gegenüber der von langsamen Mesonen entsprach der Lorentz-Transformation; schließlich wurden die Bahnen von Elektronen in den Maschinen der Hochenergiephysik mit der Relativitätstheorie berechnet. Seit einigen Jahrzehnten ist die Relativitätstheorie und die Lorentz-Invarianz unbestrittene Grundlage aller Physik, in der hohe Geschwindigkeiten auftreten und in der von Gravitation abgesehen werden kann. Sie wurde heuristisches Hilfsmittel bei der Aufstellung anderer Feldtheorien.

[2] H. WEYL, Raum, Zeit, Materie. Neudruck Darmstadt 1961.

6. KOSMOS

Die Theorie der elektromagnetischen Erscheinungen war einige Jahrzehnte die einzige Feldtheorie. Um 1910 kam eine Feldtheorie der Gravitation dazu, in den zwanziger Jahren eine Feldtheorie der Materie. Die letztere ist zusammen mit dem Ausbau der Quantentheorie entstanden und betrifft den mikroskopischen Hintergrund der Erscheinungen. Die Theorie des Gravitationsfeldes hingegen handelt von einem makroskopischen Gegenstand. Sie entstand als Synthese aus zwei Fragenkreisen, dem des „absoluten Raumes“ der Physik und dem der Schwere. Sie enthält Fragen, die heute noch offen sind.

Absoluter Raum

Die Mechanik, wir denken etwa an die Grundgleichungen

$$m_l \ddot{\boldsymbol{x}}_l = \boldsymbol{F}_l(\boldsymbol{x}_1, \boldsymbol{x}_2 \ldots),$$

setzt ein Bezugssystem voraus, in dem diese Gleichungen Sinn haben. Diese Voraussetzung führt dann zur Annahme der ganzen Schar der Inertialsysteme. Entsprechendes gilt für die Elektrodynamik. Die Art der Verwirklichung dieser Voraussetzung in den beiden Zweigen der Physik hat die spezielle Relativitätstheorie gezeigt. In diesem Sinne setzen Mechanik und Elektrodynamik einen absoluten Raum voraus. Absolute Rotation ist erkennbar, wie es NEWTON am Gedankenversuch mit dem rotierenden Wasser im Eimer illustriert hat, Abplattung der Erde, Ablenkung der Winde von der Richtung des Luftdruckgefälles, Drehung der Schwingungsebene des Foucaultschen Pendels beweisen die Rotation der Erde. „Trägheitserscheinungen“ zeigen Rotation oder Beschleunigung gegen den „absoluten Raum“ an. Eine solche Erklärung empirischer Fakten, wie es die Trägheitskräfte sind, durch etwas, was unabhängig von ihnen gar nicht wahrnehmbar ist, erschien manchen Physikern mit Recht unbefriedigend. Um 1880, zu einer Zeit, als man überhaupt sich mehr auf die Grundlagen der Physik besann, wurde auch die Diskussion um den absoluten Raum lebhafter. Für viele Physiker war er ein Hilfsbegriff, ohne den man eben nicht Mechanik (und später auch nicht Elektrodynamik) treiben konnte. Für E. MACH, der alle „Metaphysik“ aus der Wissenschaft entfernen wollte, war er ein inhaltloser Begriff. Er forderte seine Eliminierung. Nach MACH wären also die Gesetze der Mechanik so zu formulieren, daß nur relative Bewegungen darin vorkämen, die Trägheitskräfte also etwa eine Folge der Relativbewegung der Sterne zu einem irgendwie gewählten Bezugssystem wären. Da die allgemeine Relativitätstheorie EINSTEINS später an dieses Programm anknüpfte, wollen wir uns überlegen, wie es etwa hätte erfüllt werden können.

Man hätte NEWTONS Mechanik als gültig ansehen können, sie aber anders aussprechen, so daß statt der Drehung gegen den absoluten Raum die relative Drehung gegen das System der Fixsterne aufgetreten wäre. Im Schema der Mechanik, mit instantan wirkenden Kräften auf Körper wäre das sehr schwierig gewesen. Im Rahmen einer Feldtheorie aber hätte es zu einer Theorie von einer Art „Trägheitsfeld“ führen können. Denken wir etwa an Bewegungsvorgänge auf einem rotierenden Karussell, und legen wir dieses als Bezugssystem zugrunde, so begegnen uns Kräfte, die den Massen proportional sind und vom Ort $\boldsymbol{x}$ und von der Geschwindigkeit $\dot{\boldsymbol{x}}$ abhängen:

$$m\ddot{\boldsymbol{x}} = \boldsymbol{F} + m(\boldsymbol{f} + \dot{\boldsymbol{x}} \times \hat{\boldsymbol{h}}).$$

Die Vektoren $\boldsymbol{f}$ und $\hat{\boldsymbol{h}}$ hängen ab von der Drehgeschwindigkeit $\hat{\boldsymbol{\omega}}$ des umgebenden Rummelplatzes oder der Fixsterne bezogen auf das Karussell; der polare Vektor $\boldsymbol{f}$ ist vom Ort abhängig, der axiale Vektor $\hat{\boldsymbol{h}}$ ist räumlich konstant; in $\boldsymbol{F}$ haben wir die Kräfte zusammengefaßt, die nicht Trägheitskräfte sind. Die darin enthaltene Schwere $m\boldsymbol{g}$ könnten wir auch in $m\boldsymbol{f}$ aufnehmen. Wir haben also das „Trägheitsfeld“ durch die beiden Vektoren $\boldsymbol{f}$ und $\hat{\boldsymbol{h}}$ beschrieben, die den elektromagnetischen Vektoren $\boldsymbol{E}$ und $\boldsymbol{B}$ analog sind. Man kann Feldgleichungen für $\boldsymbol{f}$ und $\hat{\boldsymbol{h}}$ aufstellen. Aus den Ausdrücken der Zentrifugalbeschleunigung und der Reaktion auf eine Drehbeschleunigung $\dot{\hat{\boldsymbol{\omega}}}$

$$\boldsymbol{f} = -\hat{\boldsymbol{\omega}} \times (\hat{\boldsymbol{\omega}} \times \boldsymbol{x}) + \dot{\hat{\boldsymbol{\omega}}} \times \boldsymbol{x}$$

sowie der Coriolisbeschleunigung

$$\hat{\boldsymbol{h}} = -2\hat{\boldsymbol{\omega}}$$

folgen leicht

$$\dot{\hat{\boldsymbol{h}}} + \operatorname{rot} \boldsymbol{f} = 0 \qquad (1)$$

$$\operatorname{div} \boldsymbol{f} = \frac{\hat{\boldsymbol{h}}^2}{2}$$

oder, wenn wir bei $\boldsymbol{f}$ die Schwere mit einbeziehen,

$$\operatorname{div} \boldsymbol{f} = \frac{\hat{\boldsymbol{h}}^2}{2} - \gamma \mu \tag{2}$$

(wegen $\operatorname{div} \boldsymbol{g} = -\gamma \mu$), wo μ die Massendichte und γ die Gravitationskonstante ist. Eine solche Theorie wäre, wenn man bei $\boldsymbol{f}$ noch die Reaktion auf eine Translationsbeschleunigung zufügte, eine Feldtheorie der Trägheitserscheinungen. In der weltweiten konstanten Feldgröße $\hat{\boldsymbol{h}}$ und in der Größe der Translationsbeschleunigung wäre die Bewegung des Systems der Fixsterne ausgedrückt.

Soweit wäre nur NEWTONS Mechanik in eine andere Form übertragen. Wollte man die Verknüpfung der Feldgröße $\hat{\boldsymbol{h}}$ mit der Bewegung der Fixsterne so ausdrücken, daß sie nicht nur für ein starres System der Fixsterne Sinn hätten, so müßte man über NEWTON hinausgehen, etwa in Analogie zum Magnetfeld

$$\operatorname{rot} \hat{\boldsymbol{h}} \sim -\mu \boldsymbol{v} \tag{3}$$

$$\operatorname{div} \hat{\boldsymbol{h}} = 0 \tag{4}$$

schreiben. Mit (1) (2) (3) (4) hätten wir dann eine Feldtheorie der Trägheit, die die Gravitation mit enthielte.

Eine solche Theorie hielte jedoch der Forderung der Lorentz-Invarianz nicht stand, da die Dichte der Materie dann nicht durch einen Vierervektor $(\rho, \rho \boldsymbol{v})$, sondern durch den Energie-Impuls-Tensor $T_{\mu\nu}$ wiederzugeben ist. Eine analog zur Lorentz-invarianten Fassung der Elektrodynamik

$$\begin{gathered} \frac{\partial B_{\mu\nu}}{\partial x^\lambda} + \frac{\partial B_{\nu\lambda}}{\partial x^\mu} + \frac{\partial B_{\lambda\mu}}{\partial x^\nu} = 0 \quad \leftarrow \quad B_{\mu\nu} = \frac{\partial A_\nu}{\partial x^\mu} - \frac{\partial A_\mu}{\partial x^\nu} \\ \varepsilon_0 \frac{\partial B^{\mu\nu}}{\partial x^\nu} = i^\mu \quad \rightarrow \quad \frac{\partial i^\mu}{\partial x^\mu} = 0 \end{gathered} \tag{5}$$

mit der Kraftdichte

$$f^\mu = B^{\mu\nu} i_\nu$$

aufgebaute Feldtheorie der Trägheit und der Gravitation hätte dann Feldgleichungen

$$\Gamma_{\lambda\mu\nu} = \operatorname{Abl} g_{\mu\nu}$$

$$\operatorname{Abl} \Gamma^{\lambda\mu\nu} \sim T^{\mu\nu}$$

und eine Bewegungsgleichung

$$\frac{\mathrm{d}^2 x^\lambda}{\mathrm{d}s^2} = \Gamma^\lambda_{\mu\nu} \frac{\mathrm{d}x^\mu}{\mathrm{d}s} \frac{\mathrm{d}x^\nu}{\mathrm{d}s} \qquad \mathrm{d}s^2 = -\mathrm{d}x_\mu \, \mathrm{d}x^\mu .$$

Der absolute Raum wäre dann durch ein Feld $\Gamma_{\lambda\mu\nu}$ mit ziemlich vielen Komponenten ersetzt. Das Feld würde zugleich die Gravitation und die Trägheit wiedergeben. Da aber eine Lorentz-invariante Theorie zugleich Aussagen über das Verhalten natürlicher Maßstäbe und Uhren macht, mußte EINSTEIN, der eine solche Theorie der Gravitation aufgestellt hat, auch die Metrik mit einbeziehen.

Gravitation

Wir sind eben dem einen der Fragenkreise nachgegangen, die zur heutigen Gravitationstheorie führten, dem des absoluten Raumes. Wie stand es nun mit der Schwere selbst?

Man zweifelte gelegentlich an NEWTONS Gesetz

$$F = -\gamma \frac{Mm}{r^2}.$$

Aber Unstimmigkeiten, die in der Berechnung der Planetenbewegungen auftraten, konnten zunächst durch genauere Anwendung der Theorie behoben werden. Unstimmigkeiten in der Bewegung der Planeten Jupiter und Saturn konnte 1784 LAPLACE beseitigen, indem er zeigte, daß eine genäherte Kommensurabilität (fünf Umläufe des Jupiter brauchen etwa die gleiche Zeit wie zwei des Saturn) zu langsamen periodischen Änderungen der Bewegungen beider Planeten führte. Eine beobachtete geringe Beschleunigung der Mondbewegung konnte als Folge einer Änderung der Exzentrizität der Erdbahn und einer Verlangsamung der Erdrotation infolge der Gezeitenreibung verstanden werden. Ein Triumph der Newtonschen Theorie der Gravitation und der Methoden ihrer Anwendung war dann die Entdeckung des Planeten Neptun nach der Berechnung seiner Bahn aufgrund von Störungen des Uranus (1846).

Aber eine Unstimmigkeit blieb: Die großen Achsen der Bahnen des Merkur und der Sonne sehr nahe kommender Kometen zeigten ein langsames Vorrücken in der Richtung der Umlaufsbewegung. NEWTONS *Gravitationsgesetz schien nicht zu reichen.*

Um 1900 versuchte man Abänderungen dieses Gesetzes ad hoc, z.B. auch geschwindigkeitsabhängige Kräfte oder Wirkungen, die sich mit endlicher Geschwindigkeit ausbreiteten. Daneben versuchte man die Gravitation mit Hilfe anderer bekannter Kräfte zu erklären, z.B. sie auf mechanische Kräfte im Äther zurückzuführen. Aber es gelang kein überzeugender Anschluß an andere Gebiete der Physik. Man mußte die Gravitation als eine fundamentale Eigenschaft der Materie ansehen. Kennzeichnend für sie war, daß alle Körper gleich schnell fallen ($F \sim m$). Diese Tatsache, die schon NEWTON an der Unabhängigkeit der Schwingungsdauer eines Pendels vom Stoff erläutert hatte, konnte L. VON EÖTVÖS sehr genau nachweisen. Schon 1801 hatte J. SOLDNER auch eine Gravitationswirkung auf Licht angenommen und damit eine Ablenkung von Lichtstrahlen am Rande der Sonne im wesentlichen richtig ausgerechnet.

Nach Aufstellung der speziellen Relativitätstheorie versuchte man, das Newtonsche Gravitationsgesetz so abzuändern, daß Gravitationswirkungen sich mit Lichtgeschwindigkeit ausbreiteten. Die dahingehenden Ansätze von POINCARÉ (1906), MINKOWSKI (1908), SOMMERFELD und LORENTZ waren aber noch keine Feldtheorien.

Allgemeine Relativitätstheorie

Nach der speziellen Relativitätstheorie war das Verhalten von natürlichen Maßstäben und Uhren von ihrer Bewegung abhängig. Bei beschleunigten oder rotierenden Körpern führte das zu einer nichteuklidischen Metrik. Die Entwicklung der allgemeinen Relativitätstheorie, der Theorie des oben skizzierten $\Gamma_{\lambda\mu\nu}$- oder $g_{\mu\nu}$-Feldes war darum von einer entwickelten Mathematik solcher nichteuklidischen Räume abhängig. C. F. GAUSS hatte schon eine Geometrie krummer Flächen ausgearbeitet, die z. B. das Krümmungsmaß durch die „inneren" Eigenschaften dieser Flächen ausdrückte. B. RIEMANN untersuchte Mannigfaltigkeiten, in denen die Abstände durch

$$\mathrm{d}s^2 = g_{\mu\nu}\,\mathrm{d}x^\mu\,\mathrm{d}x^\nu \tag{6}$$

bestimmt sind; er gab 1861 invariante Ausdrücke für die „Krümmung" solcher Räume an. Ausdrücke der „kovarianten Differentiation" bei allgemeinen Koordinaten x^μ stellte 1869 E. CHRISTOFFEL auf, und eine allgemeine Tensorrechnung mit einfachen Regeln arbeiteten C. RICCI und T. LEVI-CIVITA um 1900 aus.

Die Geschichte der allgemeinen Relativitätstheorie und der Theorie des Gravitationsfeldes lief nun folgendermaßen ab:

1907 zeigte A. EINSTEIN, daß die Wirkungen einer Beschleunigung des Bezugssystems von denen eines Gravitationsfeldes nicht unterschieden werden können. Die Gravitationswirkung der Sonne ist äquivalent einer Beschleunigung des Bezugssystems von der Sonne weg. EINSTEIN konnte so die Abhängigkeit des Ganges einer natürlichen Uhr vom Gravitationspotential zeigen. Eine Geschwindigkeit von der Sonne weg führt zu einem Doppler-Effekt des von der Sonne ausgesandten Lichts:

$$\frac{\Delta \nu}{\nu} = \frac{v}{c}$$

und eine Beschleunigung von der Sonne weg zu dessen Änderung

$$\Delta \frac{\Delta \nu}{\nu} = \frac{\Delta v}{c} = \frac{g\,\Delta t}{c}.$$

Gemäß der Äquivalenz von Beschleunigung und Gravitation ist g die Gravitationsbeschleunigung gegen die Sonne. In der Zeit Δt läuft das Licht die Strecke $\Delta l/c$, und das Gravitationspotential nimmt um $\Delta U = g\,\Delta l$ zu, so daß

$$\Delta \frac{\Delta \nu}{\nu} = \frac{\Delta U}{c^2}$$

wird. EINSTEIN fand so eine „Rotverschiebung" der von einer schweren Masse ausgesandten Frequenzen

$$\frac{\Delta \nu}{\nu} = \frac{U}{c^2},$$

wo U die Differenz des Gravitationspotentials zwischen Emission und Beobachtungsort ist. 1909 zeigte H. BATEMAN, daß wegen des Verhaltens von Maßstäben und Uhren keine starre Metrik zugrunde zu legen sei, vielmehr eine durch (6) beschriebene. Aber er bezog die Gravitation nicht ein. Die Verknüpfung von Gravitation und Trägheit wurde also 1907, die von absolutem Raum und Metrik 1909 gesehen.

In den folgenden Jahren stellte EINSTEIN weitere elementare Betrachtungen über Lichtgeschwindigkeit, Lichtablenkung und Uhrgang an; weiter versuchte er, das Gravitationsfeld durch die Lichtgeschwindigkeit zu charakterisieren. Ähnliches versuchten M. ABRAHAM, G. NORDSTRÖM und G. MIE.

1913 erschien dann die grundlegende Abhandlung von A. EINSTEIN und M. GROSSMANN. Die Abhandlung stellte das Prinzip der Äquivalenz von Gravitation und Beschleunigung an die Spitze, es wurde durch die Verhältnisse in einem frei fallenden Kasten erläutert. Weiter wurde klargemacht, daß die physikalische Metrik in einem rotierenden oder beschleunigten Bezugssystem die Einführung allgemeiner krummliniger Koordinaten erfordere und die Metrik durch $g_{\mu\nu}\,dx^\mu\,dx^\nu$ zu beschreiben sei. Die Forderung der allgemeinen Relativität war nun die der Gleichberechtigung aller Koordinatensysteme und der allgemeinen Kovarianz der physikalischen Gesetze. Es konnten kovariante Bewegungsgleichungen aufgestellt werden; sie zeigten die $g_{\mu\nu}$ als Potentiale des Gravitationsfeldes. Feldgleichungen, die die $g_{\mu\nu}$ mit den Quellen des Gravitationsfeldes, den gravitierenden Massen, verknüpften, wurden noch nicht angegeben.

1914 stellte EINSTEIN solche Feldgleichungen, aber noch unvollkommener Art, auf. 1915 kam EINSTEINS zweite grundlegende Abhandlung, in der ein aus den $g_{\mu\nu}$ gebildeter kovarianter Krümmungstensor $R_{\mu\nu}$ durch den Energie-Impuls-Tensor der Materie ausgedrückt wurde:

$$R_{\mu\nu} = -\kappa T_{\mu\nu},$$

bald darauf

$$R_{\mu\nu} - \tfrac{1}{2} g_{\mu\nu} R_{\lambda}^{\lambda} = -\kappa T_{\mu\nu}.$$

Kurz vorher hatte EINSTEIN das Vorrücken des Merkurperihels erklärt. D. HILBERT leitete EINSTEINS Feldgleichung aus einem Variationsprinzip ab und versuchte auch die Elektrodynamik mit der Gravitation zu verknüpfen. Die Vision einer „Weltgleichung" tauchte auf, die alle physikalischen Erscheinungen umfassen sollte. 1916 erschien EINSTEINS abschließende Abhandlung. Ihre physikalischen Prinzipien waren: die spezielle Relativitätstheorie gibt das Verhalten von natürlichen Maßstäben und Uhren an; die Ursache dieser Metrik und damit des Trägheitsverhaltens ist die Massenverteilung in der Welt; die Äquivalenz von Gravitation und Beschleunigung fordert die Einbeziehung der Gravitation in die Theorie der Trägheit; da in einem rotierenden System eine nichteuklidische Geometrie gilt, müssen allgemeine Koordinaten und (6) angenommen werden.

Nun wurden die mathematischen Hilfsmittel entwickelt, die kovariante Differentiation und der Krümmungstensor. Dann kamen die Bewegungsgleichungen für eine Partikel; ohne Gravitationsfeld wurde die Bewegung durch eine geodätische Linie der Mannigfaltigkeit (6) angegeben, für echte (d.h. nicht durch Koordinatentransformation im Großen zu beseitigende) Gravitationsfelder wurde das gleiche angenommen. Schließlich wurden die Feldgleichungen für die $g_{\mu\nu}$ aus einem Variationsprinzip und einer naheliegenden Verknüpfung mit $T_{\mu\nu}$ abgeleitet. Es konnten Erhaltungssätze für Energie und Impuls abgeleitet werden. Es ergab sich weiter die Newtonsche Theorie der Gravitation als erste Näherung. Krümmung der Lichtstrahlen und Vorrücken des Merkurperihels wurden vorgerechnet.

EINSTEINS *allgemeine Relativitätstheorie und Theorie der Gravitation war 1916 fertig. Sie vereinigte Trägheit, Metrik und Gravita-*

tion. Raum und Zeit waren nichts mehr, was ohne Inhalt gedacht werden konnte.

Die Einsteinschen Gleichungen des Gravitationsfeldes waren im Prinzip sehr einfach; aber sie waren nichtlineare Differentialgleichungen und als solche nur in einfachen Verhältnissen streng lösbar. Statische kugelsymmetrische Lösungen fand schon 1916 K. SCHWARZSCHILD. Er gab eine Lösung außerhalb von Materie und eine Lösung innerhalb einer inkompressiblen Flüssigkeit konstanter Dichte an. Man konnte sich jetzt Materieteilchen nicht als Singularitäten im Feld, sondern als Gebiete starker Krümmung des Raumes vorstellen. Weiter suchte man Lösungen erster Näherung, also für schwache Gravitationsfelder. So berechnete 1918 H. THIRRING die Mitführung des Trägheitsfeldes im Innern einer rotierenden Hohlkugel. Für eine normale Galaxie ist der Faktor der Mitführung von der Größenordnung 10^{-5}.

Die Möglichkeiten einer experimentellen Bestätigung oder Widerlegung der Einsteinschen Theorie waren zunächst gering. Bei Finsternissen wurde eine Ablenkung des von Fixsternen kommenden, dicht am Sonnenrand vorbeigehenden Lichts richtiger Größenordnung gemessen, aber sie lag an der Grenze der Meßgenauigkeit. Die Rotverschiebung von Spektrallinien aus der Sonne war durch andere Effekte überdeckt. Aber das Zusammenpassen der Rotverschiebung bei den weißen Zwergsternen zu anderen Daten dieser Gebilde mit starken Gravitationsfeldern fügte sich der Äquivalenz von Beschleunigung und Gravitation. Mit den heutigen Methoden, Frequenzänderungen zu messen, läßt sich die Rotverschiebung schon an einem hohen Turme nachweisen. Während die beiden genannten Effekte nur das Äquivalenzprinzip voraussetzten, gehen in das Vorrücken des Merkurperihels wirklich die Gravitationsgleichungen ein. Aber die Unsicherheiten in der Annahme sonnennaher Materie und beim Quadrupolmoment der Sonne erlauben Zweifel an der Übereinstimmung des gemessenen Wertes des Vorrückens des Perihels mit EINSTEINS Theorie.

Die Theorie EINSTEINS gewann ihre Überzeugungskraft aus ihrer inneren Folgerichtigkeit. Sie ist experimentell nicht in dem Maße bestätigt, wie es andere Theorien der Physik durch fortgesetzte Prüfungen immer neuer Folgerungen sind.

Weiterbildungen

So wie die Ausgestaltung der Theorie des elektromagnetischen Feldes die Hoffnung genährt hatte, zu einer einheitlichen Theorie alles physikalischen Geschehens zu kommen, so tat es jetzt die Ausgestaltung einer Theorie des Gravitationsfeldes. Die Hoffnung auf eine „Weltgleichung" schien der Verwirklichung nahe zu sein. Man suchte zunächst Gravitation und Elektromagnetismus zu vereinigen. Durch Aufstellung eines allgemein invarianten Variationsprinzips, das Gravitationspotentiale und elektromagnetische Potentiale enthielt, gelang es D. HILBERT, die Elektrodynamik in die allgemeine Relativitätstheorie einzugliedern. Eine Theorie der beiden Felder, in der beide gleichartig, gewissermaßen als Teile derselben Sache, auftreten, versuchte (1918) H. WEYL, indem er den metrischen Tensor $g_{\mu\nu}$ durch eine fünfte Reihe $g_{\mu 5}$ ergänzte, in der die elektromagnetischen Größen A_μ standen. Ein Fortschritt wurde damit nicht erzielt.

Vergleichen wir die beiden auf vorquantentheoretischer Grundlage ausgebildeten Feldtheorien. Die Elektrodynamik geht [vgl. (5)] nach dem Schema

$$\begin{array}{lcl} \text{erweiternde Abl } B=0 & \leftarrow & B=\text{erweiternde Abl } A \\ \text{verjüngende Abl } B=i & \rightarrow & \text{verjüngende Abl } i=0, \end{array}$$

wo A ein Vierervektor ist und die Ableitungen die der pseudoeuklidischen vierdimensionalen Raum-Zeit-Mannigfaltigkeit oder auch die (bei geeigneter Schreibweise gleichlautenden) kovarianten in einer Riemannschen Mannigfaltigkeit. Diese Theorie ist eine dualistische Theorie, sie enthält Feld (B) und Materie (i). Sie hat die Hoffnung erweckt, zu einer monistischen Theorie umgeformt werden zu können, in der alles elektromagnetisches Feld ist, auch die Materie. G. MIE versuchte das. Wir wissen heute, daß die elektromagnetische Wirkung nur eine unter mehreren Wirkungen ist (Abschnitt 31) und daß eine monistische Theorie darum in anderer Richtung zu suchen wäre.

Die Theorie der Gravitation geht nach dem Schema

$$\begin{array}{r} \Gamma=\text{erw. Abl } g \\ \text{verj. Abl } \Gamma=T, \end{array}$$

wo g ein symmetrischer Tensor ist und die Ableitungen die kovariant gebildeten in einer Riemannschen Mannigfaltigkeit sind. Diese Theorie ist genauso dualistisch wie die der Elektrodynamik. Sie enthält das Gravitationsfeld (Γ) und den übrigen Inhalt der Welt (T). Aber vielleicht ist alles Gravitation. So wie G. MIE versucht hatte, Materieteilchen als Lösungen einer nichtlinearen Erweiterung der Maxwellschen Feldtheorie zu erhalten, so versuchte man jetzt, die nichtlinearen Gleichungen des Gravitationsfeldes auf eine solche Möglichkeit hin zu untersuchen.

EINSTEIN hat sich jahrzehntelang daran versucht. Da inzwischen die Hochenergiephysik (Abschnitt 17) zu einem viel reichhaltigeren Bild von der Vielfalt der Materieteilchen geführt hat, das noch gar nicht bewältigt ist, in dem aber die Gravitation als äußerst schwache Wechselwirkung neben viel Stärkerem steht, sucht man heute die „Weltgleichung" in anderer Richtung.

Kosmologische Modelle

Man kann die „Physik" kennzeichnen als die Lehre vom Wiederholbaren, sei es in zeitlicher Folge, sei es räumlich nebeneinander. Die Gültigkeit ihrer Sätze gründet sich auf diese Wiederholbarkeit. Wir vertrauen deshalb darauf, daß diese Physik für große Ausschnitte der wirklichen Welt gilt. Demgegenüber ist die „Kosmologie" die Lehre vom einmaligen Weltall, von seinen speziellen, vielleicht historisch entstandenen Merkmalen. Als „kosmologische Tatsachen" kann man die Zunahme der Entropie ansehen (Abschnitt 10) und das, was hinter dem „absoluten Raume" und der „absoluten Zeit" steht. Daß der „Trägheitskompaß", das Inertialfeld, mit dem „Sternenkompaß", dem System der uns sichtbaren Fixsterne und Galaxien, übereinstimmt, ist zunächst eine Tatsache. Kann man dieses „Machsche Prinzip" aus der Gravitationstheorie schließen?

EINSTEIN ließ sich, wie wir gesehen haben, durch das Machsche Prinzip leiten, als er Trägheitsfeld und Gravitationsfeld als Einheit erkannte. Er mußte aber bald sehen, daß das Machsche Prinzip in seiner Gravitationstheorie nicht erfüllt war. Zwar war der Raum nunmehr ohne Inhalt nicht denkbar, indem er mindestens das metrische Feld enthielt; aber

$$g_{\mu\nu} = \begin{pmatrix} -1 & 0 & 0 & 0 \\ 0 & 1 & 0 & 0 \\ 0 & 0 & 1 & 0 \\ 0 & 0 & 0 & 1 \end{pmatrix} \tag{7}$$

war eine Lösung der Gravitationsgleichungen und bedeutete Fehlen von Materie. Der absolute leere Raum NEWTONS war also eine Lösung dieser Gleichungen. Weiter gab es Lösungen, die wenig vom materiefreien Raum abwichen. Die Schwarzschildsche Lösung, die das Gravitationsfeld in der Umgebung einer Partikel darstellte, war eingebettet in einen „pseudoeuklidischen Raum" (7); ebenso setzte die Thirringsche Lösung voraus, daß außerhalb der rotierenden Hohlkugel das Feld (7) herrschte.

Aber das bedeutete die Voraussetzung eines besonderen Inertialfeldes als Randbedingung im Unendlichen, d.h. wieder einen absoluten Raum.

Man hatte also zunächst Lösungen, die die Auszeichnung der Inertialsysteme vor den rotierenden Systemen voraussetzten; für das Verständnis des Machschen Prinzips war damit nichts gewonnen.

Das System der Einsteinschen Differentialgleichungen erforderte Rand- und Anfangsbedingungen, für die stationären Lösungen wenigstens Randbedingungen. Für praktische Fragen innerhalb eines großen Ausschnittes der Welt konnte die Einbettung in die übrige Welt durch die Randbedingung (7), also eben durch Annahme eines absoluten Raumes dargestellt werden. Aber für die Beschreibung des Weltganzen reichte das nicht. Die Annahme eines absoluten unendlichen Raumes war gewissermaßen für die „Physik" eine gesunde Annahme, für die „Kosmologie" war sie unbefriedigend.

Der Ausweg, so etwas wie „invariante Randbedingungen" zu finden, sie hätten eigentlich nur $g=0$ lauten können, erwies sich als nicht gangbar. Den anderen Ausweg, daß die Welt räumlich gar keinen Rand habe und daß die Wirkungen aus weit zurückliegenden Zeiten abgeklungen seien, suchte EINSTEIN. In seiner Gesamtdarstellung der allgemeinen Relativitätstheorie deutete er 1916 an, daß der Raum geschlossen sein könnte. 1917 zeigte er das Modell einer räumlich geschlossenen stationären Welt mit konstanter Materiedichte. Die bisherigen Gleichungen erlaubten das nicht, sie gaben eine Kontraktion der Materie; man mußte eine Art allgemeine Abstoßung zufügen. In der nichtrelativistischen Physik gäbe

$$\Delta\Phi+\lambda=4\pi\gamma\mu \tag{8}$$

die Möglichkeit der Lösung $\Phi=\text{const}$ mit einer endlichen Dichte μ. In der Gravitationstheorie gab die Einfügung eines „λ-Gliedes" entsprechendes. In der Lösung, die eine statische, räumlich geschlossene Welt darstellte, war λ durch die Gesamtmasse M der Welt bestimmt, und der Krümmungsradius, der „Weltradius" war $R=\gamma M/c^2$.

Die Einsteinsche Lösung einer geschlossenen Welt mit einem Parameter, λ, M oder R, wurde als Erfüllung des Machschen Programms empfunden.

Diese Untersuchung regte mancherlei an. W. DE SITTER fand 1917, daß die Zufügung des λ-Gliedes auch eine (von Materie) leere Welt erlaubt, die dann allerdings nicht statisch ist, oder eine sehr dünn mit Materie erfüllte, in der die Materie expandiert. Das regte die empirische Kosmologie an. 1922 gab A. FRIEDMANN für $\lambda=0$ ein expandierendes Weltmodell an, das später interessant wurde. G. E. LEMAÎTRE ordnete 1927 die bisher ziemlich unübersichtlichen Lösungen. Er zeigte dabei, daß die Einsteinsche Lösung nicht stabil war. Die Instabilität war analog zu der im Potential

$$\Phi = -\frac{\gamma m}{r} - \frac{\lambda}{6} r^2,$$

das eine kugelsymmetrische Lösung von (8) ist (Abb. 17). Die Friedmannschen Modelle wurden sehr aktuell, als neue kosmologische Fakten auftraten.

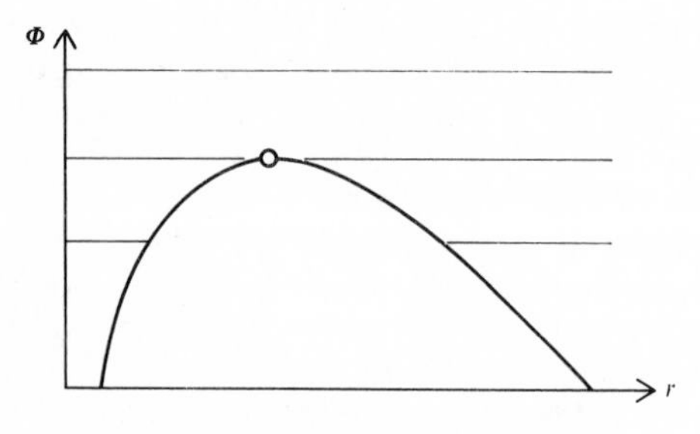

Abb. 17. Instabiles Weltmodell

Kosmologische Fakten

Daß die Fixsterne sonnenähnlich sind, war seit etwa 1600 sehr wahrscheinlich, daß die Milchstraße aus solchen Sternen besteht, sah F. W. HERSCHEL im 18. Jahrhundert. Daß die Spiralnebel Galaxien sind, wurde vermutet; seit etwa 1920 ist man dessen sicher. Mit einer empirisch gefundenen Beziehung zwischen Leuchtkraft und Periode eines Typs veränderlicher Sterne konnte man nämlich den Abstand und die Größe von Galaxien bestimmen, nachdem man dort solche Veränderlichen entdeckt hatte. Die Entfernungen mußten später noch revidiert werden, als man zwei Typen von veränderlichen Sternen auseinanderhalten konnte, die man vorher für einen angesehen hatte. Die gerade noch mit den größten Fernrohren nachweisbaren Galaxien sind mehr als 10^9 Lichtjahre entfernt. Man weiß also seit etwa 1920, daß die Welt sehr groß ist.

Aus der Verteilung dieser Objekte auf die Richtungen und die scheinbaren Helligkeiten schließt man, daß der Raum im Großen isotrop und homogen mit Galaxien erfüllt ist und daß die mittlere Massendichte der

Welt $\mu \approx 10^{-29}$ g/cm³ beträgt. Aus der Verteilung der Helligkeit ist eine Krümmung des Raumes noch nicht ableitbar. Durch die frühen kosmologischen Modelle angeregt, fand E. HUBBLE um 1930 die „Expansion der Welt"; aus der Rotverschiebung der Spektrallinien an fernen Galaxien folgerte er eine Beziehung

$$v = H r = \frac{r}{T}$$

zwischen Fluchtgeschwindigkeit v und Abstand r von uns. Die Konstante T fand er zu $2 \cdot 10^9$ a, später nach der Revision der Entfernungsskala wurden es etwa 10^{10} Jahre.

Unsere Welt ist (wenn man Maßstäbe anlegt, die groß sind gegen die Abstände zwischen den Galaxien) genähert homogen mit Materie erfüllt, und sie expandiert isotrop.

Die Erfahrung gab nun neben den beiden Konstanten c und γ der Theorie noch zwei weitere kosmologische Größen μ und T. Dabei zeigte sich:

$$\gamma \mu T^2 \approx 1. \tag{9}$$

Das gab zu allerlei Spekulationen Anlaß. Zum Beispiel gibt die Nullsetzung der Summe aus Massenenergie $M c^2$ und Gravitationsenergie (in irgendeinem Sinne) $\approx -\gamma M^2/R$ mit $M \approx \mu R^3$ und $R = cT$ die Beziehung (9). Materie könnte also ohne Energieaufwand entstanden sein oder laufend entstehen.

Die neuen kosmologischen Tatsachen forderten dazu auf, die kosmologischen Modelle an ihnen zu messen. Das wesentliche an den Friedmannschen Modellen kann man sich (nach O. HECKMANN) an einer nichtrelativistischen Vereinfachung dieser Modelle klarmachen. In einer im Großen kugelsymmetrischen Anordnung von Galaxien gilt für die einzelne Galaxie die Energiegleichung

$$\frac{1}{2}\dot{r}^2 - \frac{\gamma M}{r} = C, \tag{10}$$

wo M die bis zum Abstand r vom Symmetriezentrum gerechnete Gesamtmasse ist. Bei homogen isotroper Expansion bleiben M und C konstant. Der Abb. 18 sieht man an, daß es pulsierende und ins Unendliche gehende Fälle gibt. Die Grenze liegt bei $C = 0$, was

$$\frac{r^2}{T^2} \approx \frac{\gamma M}{r} \approx \gamma \mu r^2,$$

also (9) bedeutete. Für positive Werte von C geht die Expansion ins Unendliche. Für größere Werte von C würde die durch die Einsteinsche Theorie ohne λ-Glied bedingte Abänderung der Bewegungsgleichung (9)

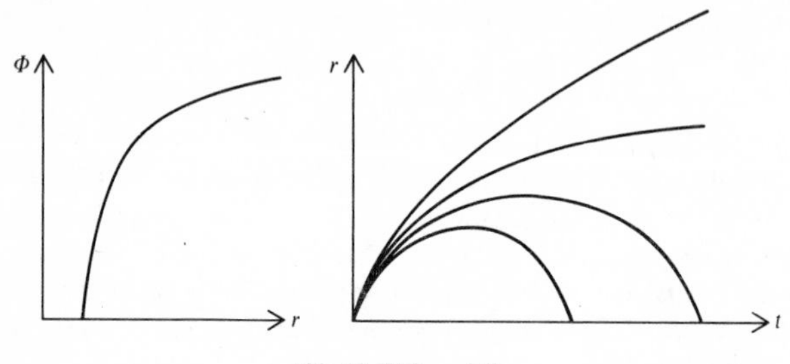

Abb. 18. Weltmodelle

wenig ausmachen. Für negative Werte von C gibt unsere Vereinfachung Pulsation; die relativistische Abänderung ist von Bedeutung, sie gibt ohne λ-Glied Pulsation einer räumlich geschlossenen Welt.

Ob $C>0$ oder $C<0$ unsere wirkliche Welt besser annähert, weiß man noch nicht.

Unsere wirkliche Welt könnte einem solchen Modell genähert entsprechen.

Natürlich wissen wir gar nicht, ob der Ausschnitt der Welt, den wir mit optischen und Radio-Teleskopen erfassen und der eine lineare Ausdehnung von mehr als 10^9 Lichtjahren hat, schon ein wesentlicher Teil des Weltganzen ist.

Die Annahme einer weitgehend isotropen Expansion der Welt wurde stark gestützt durch die um 1965 erfolgte Entdeckung einer sehr isotrop aus dem Weltraum kommenden elektromagnetischen Strahlung, deren spektrale Zusammensetzung einer Temperatur von etwa 3 K entspricht. Man versteht sie mit der Vorstellung, daß bei Ausdehnung eines früher sehr heißen und sehr dichten Weltinhaltes, bei dem Materie und Strahlung sehr eng gekoppelt war, während der dabei auftretenden Abkühlung die Strahlung sich von der Materie abkoppelte und sich dann adiabatisch abkühlte auf die gegenwärtige Temperatur von 3 K.

7. WAS IST WÄRME?

Bei der Unterscheidung dessen, was wir heute Physik nennen, in Mechanik, die als mathematische Wissenschaft angesehen wurde, und in Physik, wurde die Lehre von der Wärme am Ende des 18. Jahrhunderts zur Physik gerechnet. Von den Grundbegriffen der Wärmelehre schien ein (wie sich später zeigte, vorläufiger) Begriff Wärmemenge durch Umgehen mit dem Kalorimeter geklärt. Für den anderen wichtigen Grundbegriff, den des Wärmegrades, der Temperatur, zeigte das einheitliche Verhalten der Gase eine Möglichkeit leidlich willkürfreier Definition. Aber was Wärme eigentlich sei, darüber herrschte keine einheitliche Meinung. Im 19. Jahrhundert wurde dann der durch das Kalorimeter geprägte Begriff der Wärmemenge durch den des Energieinhaltes ersetzt zugleich mit der Ausdehnung des Erhaltungssatzes der Energie auf die ganze Physik. Weiter wurde die Besonderheit der Energieform Wärme gegenüber anderen Energieformen im neuen Begriff der Entropie erfaßt. Mit dem Energiebegriff schien sich gegen Ende des Jahrhunderts ein neues, von dem der Mechanik verschiedenes Denkschema, die „Energetik", anzubahnen; es erwies sich aber als nicht umfassend genug. Um die gleiche Zeit wurden die Begriffe der Wärmelehre in der statistischen Physik auf mechanische Begriffe zurückgeführt.

Gasgesetze

Die mathematische Erfassung der Wärmeerscheinungen, insbesondere die Klärung des Temperaturbegriffs wurde durch das einfache und einheitliche Verhalten der Gase erleichtert. Unter der Zustandsgleichung eines homogenen Körpers verstehen wir einmal die thermische Zustandsgleichung, die Beziehung $p(T, V)$ zwischen Temperatur, Volumen und Druck, zum andern die kalorische Zustandsgleichung, die Abhängigkeit des Wärmeinhalts $Q(T, V)$, später des Energieinhaltes $U(T, V)$, von Temperatur und Volumen.

Die thermische Zustandsgleichung wurde in drei Schritten erkannt; $pV = f(\vartheta)$, also konstant bei fester Temperatur ϑ, ist das Boyle-Townley-Mariottesche Gesetz aus dem 17. Jahrhundert. Daß $f(\vartheta)$ für alle Gase bis auf einen Faktor die gleiche Funktion ist, daß also, wenn ϑ mit Hilfe des Volumens irgendeines Gases gemäß

$$V = V_0(1 + \alpha\vartheta)$$

definiert ist, das Volumen aller Gase sich ebenso verhält, wurde um 1800 klar. Vor allem J. L. GAY-LUSSAC wies die Übereinstimmung nach und maß für alle damals bekannten Gase übereinstimmend $\alpha = 1/267°$ (mit 100° als Abstand vom Kochpunkt und Eispunkt des Wassers); der spätere Wert wurde 1/273 K. Von da ab konnte man die Temperaturskala mittels

$$pV = p_0 V_0(1 + \alpha\vartheta)$$

definieren. Der Vorschlag J. DALTONS

$$pV = p_0 V_0 \alpha T$$

zu zählen, drang damals noch nicht durch. Der dritte Schritt, der Ausdruck von $p_0 V_0$ durch die Zahl der Mole, fußte auf dem Molbegriff, der auf dem Gesetz der multiplen Proportionen bei chemischen Verbindungen (das den Begriff des Atomgewichts begründete) und auf GAY-LUSSACS Gesetz der einfachen Volumenverhältnisse bei Gasen beruhte. Das bedeutete:

$$pV = nRT = \frac{M}{m} RT,$$

wenn wir gleich T statt $\vartheta + 1/\alpha$ einführen (m ist das Molekulargewicht und $M = nm$ die Masse). A. AVOGADRO sprach 1811 das Gesetz so aus: gleiche Volumina verschiedener Gase enthalten (bei gleichem Druck und gleicher Temperatur) gleichviel Molekeln. Wir schreiben heute auch:

$$pV = NkT,$$

wo N die Zahl der Molekeln ist.

Die thermische Zustandsgleichung der Gase war also seit 1811 bekannt. Sie lieferte ein brauchbares Temperaturmaß.

Was die kalorische Zustandsgleichung angeht, so setzte man zunächst naiv die Wärmezufuhr der Temperaturänderung proportional. G. AMONTONS behauptete um 1700, daß bei Gasen $\Delta Q \sim \Delta p \sim \Delta V$ sei und daß man darum die Temperatur durch das Gasvolumen definieren solle. Seit man gut mit dem Kalorimeter umgehen konnte, maß man auch spezifische Wärmen von Gasen; besonders A. L. LAVOISIER maß um 1790 die Größen, die wir c_p nennen, indem er Gase in einem Schlangenrohr durch ein Eiskalorimeter leitete. Er und GAY-LUSSAC fanden, daß diese Größe für alle damals bekannten Gase je Volumeneinheit ungefähr gleich sei. Man kannte damals die Gase, die man später H_2, N_2, O_2, H_2O, CO_2 genannt hat; die Übereinstimmung gilt, wie wir wissen, für die zweiatomigen unter ihnen. Nun wurde allenthalben eifrig gemessen, die Pariser Akademie setzte Preise aus, und um 1820 wußte man

$$m\,c_p \approx 7 \text{ cal/grd mol}.$$

(cal war die der spezifischen Wärme des Wassers, 1 cal/g K, angepaßte Einheit der Wärmezufuhr).
In welchen Bereichen von Temperatur und Druck diese Größe konstant ist, blieb noch eine Weile unsicher.

Für die Einsicht in die Natur der Wärme wurden zwei weitere Untersuchungen später sehr wichtig. GAY-LUSSAC wies 1807 nach, daß bei Ausströmen von Gas in das leere Gefäß der Anordnung der Abb. 19

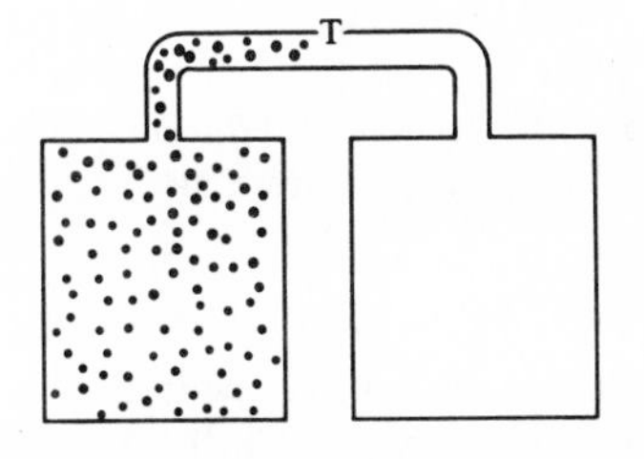

Abb. 19. GAY-LUSSACS Versuch

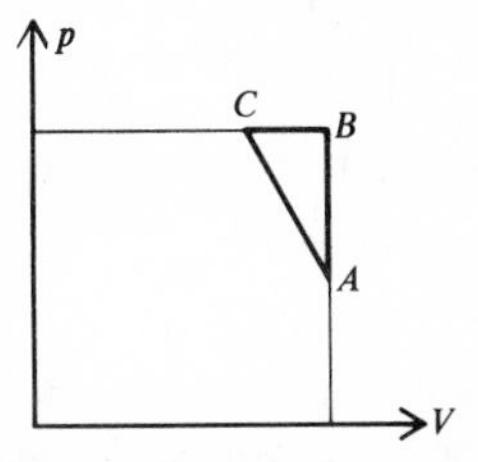

Abb. 20. LAPLACES Überlegung

die Abkühlung des sich verdünnenden Gases im einen Teil durch die Erwärmung des sich verdichtenden im andern Teil kompensiert wird, daß also nach Temperaturausgleich die Ausgangstemperatur wieder erreicht wird. Aus diesem Versuch und weiteren verbesserten Versuchen schloß man später, daß der Energieinhalt eines Gases nur von der Temperatur allein abhängt. GAY-LUSSAC konnte so nicht schließen, aber auch die Folgerung, daß der Wärmeinhalt eines Gases nur von der Temperatur abhinge, scheint er nicht gezogen zu haben.

NEWTON hatte in seinen Prinzipien die Geschwindigkeit des Schalles aus der Elastizität der Luft berechnet, und für diese $pV = \text{const}$ angenommen. Die gemessenen Werte wichen bald von den so errechneten ab. S. LAPLACE sah, daß man wegen der Erwärmung der Luft bei Kompressionen einen anderen Zusammenhang von p und V nehmen müsse.

1816 fand er die Abhängigkeit vom Verhältnis der spezifischen Wärmen, c_p/c_v mittels der Beziehung

$$c_p V \mathrm{d}p + c_v p \mathrm{d}V = 0;$$

bei der Annahme eines vom Zustand des Gases unabhängigen Wertes von c_p/c_v folgte aus ihr:

$$p V^{\frac{c_p}{c_v}} = \mathrm{const}.$$

Die Beziehung kann man sich am V, p-Diagramm der Abb. 20 klarmachen. Ersetzt man den infinitesimalen Übergang von A nach C durch den Weg ABC, so kann man die Wärmezufuhr aus der eines isochoren und der eines isobaren Vorgangs zusammensetzen,

$$\delta Q = \delta Q_v + \delta Q_p.$$

Wir wissen, daß die Ersetzung wegen der möglichen Umwandlung von Arbeit in Wärme im Großen nicht richtig ist; bei infinitesimalen Änderungen wird aber die umgesetzte Arbeit, die der Fläche ABC entspricht, von höherer Ordnung klein. Wenn im Ganzen keine Wärme ausgetauscht wird, wird also

$$c_v \delta T_v + c_p \delta T_p = 0,$$

und nach dem Gasgesetz $p V \sim T$ erhält man die Laplacesche Beziehung. Um jene Zeit gaben die Messungen von N. CLEMENT und CH. B. DESORMES etwa $c_p/c_v = 1{,}4$.

Um 1820 kannte man neben der thermischen Zustandsbeziehung der Gase

$$p V = n R T$$

die Werte der spezifischen Wärmen

$$m c_p = 7 \text{ cal/K mol}$$

$$m c_v = 5 \text{ cal/K mol};$$

die Unabhängigkeit dieser Werte vom Zustand des Gases war aber noch wenig gesichert. Auch bei festen Stoffen fand man eine allgemeine Regel für die spezifische Wärme. P. L. DULONG und A. L. PETIT fanden 1820 für die meisten Stoffe

$$m c \approx 6 \text{ cal/K Grammatom}.$$

Daß Diamant und einige andere harte Stoffe niedrigere Werte zeigten, merkte man bald; später sah man, daß deren spezifische Wärmen mit der Temperatur zunahmen. 1875 stellte H. F. WEBER fest, daß die Werte mit steigender Temperatur gegen den Dulong-Petitschen Wert konvergierten. Das wurde für die Quantentheorie wichtig.

Stoff oder Bewegung?

Über die Natur der Wärme gab es gegen Ende des 18. Jahrhunderts im wesentlichen zwei Ansichten. Nach der einen war die Wärme ein Stoff, das Caloricum; für sie sprachen die Erfahrungen mit dem Kalorimeter. Nach der anderen bestand die Wärme in Bewegung der kleinsten Stoffteilchen; ihr entsprach der Gedanke der Erhaltung der Bewegung. 1784 referierten z. B. LAVOISIER und LAPLACE beide Ansichten mit der Bemerkung, daß die Physiker sich darüber nicht einig und daß vielleicht beide Ansichten irgendwie richtig wären. Noch 1841 diskutierte GEHLERS Wörterbuch der Physik, von guten Fachleuten geschrieben, die Schwierigkeiten beider Ansichten: bei der Stofftheorie war es die Erzeugung von Wärme durch Reibung und bei chemischen Umsetzungen; bei der Bewegungstheorie, in der man an Schwingungen der kleinsten Teile dachte, war es der Umstand, daß sich Wärme anders fortpflanze als es Schwingungen tun. Vielleicht handele es sich um einen Wärmestoff und dessen Schwingungen, um eine Art Wärmeäther.

In der Französischen Akademie, in der Gesellschaft von Arcueil und im deutschen Universitätsunterricht herrschte die Stofftheorie vor; so referierte in Göttingen J. T. MAYER um und nach 1800 in seiner Vorlesung die verschiedenen Vorstellungen, benutzte aber die Stofftheorie. Bei Reibung wird eben die Wärmekapazität verkleinert, die Wärme gleichsam herausgepreßt.

Im ersten Viertel des 19. Jahrhunderts kamen nun neue Argumente gegen und für den Wärmestoff. Gegen ihn sprachen die Untersuchungen von B. THOMPSON GRAF VON RUMFORD in München. Beim Bohren von Kanonen mit stumpfem Bohrer konnte er beliebig viel Wärme erzeugen, und ihre Menge war proportional der Zeit, der Bohrgeschwindigkeit und der aufgewandten Kraft ($Q \sim F v t$), also der aufgewandten Arbeit.

Die spezifische Wärme der Bohrspäne war die gleiche wie die des ungebohrten Materials. Durch Arbeit wurde also Wärme erzeugt in einem festen Verhältnis. Wärme konnte kein Stoff sein (1798). Nach der durch die Arbeit eines Pferdes erzeugten, kalorimetrisch gemessenen Wärme schätzte er den Arbeitswert einer kcal. Diese Ergebnisse haben nicht alle Physiker überzeugt. J. T. MAYER z. B. wies darauf hin, daß Wärme aus der Umgebung zugeflossen sein könnte, die aus dem gebohrten Material herausgepreßte Wärme so wieder möchte ersetzt worden sein. H. DAVY hingegen war von RUMFORDS Ergebnis überzeugt.

Eine neue Stütze fand die Ansicht vom Wärmestoff dadurch, daß sie Bestandteil einer mathematischen Theorie wurde, zunächst durch die aufkommende mathematische Theorie der Wärmeleitung. Man experimentierte mit Metallstäben, die an dem einen Ende glühend gemacht, am andern mit Eis gekühlt wurden. Die örtliche Änderung der Temperatur im stationären Zustand nahm man manchmal linear an, was der Fortleitung von Wärme im Stab entsprach, manchmal exponentiell, was dem Wärmeaustausch mit der Umgebung entsprach. BIOT und FOURIER präzisierten die Vorstellung der Wärmeleitung: durch eine Platte der Dicke d und der Fläche F, deren Flächen eine Temperaturdifferenz ΔT zeigten, geht die Wärmemenge

$$\Delta Q = \kappa \frac{F}{d} t \, \Delta T.$$

J. B. FOURIER hatte aktiv an der Französischen Revolution teilgenommen, auch im Gefängnis gesessen, war Professor an der École Normale und der École Polytechnique, war mit NAPOLEON in Ägypten gewesen und dann über ein Jahrzehnt Präfekt in Grenoble. Dort und in Paris, zwischen 1811 und 1822, hat er eine mathematische Theorie der Wärmeleitung in festen Körpern aufgestellt. Sie ist in einem Buche (von 1822) „théorie de la chaleur“ zusammengefaßt, das, wie FOURIER bemerkt, Nichtmechanisches so streng behandelt, wie man es von der Mechanik gewohnt war.

Seine Überlegungen können wir mit der Gleichung für die Wärmestromdichte

$$j = -\kappa \frac{\partial T}{\partial x},$$

mit dem Ausdruck der Erhaltung der Wärmemenge

$$\rho c \dot{T} = -\frac{\partial j}{\partial x}$$

und der Folgerung aus beiden, der Wärmeleitungsgleichung

$$\rho c \dot{T} = \frac{\partial}{\partial x} \left(\kappa \frac{\partial T}{\partial x} \right)$$

wiedergeben. FOURIER benutzte zunächst die vereinfachte Gleichung

$$\dot{T}=\lambda\frac{\partial^2 T}{\partial x^2}.$$

Er fand die Temperaturverteilung

$$T\sim \mathrm{e}^{-\frac{\lambda t}{a^2}}\sin\frac{x}{a}$$

als Lösung, stellte bestimmte Anfangsverteilungen in der Form

$$T=\sum_n A_n \sin n\frac{x}{a}$$

dar und konnte so deren zeitliche Veränderung

$$T=\sum_n A_n \mathrm{e}^{-\frac{\lambda n^2 t}{a^2}}\sin n\frac{x}{a}$$

angeben. So ist die Entwicklung in „Fouriersche Reihen" entstanden. Er behandelte auch den dreidimensionalen Fall mit der Gleichung

$$\dot{T}=\lambda\left(\frac{\partial^2}{\partial x^2}+\frac{\partial^2}{\partial y^2}+\frac{\partial^2}{\partial z^2}\right)T=\lambda\,\Delta T,$$

löste sie mit Randbedingungen $T=\text{const}$ oder $\partial T/\partial n=0$ für einfache Fälle: für quaderförmige Körper, für kugelsymmetrische und zylindersymmetrische Verteilung. Seine Methoden, Probleme der mathematischen Physik zu lösen, haben großen Einfluß ausgeübt. Sie waren der Anfang einer Theorie der Randwertaufgaben bei gewöhnlichen und partiellen Differentialgleichungen.

POISSON ergänzte die Theorie der Wärmewellen und behandelte den Fall mit seitlicher Wärmeabgabe:

$$\dot{T}=\lambda\frac{\partial^2 T}{\partial x^2}-h\,T.$$

W. THOMSON, der besonders stark von FOURIER beeinflußt war und viele Anwendungen seiner Methoden machte, untersuchte z. B. Lösungen mit der Gauß-Verteilung

$$T\sim\frac{1}{\sqrt{t}}\mathrm{e}^{-\frac{x^2}{4\lambda t}}$$

und stellte Rechnungen über die Abkühlung der Erde und das Erdalter an. Aus dem heutigen Temperaturgradienten in den oberen Erdschichten errechnete er das geringe Erdalter von etwa $20 \cdot 10^6$ Jahren (den Beitrag, den radioaktiver Zerfall zum Wärmestrom in der Erde leistet, konnte er nicht wissen); er benutzte den Wert als Argument gegen die Darwinsche Erklärung der biologischen Evolution.

Die damaligen Messungen bei Wärmeleitung und Abkühlung z. B. von BIOT und FOURIER dienten zunächst zur Bestätigung der Theorie, später zur Bestimmung der Stoffkonstanten λ und κ (Temperaturleitvermögen und Wärmeleitvermögen). G. WIEDEMANN und R. FRANZ fanden 1853 den Zusammenhang von Wärmeleitvermögen und elektrischem Leitvermögen, der später für die Elektronentheorie wichtig wurde.

In der mathematischen Theorie der Wärmeleitung wurde in Ergänzung zum Kalorimeter die Erhaltung des Caloricums demonstriert.

Die Wärmeleitungsgleichung wurde später ein wichtiger Fall einer partiellen Differentialgleichung beim Studium der Randwertaufgaben bei solchen Gleichungen durch P. LEJEUNE-DIRICHLET und B. RIEMANN (um 1860).

Die Tatsache der Reibungswärme konnte die Vorstellung des Wärmestoffes nicht streng widerlegen, nur schwächen; die Theorie der Wärmeleitung konnte diese Vorstellung nicht beweisen, nur stützen. Aber einige um 1820 allerdings schlecht bekannte andere Erfahrungstatsachen hätten die Vorstellung des Wärmestoffes in Schwierigkeiten bringen können. Soweit man an diesen Wärmestoff glaubte, nahm man eine Zustandsfunktion „Wärmeinhalt“ an, die bei gegebener Stoffmenge eine Funktion von zwei Variabeln, etwa Temperatur und Volumen (oder Druck) war. Diese Zustandsfunktion, nennen wir sie $Q(T, V)$, untersuchte man experimentell, besonders bei Gasen. Wegen der Beziehungen

$$\begin{aligned} M c_v &= \frac{\partial Q}{\partial T} \\ M c_p &= \left(\frac{\mathrm{d}Q}{\mathrm{d}T}\right)_p = M c_v + \frac{\partial Q}{\partial V}\left(\frac{\mathrm{d}V}{\mathrm{d}T}\right)_p, \end{aligned} \tag{1}$$

bei Gasen

$$M(c_p - c_v) = \frac{\partial Q}{\partial V}\,\frac{V}{T}, \tag{2}$$

genügten Messungen der beiden spezifischen Wärmen als Funktionen von T und V oder Messungen einer der spezifischen Wärmen und der Größe $\partial Q/\partial V$, also der isothermen Wärmezufuhr. Hätte man den Gay-Lussacschen Versuch ernst genommen, so hätte man $\partial Q/\partial V = 0$ also

$c_p = c_v$ schließen müssen im Gegensatz zu den Überlegungen von LAPLACE über die Elastizität der Luft, die $c_p > c_v$ und $\partial Q / \partial V > 0$ ergaben. Hätte man die (wenig gesicherte) Unabhängigkeit der Größen c_p und c_v von T und V beachtet, so hätte man (ohne das Gay-Lussacsche Ergebnis zu benutzen) den Widerspruch der aus (1) folgenden Beziehung

$$\frac{\partial^2 Q}{\partial V \partial T} = 0$$

mit der aus (2) folgenden

$$V \frac{\partial^2 Q}{\partial T \partial V} = M(c_p - c_v) > 0$$

sehen müssen.

Arbeitsleistung und Wärme

Auch die Arbeitsleistung durch eine Wärmekraftmaschine, die es ja als Dampfmaschine seit einiger Zeit gab, ließ sich zunächst in die Vorstellung vom Wärmestoff eingliedern.

1824 stellte S. CARNOT, Ingenieur aus der École Polytechnique, in seiner Abhandlung „sur la puissance motrice du feu" die Theorie einer idealen Wärmekraftmaschine auf. Der Grundgedanke war, daß bei einer solchen Maschine der Wärmestoff nicht etwa verbraucht wird, sondern von einem heißen zu einem kalten Körper übergehe. Der Arbeitsertrag einer Wasserkraftmaschine

$$\bar{A} = Q(h_o - h_u),$$

wo Q die um den Höhenunterschied $h_o - h_u$ abgesunkene Wassermenge ist, wird mit dem Arbeitsertrag einer Wärmekraftmaschine

$$\bar{A} = Q f(\vartheta_o, \vartheta_u) \tag{3}$$

verglichen, wo Q die von der Temperatur ϑ_o zur Temperatur ϑ_u abgesunkene Menge Wärmestoff ist. Die Wirkung der „chute du calorique" ist der Wirkung der „chute d'eau" analog.

CARNOT führte nun den berühmten Beweis dafür, daß die Funktion $f(\vartheta_o, \vartheta_u)$ vom Stoff und allen Nebenumständen unabhängig ist, und zwar mit dem Postulat der Unerschaffbarkeit von Arbeit und mit Benutzung der Umkehrbarkeit des idealen Prozesses. Wäre für zwei Prozesse (1 und 2) zwischen den gleichen Temperaturen ϑ_o und ϑ_u mit gleicher Wärmemenge Q

$$\overline{A_1} > \overline{A_2},$$

so könnte man den zweiten Prozeß umgekehrt laufen lassen und könnte mit beiden zusammen Arbeit aus dem Nichts erschaffen. CARNOT fand dabei den Nutzeffekt seiner idealen Maschine um so höher, je größer der Temperaturunterschied ist, und er machte entsprechende Verbesserungsvorschläge für Dampfmaschinen.

CARNOTS Beweis war weitgehend richtig; aber das Postulat, daß die Wärmemenge ungeändert bliebe, war für den am Kalorimeter gewonnenen Begriff der Wärmemenge nicht richtig; für diesen ist $Q_o > \bar{Q}_u$. Man kann es aber auch so ausdrücken: CARNOT merkte nicht, daß sein Caloricum und die mit Kalorimeter gemessene Wärmemenge nicht gleiche Größen waren.

Daß die Wärmemenge beim Absinken von der höheren Temperatur ungeändert bleibt, war für CARNOT eine Tatsache; „sie leugnen, heißt die ganze Theorie der Wärme umstürzen, deren Grundlage sie ist", sagte er in einer Fußnote. An der gleichen Stelle deutete er aber Erfahrungstatsachen an, die beim damaligen Stand der Theorie „fast unerklärlich zu sein scheinen".

Für CARNOT *war die Wärme ein unzerstörbarer Stoff, die Temperatur war ein Niveau, das die potentielle Energie des Wärmestoffs bestimmte.*

E. CLAPEYRON, Ingenieur für Brücken und Eisenbahnbau, auch aus der École Polytechnique, erläuterte 1834 CARNOTS Überlegungen an Diagrammen für V, p und V, T. Er rechnete Arbeit und Wärme bei Gasen aus. Für den Vorgang zwischen infinitesimal benachbarten Temperaturen schrieb er

$$\frac{\mathrm{d}\bar{A}}{Q} = \frac{\mathrm{d}\vartheta}{C(\vartheta)}$$

und fand, daß für ein Gas die Größe $C(\vartheta)$ der Größe pV proportional ist, wenn man ϑ mit pV mißt. Er untersuchte auch das Verhalten von Dämpfen (Clapeyronsche Gleichung) und machte Vorschläge für Dampfmaschinen.

Der Carnotsche Satz (3) war richtig; seine Begründung war es beinahe. Die Annahme $Q_o = \bar{Q}_u$ war mit dem früher genannten Versuch von GAY-LUSSAC nicht vereinbar; auch hätte sich mit der Annahme konstanter Werte der spezifischen Wärmen c_p und c_v (die damals aber nur schlecht gesichert war) ein Widerspruch ergeben. CARNOT hat wohl ähnliches gemerkt; denn in seinem Nachlaß (er starb 1832) findet sich die Einsicht, daß Wärme ein Äquivalent für Arbeit sei und daß 1 kcal der Arbeit 365 mkp entspreche (kp eine bis vor kurzem gebrauchte Krafteinheit, das Gewicht der Masse 1 kg an der Erdoberfläche, 9,81 N). Er machte auch Vorschläge zur experimentellen Bestimmung dieses Äquivalents; P. JOULE führte später, ohne von CARNOTS Vorschlägen zu wissen, diese Bestimmungen aus.

Die These von der Erhaltung des Caloricums mußte schließlich fallen.

Daß beim elektrischen Strom Wärme auftritt, konnte nicht verborgen bleiben. Quantitative Angaben, die auf das Gesetz

$$Q \sim I^2 R t$$

hinausliefen, machten unabhängig E. BECQUEREL und P. JOULE um 1843. EDMOND BECQUERELS Vater CÉSAR (1788–1878) hat die chemische Natur des Galvanismus mit aufklären helfen; EDMOND (1820–1891) arbeitete auch über Phosphoreszenz und Fluoreszenz; EDMONDS Sohn HENRI (1852–1908) war der Entdecker der Radioaktivität.

Allgemeiner Energiesatz

Die Erkenntnis der Äquivalenz von Wärme und Arbeit und der allgemeine Satz von der Erhaltung der Energie lagen nun in der Luft. Dieser Satz hatte eine historische Wurzel in der Statik: die „goldene Regel" für die Maschinen,

$$G_1 h_1 = G_2 h_2$$

bei DESCARTES,

$$G_1 v_1 = G_2 v_2$$

bei GALILEI; aus ihr wurde später das Prinzip der virtuellen Arbeit für das Gleichgewicht

$$\sum \boldsymbol{F}_l \, \delta \boldsymbol{x}_l = 0.$$

Der Energiesatz hatte weiter Wurzeln in der Kinetik: GALILEI fand die Äquivalenz von v^2 mit einem Höhenunterschied (wir schreiben $v^2 + 2gh = \text{const}$); HUYGENS leitete aus dem Prinzip, daß die potentielle Höhe des Schwerpunkts während der Bewegung nicht steigen kann, die Beziehung

$$\sum m v^2 + \sum 2Gh = \text{const}$$

ab, den Energiesatz für Bewegungen im Schwerefeld an der Erdoberfläche. NEWTON schloß den Satz

$$v^2 - \frac{C}{r} = \text{const}$$

aus seinen Gravitationsgesetzen. LEIBNIZ benutzt $m v^2$ als Maß der lebendigen Kraft und glaubte an eine Erhaltung der „lebendigen Kräfte", beim weichen Stoß an den Übergang in eine verborgene Bewegung. D. BERNOULLI gab 1748 eine allgemeine Fassung des Erhaltungssatzes für die mechanische Energie; EULER und LAGRANGE präzisierten die Begriffe kinetische und potentielle Energie (noch nicht mit diesen Worten), so daß man

$$E_{\text{kin}} + E_{\text{pot}} = \text{const}$$

für reibungsfreie Bewegungen schreiben konnte.

Der Energiesatz der reibungsfreien Mechanik war Ende des 18. Jahrhunderts klar.

Entweder konnte nun alle Physik zu reibungsfreier Mechanik werden, das war noch 1847 die Meinung von H. HELMHOLTZ, oder es gab nichtmechanische Realitäten, das war die Meinung von M. FARADAY bald nach 1830 und von R. MAYER 1842. Mit dieser Annahme war der allgemeine Energiesatz eine neue Einsicht.

Ihr Werden kann etwa so beschrieben werden: Seit 1775 lehnte es die Pariser Akademie ab, Entwürfe eines „perpetuum mobile" zu prüfen. 1798 schätzte RUMFORD das mechanische Wärmeäquivalent. Für FRESNEL ging 1822 bei Absorption von Licht die lebendige Kraft von Ätherschwingungen in lebendige Kraft der kleinsten Materieteilchen über, wo sie als Wärme empfunden wird. Im Beitrag „Kraft" des Gehlerschen Wörterbuches war 1829 zu lesen: „Kraft ist, was Bewegung erzeugt. Der Begriff wird in verschiedenem Sinne gebraucht", für $m\ddot{x}$, für Arbeit. Eine klare Definition wurde nicht gegeben. Die Maße für Arbeit bei waagerechtem Gehen oder Fahren und beim Treppensteigen stehen in Tabellen nebeneinander. Weitere Schritte: Vor 1832 berechnete CARNOT das mechanische Wärmeäquivalent, ohne daß das bekannt wurde. FARADAY dachte um diese Zeit an eine Äquivalenz von chemischer Affinität und elektrischer Arbeit (Abschnitt 3). Überhaupt hielt dieser Forscher die verschiedenen Naturerscheinungen für Äußerungen der gleichen „Kraft", und er suchte immer nach Beziehungen zwischen den Erscheinungsgebieten und auch, ohne einen klaren Begriff zu haben, nach Äquivalenzen der Kraftformen. F. MOHR sah 1837 Wärme als verborgene Bewegung, mithin als Form von „Kraft" an. „Außer den bekannten 54 chemischen Elementen gibt es in der Natur der Dinge nur noch ein Agens, und dieses heißt Kraft; es kann unter den passenden Verhältnissen als Bewegung, chemische Affinität, Kohäsion, Elektrizität,

Licht, Wärme und Magnetismus hervortreten, und aus jeder dieser Erscheinungsarten können alle übrigen hervorgebracht werden. Dieselbe Kraft, welche den Hammer hebt, kann, wenn sie anders angewendet wird, jede der übrigen Erscheinungen hervorbringen."[1] 1840 zeigte H. HESS, daß die bei chemischen Umsetzungen erzeugte Wärme vom Weg der Umsetzung unabhängig ist. Schließlich hat J. LIEBIG nachgewiesen, daß Nahrungsaufnahme und Atmung von Tieren in enger Beziehung stehen, daß die Nahrung im wesentlichen zum Zwecke der Vereinigung mit Sauerstoff aufgenommen wird mit dem Ziel der Aufrechterhaltung der Körperwärme und der Hervorbringung von Kraft. Die Äquivalenz von chemischer Energie, Wärme und Arbeit war also MOHR und LIEBIG bekannt. Kurz nach LIEBIGS Aufsatz kam der von R. MAYER, auf den wir gleich eingehen müssen, 1843 begannen die Untersuchungen von P. JOULE, und 1847 hielt H. HELMHOLTZ seinen Vortrag „über die Erhaltung der Kraft".

Um 1845 war die Wärme als Form von Energie erkannt, und der allgemeine Satz von der Erhaltung der Energie war formuliert.

ROBERT MAYER (1814–1878) aus Heilbronn war Sohn wohlhabender Eltern, wurde ein vielseitig interessierter und gebildeter Arzt, hielt sich als junger Mann eine Weile in Paris auf und fuhr 1840 als Schiffsarzt nach Ostindien. Auf dieser Reise machte er die Beobachtung, daß in den Tropen das Venenblut der Menschen heller war; er nahm an, weil weniger Wärmezufuhr, also weniger Oxydation, nötig sei. Er ließ sich dann als Arzt in Heilbronn nieder. Ein vorläufiger Aufsatz von 1841 wurde nicht gedruckt. 1842 erschienen seine „Bemerkungen über Kräfte in der unbelebten Natur". „Kräfte sind Ursachen", sie sind „unzerstörbare, wandelbare, imponderable Objekte". Wärme ist eine Form von Kraft. Wärme kann aus Bewegung entstehen; sie ist nicht Bewegung[2].

Damit war der Sinn des Satzes von der Gleichwertigkeit von Wärme und Arbeit unabhängig gemacht von besonderen Annahmen über die Natur der Wärme. MAYER gab an, daß die zahlenmäßige Beziehung, nach der sich Fallkraft und Wärme entsprechen, aus bekannten Sätzen über Gase sich berechnen lasse; Herabsinken eines Gewichts um 365 m entspreche der Erwärmung der gleichen Masse Wasser um 1°. 1845 gab

[1] Wiederabgedruckt in
F. MOHR, Allgemeine Theorie der Bewegung und Kraft, Braunschweig 1869.

[2] Die Mechanik der Wärme in gesammelten Schriften von R. MAYER, herausgeg. v. J. WEYRAUCH, 3. Aufl., Stuttgart 1893.

er die Rechnung im einzelnen an. Die Differenz der Wärmezufuhr bei festem Druck und festem Volumen bei einem Gase entsprach der Arbeitsleistung bei festem Druck (in heutiger Bezeichnung):

$$M(c_p - c_v)\,\delta T \sim p\,\delta V = \frac{M}{m} R\,\delta T$$

$$m(c_p - v_v) \sim R$$

$$2\,\mathrm{cal} \sim 8\ \mathrm{J}\ .$$

Dabei benutzte MAYER das oben genannte Ergebnis von GAY-LUSSAC, aus dem er schloß, daß der Energieinhalt eines Gases nur von der Temperatur abhängt. Mit dem mechanischen Wärmeäquivalent leitete MAYER aus seinem Satz von der Erhaltung der Energie eine experimentell prüfbare Zahl her. MAYER erinnerte nun an RUMFORDS Messungen. Auch die chemische Affinität erklärte er als Kraft. Seine Tabelle der Kräfte enthielt: Fallkraft, Bewegung, Wärme, Magnetismus, Elektrizität und chemisches Getrenntsein. Die Kraft der Sonnenstrahlen geht in den Pflanzen in chemisches Getrenntsein über, die Tiere nutzen es. Der Aufsatz von MOHR und die Abhandlungen von MAYER sind unter Physikern kaum bekannt geworden. Auch hat MAYER den Mohrschen Aufsatz wohl nicht gelesen.

P. JOULE war ein wohlhabender Fabrikant und experimentierte über die Erzeugung von Wärme. 1843 maß er die Wärmewirkung des elektrischen Stromes ($\sim J^2 R t$); weiter maß er die Arbeit, die nötig ist, den Strom durch Induktion zu erzeugen. So bekam er ein mechanisches Wärmeäquivalent; dem Herabsinken eines Gewichts um 838 Fuß entsprach eine Erwärmung der gleichen Masse Wasser um 1° F. Schließlich maß er Arbeit und Wärme beim Pressen von Wasser durch enge Röhren, 770 Fuß entsprachen 1° F, umgerechnet 423 mkp ~ 1 kcal. Es folgten 1845 entsprechende Messungen beim Verdichten von Luft, beim Ausströmen von Luft unter Druck, beim Strömen von Luft in engen Rohren. Dabei legte sich JOULE die Frage vor, ob Luft eine elastische Energie habe; er wiederholte den Versuch von GAY-LUSSAC und fand, daß es nicht der Fall sei. 1850 schließlich kamen die Messungen mit einem Rührapparat. Seine Messungen zusammenfassend fand er 772 Fuß für 1° F, 424 mkp (4,16 kJ) für 1 kcal[3].

MAYER war als Naturphilosoph von der Richtigkeit seiner Thesen überzeugt. Für ihn war Energie eine Substanz, eine nichtmechanische

[3] Das mechanische Wärmeäquivalent. Gesammelte Abhandlungen von J. P. JOULE, Braunschweig 1872.

Realität. Er hat den Energiesatz richtig zu einer wichtigen Berechnung benutzt. JOULE war Empiriker, er suchte immer neue Bestätigungen.

Gleichzeitig mit MAYER und JOULE kamen auch andere auf den allgemeinen Energiesatz. L.A. COLDING in Kopenhagen schloß ihn aus metaphysischen Gründen; er versuchte, ihn durch Reibungsversuche zu bestätigen. H. HELMHOLTZ suchte in seinem Vortrage „über die Erhaltung der Kraft" 1847 die mathematischen Ausdrücke für die verschiedenen Formen der Energie, z.B. $E=QU$ und $E=J^2Rt$ beim elektrischen Strom, die potentielle Energie zwischen stromführenden Leitern. In der Mechanik sieht er die Annahme von Kräften auf den Verbindungslinien mit einem Gesetz $F=f(r)$ als Voraussetzung des mechanischen Energiesatzes

$$E_{\text{kin}}+E_{\text{pot}}=\text{const}.$$

Er betrachtet es als Aufgabe der Physiker, alle Erscheinungen durch solche Kräfte zu erklären.

Von einem Entdecker des allgemeinen Energiebegriffs und Energiesatzes kann man nicht sprechen. Eine intuitive Überzeugung wurde allmählich bewußt. Mit der Ausdehnung der begrifflich gefaßten Physik über die Mechanik hinaus wird ein Satz der Mechanik ein Satz der ganzen Physik. Wichtige Schritte dazu waren die Äquivalenzen, die RUMFORD, CARNOT (unveröffentlicht), MAYER und JOULE bestimmten; wichtige Schritte waren weiter die exakten Ausdrücke für die verschiedenen Arten der Energie, wie sie HELMHOLTZ und W. THOMSON (Abschnitt 4) angaben. Als Forscher, die dem allgemeinen Energiesatz besonders zum Durchbruch verhalfen oder hätten verhelfen können, wenn man ihre Arbeiten gelesen hätte, mögen gelten: FARADAY, CARNOT, MOHR, LIEBIG, MAYER, JOULE, HELMHOLTZ (überwiegend Nichtphysiker). Die Priorität der Veröffentlichung eines (nicht nur geschätzten) Äquivalents hat MAYER, der Messung eines solchen JOULE.

Die Aufstellung des allgemeinen Energiesatzes stellte Aufgaben für die Theorie der Wärme, zunächst die der Eingliederung des Carnotschen Satzes in die Lehre der Äquivalenz von Wärme und Arbeit. Daraus erwuchs die „mechanische Wärmetheorie" oder, wie man später sagte, die „Thermodynamik". Weiter führte der umfassende Begriff der Energie zu einem Denkschema, das man Energetik nannte. Die Zurückführung der Erscheinungen auf Kräfte zwischen den kleinsten Teilen der Materie wurde dabei als Spiel mit Hypothesen abgelehnt, die Energie wurde als das eigentlich „reale" angesehen. Doch setzte sich die Zurückführung der Wärmeerscheinungen auf mechanische Vorstellungen schließlich wieder durch.

8. THERMODYNAMIK

Die charakteristischen Größen

Über die Beziehung von Wärme und Arbeit lagen gegen 1850 zwei anscheinend einander widersprechende Ansichten vor. Nach CARNOT kam die Arbeitsleistung einer Wärmekraftmaschine dadurch zustande, daß eine unverändert bleibende Menge einer Substanz Caloricum von einem höheren zu einem tieferen Niveau, das war die Temperatur, absinkt. In folgerichtiger Anwendung eines beim Umgehen mit dem Kalorimeter präzisierten Begriffs von „Wärme" und weiterer Benutzung von Erfahrungen, die mit dem Kalorimeter gewonnen waren, kamen MAYER und JOULE zu der Einsicht, daß Wärme in Arbeit, Arbeit in Wärme übergehen kann. Energie kann in Form von Arbeit oder in Form von „Wärme" zugeführt oder weggeführt werden.

Im Rückblick von heute sehen wir, daß für das Verstehen der thermischen Vorgänge eine Intensitätsgröße Temperatur (T), die im Gleichgewicht konstant ist, deren Gefälle ein Energiestrom zu folgen sucht, und einige Quantitätsgrößen wichtig sind. Unter diesen empfehlen sich besonders solche, für die Erhaltungssätze gelten, das sind Energie (E) und Entropie (S). Für E gilt ein strenger Erhaltungssatz: im abgeschlossenen System bleibt E konstant, im offenen System nimmt E zu, wenn Arbeit (ΔA) aufgewandt, chemische oder elektrische Energie verbraucht, Strahlung absorbiert wird, oder wenn thermische Energie, die man auch Wärme (ΔQ) nennt, hinzutritt. In der Thermodynamik ist die Energie, da man rasche Bewegungen nicht betrachtet, meist eine Funktion von wenigen Gleichgewichtsparametern, etwa T und V; man nennt sie dann gewöhnlich U und spricht den Satz von der Erhaltung der Energie in der Form

$$\Delta U = \Delta Q + \Delta A$$

aus. U ist eine Zustandsgröße, ΔQ und ΔA sind dem System zugefügte Quantitäten. Für die andere wichtige Größe S gilt nur ein eingeschränkter Erhaltungssatz: im abgeschlossenen System kann S nicht abnehmen; aber es kann Entropie erzeugt werden; beim offenen System gibt es Entropiezufluß, Entropieabfluß und Entropieproduktion:

$$\Delta S = \Delta_z S + \Delta_p S.$$

Erfolgt der Zufluß (oder Abfluß) bei bestimmter Temperatur, so gilt

$$\Delta_z S = \frac{\Delta Q}{T};$$

diese Beziehung definiert die thermodynamische Temperatur T. ΔQ ist i. allg. nicht die Änderung einer Zustandsgröße Q; nur unter bestimmten Bedingungen kann man von einer solchen sprechen. Für diese energieartige Größe Q gilt ein eingeschränkter Erhaltungssatz; die Einschränkung ist aber ganz anderer Art als bei S. Solange keine Wände verschoben werden, keine chemischen Änderungen eintreten, Strahlung emittiert oder absorbiert wird, Rühren nur zur schnellen Herstellung eines Gleichgewichts dient (und keine wesentliche Arbeit verrichtet), gibt es für reversible und irreversible Vorgänge eine substanzartige Größe Q, die man (unter den genannten Einschränkungen) „Wärmemenge" nennen kann. (Schulbücher vermeiden aus guten Gründen diesen Ausdruck.)

Für die Wärmeerscheinungen sind nun zum Unterschied von der übrigen Physik die zwei Quantitätsgrößen ΔQ und S charakteristisch. Der Größe ΔQ haben die Erfahrungen mit dem Kalorimeter (BLACK, LAVOISIER u. a.) und die Erscheinungen bei der Wärmeleitung (FOURIER) mit der Annahme der Q-Erhaltung einen klaren Sinn gegeben. Spezifische Wärmen wurden mittels $\mathrm{d}Q/\mathrm{d}T$ definiert. Erfahrungen bei Gasen (Temperaturerhaltung beim Gay-Lussacschen Versuch, Verschiedenheit von c_p und c_v neben $pV \sim T$) konnten zeigen und haben gezeigt, daß es eine allgemeine Zustandsfunktion Q nicht gibt, daß man vielmehr den durch Q bezeichneten Begriff auf eine bestimmte Form ΔQ der Energiezufuhr einengen mußte. Die Größe S wurde am reversiblen Carnot-Prozeß deutlich. Die bekannte Abstraktheit dieser Größe S hängt damit zusammen, daß der von CARNOT gezogene Vergleich der Arbeitsleistung einer Schwerekraftmaschine $\Delta\bar{A} = G(h_o - h_u)$ mit einer Wärmekraftmaschine $\Delta\bar{A} = S(T_o - T_u)$, wenn wir gleich die thermodynamische Skala zugrunde legen und die Menge „Caloricum" mit S bezeichnen, ja nicht ganz stimmt. Er gilt ja nur für reversible Prozesse. Bei irreversiblem Verlauf wird in der Wärmekraftmaschine Entropie erzeugt, also S vermehrt; in der Schwerekraftmaschine bleibt G konstant und $\Delta\bar{A}$ wird infolge der Reibung geringer.

Historisch ist der am Mischungskalorimeter im 18. Jahrhundert entstandene und bei der Wärmeleitung im 19. Jahrhundert bewährte mit Q bezeichnete Begriff an den Anfang der quantitativen Wärmelehre gekommen, und S ist sehr viel später damit verknüpft worden. Irreversible

Vorgänge standen also am Anfang. Man könnte (nach G. JOB[1]) heute auch den am reversiblen Carnot-Prozeß gewonnenen Begriff S an den Anfang einer Lehre von den Wärmeerscheinungen stellen und Wärme nennen. Zum Verständnis des Kalorimeters und der Wärmeleitung käme man dann über den Energiesatz, mit dem man neben dem Begriff der Entropie-(„Wärme"-)Zufuhr $\Delta_z S$ und der Entropie-(„Wärme"-)Produktion $\Delta_p S$ einen Begriff der thermischen Energiezufuhr ΔQ und spezifischer thermischer Energien c_p und c_v gewinnen könnte.

Die Hauptsätze

Klarheit über diese Dinge hat man vor 1850 nicht gehabt. CARNOT glaubte 1824 und CLAPEYRON 1834, daß der Begriff des Caloricums, den sie benutzten, derselbe sei wie der am Kalorimeter gewonnene und wie der von FOURIER. Die Klärung begann 1850. Für das Verständnis des geschichtlichen Ablaufes muß man sich vergegenwärtigen, daß die Messungen am Kalorimeter damals im Vordergrund des Bewußtseins standen, also der Begriff „Wärme", den wir mit Q bezeichneten, der überkommene Begriff war. Die Entwicklung führte zu einer abstrakten Theorie von der Wärme, die schließlich den Namen Thermodynamik bekam. An ihrem Beginn standen zwei Forscher, R. CLAUSIUS und W. THOMSON, der spätere LORD KELVIN[2].

R. CLAUSIUS (1822–1888) war um 1850 Lehrer an der Artillerie- und Ingenieurschule in Berlin, später Physikprofessor in Zürich, Würzburg und Bonn. Er wird uns bei der „kinetischen Theorie" wiederbegegnen. W. THOMSON (1824–1907), den wir schon von der Elektrodynamik her kennen, war mit Unterbrechungen 1846–1899 Professor in Glasgow. Er war auch Experte für Unterwasserkabel und verdiente viel Geld damit. Viele seiner Abhandlungen sind auf seiner Yacht abgefaßt. Er konnte eindrucksvoll reden und hat stark nach außen gewirkt. Zu fast allen aktuellen Fragen der Physik hat er Stellung genommen. Neben dem genialeren MAXWELL hat er die theoretische Physik in Großbritannien geprägt.

THOMSON las 1848 aus dem Carnotschen Satze heraus, daß es eine „absolute thermometrische Skala" gibt. Nach CARNOT und CLAPEYRON

[1] G. JOB, Neudarstellung der Wärmelehre. Die Entropie als Wärme, Frankfurt (Mai) 1972.

[2] Die wichtigsten Abhandlungen von R. CLAUSIUS, W. THOMSON, G. KIRCHHOFF finden sich in Ostwalds Klassikern.

galt für die Arbeitsleistung bei einem Carnotschen Prozeß zwischen infinitesimal benachbarten Temperaturen

$$\frac{\mathrm{d}\bar{A}}{Q}=\frac{\mathrm{d}\vartheta}{C(\vartheta)}.$$

THOMSON definierte nun einfach die thermometrische Skala mittels

$$\frac{\mathrm{d}\bar{A}}{Q}=\frac{\mathrm{d}T}{T}.$$

Da beim infinitesimalen Carnot-Prozeß die Annahme der Unzerstörbarkeit der Wärme unschädlich ist, konnte diese Definition auch nach Revision der Carnotschen Überlegung beibehalten werden und bekam dann die Form

$$\Delta\bar{A}=S(T_{\mathrm{o}}-T_{\mathrm{u}}).$$

THOMSON übernahm nicht ohne Bedenken den Carnotschen Satz, da ja aus JOULES Messungen die Umwandlung von Arbeit in Wärme hervorzugehen schien. Die Umwandlung von Wärme in Arbeit hielt er aber für nicht bewiesen. (Sie gilt ja auch nur für den am Mischungskalorimeter entstandenen Wärmebegriff.) Bald darauf (1849) erklärte er CARNOTS Axiom immer noch als die wahrscheinlichste Grundlage für die Untersuchung der Arbeitsleistung durch Wärme. Aber er sah die Schwierigkeit, die darin lag, daß beim Absinken des Wärmestoffes bei einfacher Wärmeleitung keine Arbeit auftritt, während das Absinken im Carnot-Prozeß Arbeit liefert. Bei der Wärmeleitung ginge also Arbeit verloren. Er wußte keine Antwort. Wir übersehen heute: Was beim reversiblen Carnot-Prozeß erhalten bleibt, ist die Entropie; bei der Wärmeleitung bleibt Q erhalten, und die Entropie nimmt zu. Trotz der Bedenken wollte THOMSON das Axiom von CARNOT nicht verlassen, „da man sonst in unzählige andere Schwierigkeiten käme".

Daß man den wesentlichen Inhalt des Carnotschen Satzes mit der Äquivalenz von Wärme und Arbeit vereinigen kann, zeigte zuerst CLAUSIUS *1850* in der Abhandlung „über die bewegende Kraft der Wärme". Sowohl CARNOTS Überlegungen wie auch JOULES Messungen waren ihm wichtige Grundlagen. Aus dem „Grundsatz der Äquivalenz von Wärme und Arbeit" schloß er, daß es eine Zustandsgröße Wärmemenge nicht gibt, indem mit der Arbeit $\int p\,\mathrm{d}V$ auch $\int \mathrm{d}Q$ vom Wege abhängen kann. Auf etwas umständlichem Wege leitete er die Beziehung

$$\mathrm{d}Q=\mathrm{d}U+p\,\mathrm{d}V,$$

also die gegenseitige Ersetzbarkeit von Wärmezufuhr und Arbeit ab. Er wandte sie auf den idealen Grenzfall eines Gases, den er durch die

Beziehung $pV \sim a + \vartheta$ kennzeichnete, an und machte für diesen die zusätzliche Annahme, daß keine innere Arbeit auftrete, also bei isothermer Änderung

$$dQ = p\,dV$$

sei; er konnte also

$$dQ = c_v\,d\vartheta + R(a+\vartheta)\frac{dV}{V}$$

setzen. Er zog Folgerungen für die spezifischen Wärmen c_p und c_v, über den Verlauf adiabatischer Änderungen und die Wärmeaufnahme bei isothermer Volumenänderung. Beim „Carnotschen Grundsatz" revidierte er den Beweis. Wäre das Verhältnis $\bar{A}/Q_0$ nicht bei allen reversiblen Prozessen zwischen zwei Temperaturen ϑ_o und ϑ_u dasselbe, könnte man durch Kombination solcher Prozesse beliebig viel Wärme von einem kälteren in einen wärmeren Körper schaffen ohne sonstige dauernde Änderung. CLAUSIUS' Fassung des Carnotschen Satzes kann also

$$\frac{\bar{A}}{Q_0} = f(\vartheta_o, \vartheta_u)$$

ausgesprochen werden; bei infinitesimaler Temperaturdifferenz bekam er wie CLAPEYRON

$$\frac{d\bar{A}}{Q} = \frac{d\vartheta}{C(\vartheta)},$$

für ein ideales Gas ergab sich

$$C = a + \vartheta \qquad (1)$$

(wenn man A und Q in gleichen Einheiten mißt). Bei den Anwendungen auf Dämpfe konnte er CLAPEYRONS Gleichung neu begründen und aus Messungen an Dämpfen das mechanische Wärmeäquivalent neu bestimmen.

THOMSON hat, jetzt von JOULES These überzeugt, wohl unabhängig von CLAUSIUS mit ähnlichen Überlegungen begonnen; bei Abfassung seiner letzten Abhandlung darüber (1851) war ihm jedoch die Clausiussche bekannt. Die beiden wichtigen Sätze heißen bei ihm „Satz von JOULE" und „Satz von CARNOT und CLAUSIUS". Dem Beweis des zweiten Satzes legte er das Axiom zugrunde, daß bei einer einzigen Temperatur Wärme nicht in Arbeit verwandelt werden könne. Die besondere Annahme für Gase, „MAYERS Hypothese", nämlich das Fehlen der „inneren Arbeit" bei isothermer Volumenänderung, führte auch ihn auf (1). Die genannte Hypothese erschien ihm sehr wichtig; so kam es zu dem bekannten Versuch von THOMSON und JOULE (1853), wobei ein Gasstrom durch ein Hindernis gepreßt wurde (Abb. 21). Für die durch die Querschnitte 1 und 2 stationär durchtretenden Energiemengen gilt

$$p_1 V_1 + U_1 = p_2 V_2 + U_2 .$$

Da die Messungen $\vartheta_1 = \vartheta_2$ ergaben, folgte $p_1 V_1 = p_2 V_2$ und $U_1 = U_2$; U war also eine Funktion der Temperatur allein. Die Entscheidung gegen das Caloricum war nun endgültig gefallen.

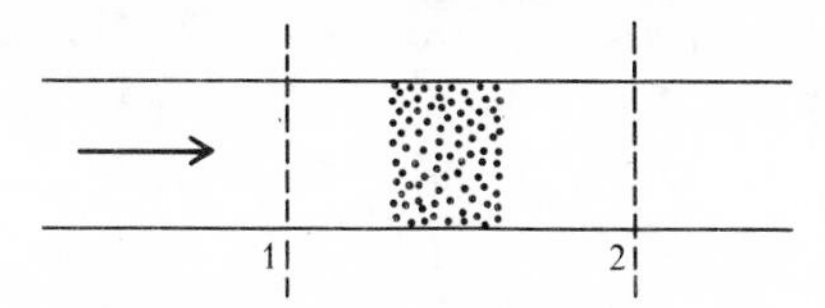

Abb. 21. Versuch von THOMSON und JOULE

Nachdem der Carnotsche Satz revidiert war,

$$\frac{\bar{A}}{Q_o} = \frac{Q_o - \bar{Q}_u}{Q_o},$$

konnte THOMSON 1854 seinen Vorschlag der absoluten Temperaturskala auch in die Form bringen

$$\frac{Q_o}{\bar{Q}_u} = \frac{T_o}{T_u}$$

und für reversible Kreisprozesse

$$\sum \frac{Q}{T} = 0$$

schreiben. Er machte nun sehr fruchtbare Anwendungen der thermodynamischen Sätze auf thermoelektrische Erscheinungen. THOMSONS Ausführungen (von 1851) erscheinen ausgereifter als die von CLAUSIUS (1850).

CLAUSIUS ergänzte und verallgemeinerte seine Aussagen 1854. Er sprach nunmehr von den zwei „Hauptsätzen“. Der zweite wurde jetzt durch allgemeine Überlegungen mit mehr als zwei Temperaturen begründet und für reversible Kreisprozesse

$$\sum \frac{\Delta Q}{C(\vartheta)} = 0$$

geschrieben. Die Größe $\Delta Q/C(\vartheta)$ (die spätere Entropiezufuhr ΔS) nannte CLAUSIUS jetzt „Äquivalenzwert"; bei reversiblen Prozessen gilt für sie ein Erhaltungssatz. Mit $C(\vartheta)=T$ konnte CLAUSIUS den zweiten Hauptsatz für reversible Kreisprozesse in der Form

$$\oint \frac{\mathrm{d}Q}{T}=0$$

schreiben. Bei nicht reversiblen Prozessen schloß er (wenn wir, wie jetzt üblich, die zugeführte Wärme positiv rechnen)

$$\oint \frac{\mathrm{d}Q}{T}<0.$$

Die Annahme, daß beim idealen Gas keine innere Arbeit zu leisten ist, führte wieder auf

$$T=a+\vartheta,$$

wo ϑ die mit pV beim idealen Gas gemessene Temperatur war.

Diese Temperaturskala ist später die thermodynamische genannt worden. Sie ist z.B. in Deutschland seit 1924 die gesetzliche Temperaturskala, während vorher die Temperatur durch den Druck von Wasserstoffgas bei festem Volumen definiert war. Die Herstellung der thermodynamischen Skala war eine der Aufgaben der Physikalisch-Technischen Reichsanstalt.

Entropie

Den Begriff der Entropie hat CLAUSIUS aus dem zweiten Hauptsatz herausgeholt. 1854 führte er, wie wir sahen, $\sum(\Delta Q/T)$ als Äquivalenzwert der Wärme ein; bei adiabatischen Vorgängen bleibt er konstant und bei allgemeinen reversiblen Vorgängen vom Wege unabhängig. 1862 formulierte CLAUSIUS für irreversible Prozesse

$$\int \frac{\mathrm{d}Q}{T} < \int_{\mathrm{rev}} \frac{\mathrm{d}Q}{T},$$

wo das rechtsstehende Integral sich auf einen reversiblen Vergleichsprozeß zwischen den gleichen Zuständen bezieht. Diese Größe nannte CLAUSIUS jetzt „Verwandlungswert" der Wärme. 1863 zeigte er, daß in abgeschlossenen Systemen die Summe der Verwandlungswerte nicht abnehmen kann. 1865 nannte er die fragliche Größe „Entropie" (von ‘ο τροπος Wendung, analog Energie von το εργον Werk, Arbeit). *Damit ist eine recht abstrakte Größe eingeführt, für die bei reversiblen Vorgängen ein Erhaltungssatz gilt und die bei irreversiblen Vorgängen vermehrt wird.* Konkret anschaulich ist ihre Beziehung zur Irreversibilität erst durch die statistische Deutung (1877) geworden.

CLAUSIUS hat zeitweilig die innere Energie U noch in eine Art eigentlichen Wärmeinhalts H, der nur von der Temperatur abhängen sollte, und in eine innere Arbeit I aufgeteilt, den ersten Hauptsatz also

$$\mathrm{d}Q = \mathrm{d}H + \mathrm{d}(I + A)$$

und den zweiten für umkehrbare Vorgänge

$$\frac{\mathrm{d}Q}{T} = \frac{\mathrm{d}H}{T} + \mathrm{d}Z$$

geschrieben; Z maß die „Disgregation". Entsprechend hat er die spezifische Wärme c_v aufgeteilt in eine Art wahre spezifische Wärme und einen Rest, der der inneren Arbeit entsprach. Später hat er diese Aufteilungen gelassen und endgültig die Entropie als den zentralen Begriff hingestellt.

Gegen den zweiten Hauptsatz sind Einwände erhoben worden; sie haben zur Präzisierung geführt. Den Grundsatz, daß Wärme nicht von selbst von einem kälteren auf einen heißeren Körper übergehen könne, wollte man durch die hohen Temperaturen erschüttern, die man im Brennpunkt eines Hohlspiegels erzeugen kann. CLAUSIUS zeigte 1864, daß die Temperatur im Brennpunkt nicht höher sein kann als die des Strahlung emittierenden Körpers. Daß man mit dem elektrischen Strom aus einer Thermosäule, die etwa zwischen 0° und 100° wirkt, einen Draht zum Glühen bringen kann, wurde auch als Einwand vorgebracht. CLAUSIUS erwiderte 1872, daß dabei ja noch andere Änderungen einträten, nämlich weitere Wärme vom heißen zum kalten Körper flösse.

Diagramme, in denen die Entropie als eine der Koordinaten benutzt wurde, hat J. W. GIBBS eingeführt (1873).

Der Entropiebegriff erschien als eine recht abstrakte Angelegenheit, und man versuchte darum in den Jahren um 1870–1880, ihn an mechanischen Analogien sich klar zu machen. J. W. M. RANKINE, MAXWELL, BOLTZMANN, CLAUSIUS und HELMHOLTZ haben sich daran beteiligt. In der Beziehung

$$\Delta U = \Delta Q + \Delta A$$

kommt eine Zufuhr „verborgener" Energie ΔQ und nichtverborgener

Energie ΔA vor. Einfache Analoga gaben Systeme von zwei Freiheitsgraden, bei denen dem einen Freiheitsgrad eine rasch periodische Bewegung, eine „verborgene" Koordinate entsprach, dem anderen eine langsame Bewegung, eine „sichtbare" Koordinate. Es ergaben sich Analogien zu

$$\delta Q = T\,\delta S\,.$$

Solche Modelle „zyklischer Bewegungen" bedurften natürlich einer Reibung, um irreversible Änderungen einzuschließen. Sie trafen darum das Wesen der thermischen Vorgänge nicht so gut wie die statistische Deutung (Abschnitt 10), und sie sind darum bald aufgegeben worden.

Theorie der Strahlung

Von den vielen wichtigen Anwendungen der Thermodynamik wollen wir nur zwei verfolgen, die für spätere Theorien bedeutsam wurden. Die erste betraf die Strahlung in einem abgeschlossenen Hohlraum und illustrierte besonders eindrucksvoll das Wesen des Temperaturbegriffs.

Aus dem Begriff des Temperaturgleichgewichtes konnte G. KIRCHHOFF 1859 schließen, daß dieses Gleichgewicht nicht gestört werden kann, wenn Teile eines Hohlraumes, der mit Strahlung gefüllt ist und überall die gleiche Temperatur hat, in bestimmter Weise einander zustrahlen. Abb. 22 mag den Gedanken erläutern. KIRCHHOFF konnte

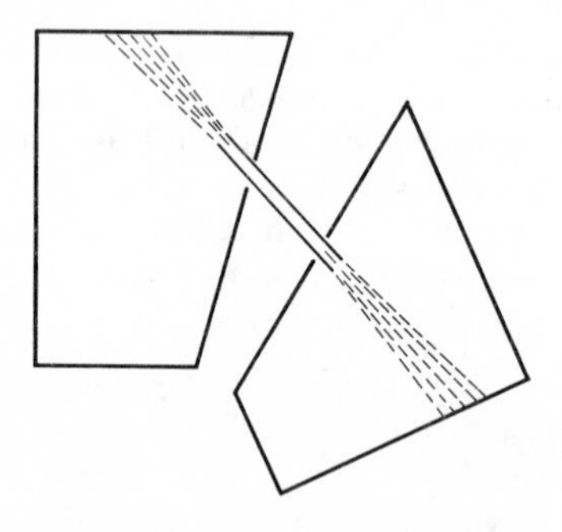

Abb. 22. Überlegung von KIRCHHOFF

so folgern, daß die Intensität der Strahlung vom Herkunftsort, von der Richtung, von den Stoffen unabhängig und unpolarisiert ist, daß sie also durch eine universelle Funktion $I(T, \nu)\,d\nu$ beschrieben wird. Auch die Dichte der Energie der Strahlung war danach eine universelle Funktion $w(T, \nu)\,d\nu$. Damit war die Aufgabe gestellt, diese Funktion zu messen und theoretisch zu begründen.

Als ersten Schritt auf diesem Wege konnte L. BOLTZMANN 1884 eine Aussage über die gesamte (über die Frequenzen integrierte) Energiedichte machen. Aus dem zweiten Hauptsatz (T, V seien die unabhängigen Variablen) folgt:

$$\frac{\partial U}{\partial V} = T\frac{\partial p}{\partial T} - p. \tag{2}$$

Aus der bei Gasen gültigen Beziehung $\partial p/\partial T = p/T$ kann man so auf die Beziehung $U = U(T)$ schließen oder aus $U(T)$ auf $pf(V) = T$. Bei der Strahlung benutzte BOLTZMANN die aus KIRCHHOFFS Überlegungen folgende Beziehung

$$U = V w(T)$$

(wo w jetzt die integrierte Energiedichte sei) und einen Satz über den Strahlungsdruck. In strenggerichteter Strahlung ist die Impulsdichte gleich der durch die Lichtgeschwindigkeit dividierten Energiedichte; in isotroper Strahlung wird bei Absorption in der Zeiteinheit auf die Flächeneinheit also der Impuls $w/3$ übertragen. Es ist somit

$$p = \tfrac{1}{3} w(T).$$

Aus (2) folgerte nun BOLTZMANN:

$$w = \frac{1}{3}\left(T\frac{dw}{dT} - w\right)$$

$$w \sim T^4 \tag{3}$$

in Übereinstimmung mit Messungen, die J. STEFAN 1879 ausgeführt hatte. Damit hatte man neben dem idealen Gas ein zweites ideales System, das in einfacher Weise die thermodynamische Temperaturskala wiedergab. Man konnte (3) zur Messung hoher Temperaturen benutzen, wenn die Voraussetzung des lokalen Temperaturgleichgewichts einigermaßen erfüllt schien.

Über die Verteilung der Energie auf die Frequenzen machte 1893 W. WIEN eine Aussage: Durch Gedankenversuche mit beweglichen Spiegeln konnte er Strahlungsenergie aus einem $d\nu$-Bereich in einen anderen bringen. So begründete er für $w(T, \nu)$ die Gleichung

$$w(T, \nu)\,d\nu = \nu^3 f\left(\frac{\nu}{T}\right) d\nu; \tag{4}$$

er konnte also die Funktion w von zwei Variablen T, ν auf eine Funktion einer Variablen ν/T zurückführen. Diese Funktion mußte er unbestimmt lassen. Empirisch hat w für jede Temperatur ein Maximum bei einer bestimmten Frequenz ν_m. Aus (4) konnte WIEN sein Verschiebungsgesetz

$$\nu_m \sim T$$

schließen (er schrieb $\lambda_m T = \text{const}$).

Man kann die Aufstellung der Gleichung (4) als die letzte große Entdeckung der klassischen Physik bezeichnen. Die theoretische Bestimmung von $f(\nu/T)$ gehört der Quantentheorie an.

Chemische Umsetzungen

Was ist das Maß der chemischen Affinität? Man sah zunächst den möglichen Energiegewinn (elektrische Arbeit, Wärme) als ein solches Maß an; eine chemische Umsetzung entsprach dann dem Streben nach möglichst tiefer Energie. So hat M. BERTHELOT um 1865 chemische Affinitäten durch Energiedifferenzen je Masseneinheit gemessen. Dagegen wies LORD RAYLEIGH um 1875 darauf hin, daß es nicht allein auf die Energie ankommen könne; es geschähen ja Umsetzungen, bei denen der Umgebung Wärme entzogen wird. Die richtige Einsicht kam durch J. W. GIBBS und H. HELMHOLTZ um 1880; es kam auf die Entropie S an. Aus der Gleichung für langsam verlaufende Prozesse,

$$dU = dQ - p\,dV,$$

folgt mittels des zweiten Hauptsatzes:

$$dU \leqq T\,dS - p\,dV$$

$$d(U - TS) \leqq -S\,dT - p\,dV.$$

Bei einem System festen Volumens, dessen Temperatur durch Einbettung in eine Umgebung fest vorgegeben ist, kommt also nur

$$d(U - TS) \leqq 0$$

vor. Das System strebt nach möglichst tiefem Wert der Größe

$$F = U - TS,$$

die HELMHOLTZ „freie Energie", GIBBS „isothermes Potential" nannte. Man konnte also F als Maß der chemischen Affinität ansehen. Für Systeme, deren Druck konstant gehalten wird, konnte man auf ähnliche Weise

$$d(U - TS + pV) \leqq -S\,dT + V\,dp \tag{5}$$

schließen; bei festen Werten von T und p wird also ein möglichst tiefer Wert von

$$G = U - TS + pV$$

angestrebt, der Größe, die heute meist „freie Enthalpie" heißt.

Die Gleichung (5) hat einen recht anschaulichen Gehalt: bei tiefen Temperaturen und niedrigen Drücken kommt es auf die Energie U an; bei hohen Temperaturen wird ein hoher Wert der Entropie S angestrebt (in der statistischen Interpretation eine Verteilung mit möglichst vielen Fällen); bei hohen Drücken wird ein kleines Volumen V angestrebt.

Um 1880 betrachtete H. VAN'T HOFF Reaktionen zwischen Gasen. Er brauchte dazu die Entropie (oder F oder G) eines Gemisches. Er bestimmte diese durch Gedankenversuche der reversiblen Mischung oder Entmischung mit der in Abb. 23 angedeuteten Vorrichtung. In den Zylindern sind die einheitlichen Gase; durch Wände, die nur jeweils

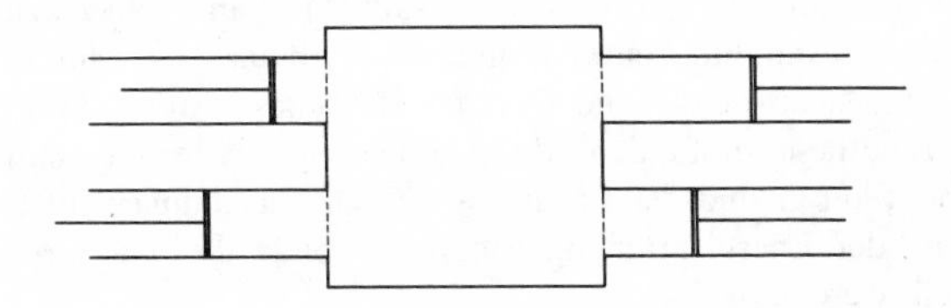

Abb. 23. Zur Bestimmung der Entropie eines Gasgemisches

das eine Gas durchlassen, können die Gase in den Kasten, der die Mischung enthält, reversibel hineingedrängt oder aus ihm herausgezogen werden.

Um 1880 kannte man im wesentlichen die Grundlagen einer thermodynamischen Behandlung chemischer Reaktionen. Deutschland war an ihrer Erkenntnis besonders beteiligt. Die führende Stellung, die die deutsche chemische Großindustrie am Anfang des 20. Jahrhunderts erhielt, mag damit zusammenhängen.

Aus den gemessenen Größen der spezifischen Wärmen oder Umwandlungswärmen (Schmelz-, Siedewärmen) konnte man nur Entropiedifferenzen berechnen. Eine Konstante blieb somit bei der Entropie unbestimmt. Auf Grund der Messungen an einzelnen Stoffen konnte man also nicht ausrechnen, wie sie miteinander reagierten. Vielmehr konnte man diese Entropiekonstanten nur aus den gemessenen Reaktionsgleichgewichten erschließen. Dies wurde anders nach der durch Messungen begründeten Aufstellung eines Satzes durch W. NERNST (1905), wonach im Grenzfall tiefster Temperaturen die Entropiedifferenzen zwischen allen Formen einer Substanz oder allen Kombinationen aus verschiedenen Stoffen verschwinden. Man konnte nun die Entropie jedes Körpers am absoluten Nullpunkt der Temperatur null setzen und aus den gemessenen Eigenschaften jeder Substanz deren Entropie vollständig bestimmen, also die Reaktionsgleichgewichte für ein System von Substanzen damit ausrechnen.

Energetik

Unter dem Eindruck der Thermodynamik kam gegen Ende des 19. Jahrhunderts eine Richtung auf, die sich gegen das Programm stemmte, alle physikalischen Erscheinungen auf Mechanik zurückzuführen, ja, die sich als „Gegenrevolution gegen die Kartesische Revolution“ verstand. Der Versuch, alles auf Mechanik zurückzuführen, bedurfte der Annahme eines atomaren Aufbaues der Materie (oder wurde wenigstens weitgehend so aufgefaßt); dies wurde nun als unzulässige Hypothese empfunden. Als zentraler Begriff wurde der der Energie angesehen; auf Grund der Erfahrung sollten Gleichungen für die Umwandlung der Energiearten nach dem Vorbilde der Thermodynamik aufgestellt werden.

Dieser Richtung gehörten z.B. E. MACH und W. OSTWALD an. Ein eifriger Verfechter war auch der Physikochemiker und Wissenschaftshistoriker P. DUHEM[3]. Er versuchte, die Thermodynamik in Analogie zur Lagrangeschen Mechanik aufzubauen, eine Thermostatik mit einem Satz über virtuelle Verrückungen und eine Thermodynamik mit Zähigkeits- und Reibungskräften. Er hat Thermodynamik auf Nichtgleichgewichte angewandt. Er wollte die ganze Physik in diesem Schema behandeln, aber er wurde z.B. der Maxwellschen Theorie des elektromagnetischen Feldes nicht gerecht.

Die Energetik hat es der aufkommenden kinetischen und statistischen Deutung der Wärmeerscheinungen schwer gemacht, sich durchzusetzen.

[3] P. DUHEM, L'évolution de la mécanique, Die Wandlungen der Mechanik, Leipzig 1912.

9. KINETISCHE THEORIE

Gase

Eine Theorie der Materie mit der Hypothese des Baues aus Atomen und Molekeln mußte im Anfang weitgehend spekulativ sein. Sie wurde zunächst, noch vor Ausbau der Thermodynamik, für Gase versucht. Ein wesentlicher, dabei aufgedeckter Zug war die rasche Bewegung der Gasmolekeln. Er wohl hat zum Namen „kinetische Theorie“ geführt. Nach Ausbau der Thermodynamik konnte man von einer solchen kinetischen Theorie, nicht nur der Gase, zweierlei erhoffen: Sie konnte vielleicht zu einem mechanischen Verständnis der ja ziemlich abstrakten Begriffe Wärme, Temperatur, Entropie führen. Sie konnte vielleicht sogar erlauben, die thermischen Eigenschaften der Stoffe, also die Funktionen $p(T, V)$, $U(T, V)$, $S(T, V)$ auszurechnen. Die kinetische Theorie der Gase, die, von wenig beachteten Anfängen abgesehen, mit und im Gefolge der Thermodynamik etwa 1860–1870 ausgebaut wurde, hatte im Hinblick auf die genannten Hoffnungen sowohl Erfolge als auch Mißerfolge aufzuweisen. Aber gerade die letzteren wurden fruchtbar; sie führten zu vertieften Diskussionen der Grundvoraussetzungen und zur Quantentheorie.

In der Frühzeit der Wärmelehre, im Anfang des 18. Jahrhunderts, herrschte die Meinung vor, daß die Wärme in ungeordneter Bewegung der kleinsten Materieteilchen bestehe. Insbesondere dachte man an eine rasche Bewegung der Molekeln eines Gases. Bei den Baselern J. HERMANN, L. EULER, der Familie BERNOULLI gab es Andeutungen, die den Gasdruck mit der kinetischen Energie der Gasmolekeln verbanden und auf

$$p \sim \rho v^2$$

hinausliefen. Insbesondere hat DANIEL BERNOULLI in seiner Hydrodynamik 1738 den Druck eines Gases als Übertragung des Impulses geradlinig fliegender, sehr kleiner Partikeln auf die Gefäßwand verstanden und so die Beziehung

$$p \sim n \mu v^2$$

aufgestellt, worin n die Zahl der in der Raumeinheit enthaltenen Partikeln, μ deren Masse und v deren einheitlich angenommene Geschwindigkeit ist. Da man für feste Temperatur die Beziehung $pV = \text{const}$ kannte und allgemein $pV = a + \vartheta$ vermutete oder definierte, konnte BERNOULLI die „Wärme" als Bewegung erklären und durch die Größe μv^2 messen. *Seine Deutung des Druckes wurde so zu einer Deutung der Temperatur und der Anfang einer kinetischen Theorie der Gase.* Sie wurde wenig beachtet und dann vergessen.

J. HERAPATH stellte 1816 wieder die Hypothese auf, daß in einem Gase die Molekeln im wesentlichen geradlinig flögen, und kam ungefähr zu den gleichen Ergebnissen wie BERNOULLI. J.J. WATERSTON schloß 1845 in einem ungedruckten Manuskript aus dem gleichartigen Verhalten verschiedener Gase auf $n_1 = n_2$ im Gleichgewicht, daraus auf $\mu_1 v_1^2 = \mu_2 v_2^2$ und nahm diese Gleichheit der molekularen Energie auch im Gasgemisch an. Er fand also eine spezielle Form des späteren Gleichverteilungssatzes. HERAPATHS Gedanken, die mit ziemlich unverständlichen und wilden Spekulationen verknüpft waren, wurden damals nicht geglaubt, und WATERSTONS Überlegungen wurden nicht bekannt. Man dachte damals die Wärme als Stoff oder als Äußerung von Schwingungen.

J. P. JOULE rechnete 1851 „nach HERAPATH" mittels der (noch mit einheitlichem v und nur sechs Bewegungsrichtungen abgeleiteten) Beziehung

$$p = \tfrac{1}{3} n \mu v^2$$

aus den empirischen Werten von p und $\rho = n\mu$ für Wasserstoffgas die Geschwindigkeit $v \approx 2000$ m/s aus. Aus der kinetischen Energie der Raumeinheit berechnete er auch die spezifische Wärme. Da er den Rotationsanteil der kinetischen Energie nicht berücksichtigen konnte, bekam er einen Wert, der der Molwärme $3R/2$ entspricht, statt $5R/2$. JOULE *hat also aus makroskopischen Daten eine Eigenschaft der Molekeln, nämlich ihre Geschwindigkeit, berechnet.*

Das eigentliche Aufblühen der kinetischen Theorie der Gase setzte um 1856 ein. A.K. KRÖNIGS Abhandlung wurde mehr beachtet; er sprach wieder die Hypothese aus, daß ein Gas aus Molekeln bestünde, die als Massenpunkte oder harte, elastische Körperchen sich im Mittel homogen und isotrop bewegten und deren Gesamtvolumen nur einen kleinen Teil des Gasvolumens ausfüllte. Im Quantitativen kam er nicht über die Vorgänger hinaus. R. CLAUSIUS brachte dann 1857 zum ersten Male die vollständige Ableitung der Gleichung für den Druck eines Gases. Den je Flächen- und Zeiteinheit auf die Wand übertragenen Impuls unter Berücksichtigung der Einfallsrichtung ϑ und verschiedener möglicher Werte der Geschwindigkeit errechnete er zu

$$p=\sum 2\mu v\cos\vartheta\cdot v\cos\vartheta=2n\mu\overline{v^2}\,\overline{\cos^2\vartheta}=\tfrac{1}{3}n\mu\overline{v^2},$$

was je Mol

$$RT=pV=\tfrac{1}{3}m\overline{v^2}$$

bedeutete. Es galt also allgemein $T\sim\mu\overline{v^2}$. Da in Gasmischungen die einzelnen Bestandteile sich unabhängig voneinander verhielten, war in solchen Gasmischungen μv^2 für die Bestandteile gleich (wie bei WATERSTON). Für Wasserstoff und Luft errechnete CLAUSIUS ($\sqrt{\overline{v^2}}=\bar{v}$ setzend) die Geschwindigkeiten 1800 m/s und 500 m/s.

Diese hohen Geschwindigkeiten schienen der geringen Wärmeleitfähigkeit der Gase und dem Zusammenbleiben von Rauch zu widersprechen. Diesen Einwand konnte CLAUSIUS 1858 mildern, indem er auf die begrenzte freie Weglänge der Gasmolekeln hinwies. Zwischen der mittleren Weglänge $\bar{l}$ und dem Stoßquerschnitt $\pi\sigma^2$ der Molekeln erhielt er die Beziehung:

$$n\cdot\pi\sigma^2\cdot\bar{l}=1$$

$$\bar{l}=\frac{1}{n\cdot\pi\sigma^2}; \qquad (1)$$

diese Größe konnte sehr klein gegenüber makroskopischen Dimensionen sein. Seitdem weiß man um die Wichtigkeit der Abstufung: Molekeldurchmesser klein gegen Molekelabstand, dieser klein gegen die Weglänge, diese klein gegen die makroskopischen Dimensionen.

CLAUSIUS hatte zwar berücksichtigt, daß die einzelnen Gasmolekeln nicht alle die gleiche Geschwindigkeit hatten; über die Verteilung der Geschwindigkeiten auf die möglichen Werte machte aber erst MAXWELL 1860 eine Aussage. Sie kann als Anfang einer statistischen Physik angesehen werden, und sie war der Beginn einer mächtigen Entwicklung. MAXWELL suchte die Anzahl $F(v^2)\,\mathrm{d}\xi\,\mathrm{d}\eta\,\mathrm{d}\zeta$ der Molekeln in der Raumeinheit und im Bereich $\mathrm{d}\xi\,\mathrm{d}\eta\,\mathrm{d}\zeta$ der Komponenten ξ, η, ζ der Geschwindigkeit $\boldsymbol{v}$. Mit der Annahme der Unabhängigkeit der Wahrscheinlichkeiten in den drei Raumrichtungen und aus der Isotropie des Raumes schloß er

$$F(v^2)=f(\xi^2)f(\eta^2)f(\zeta^2),$$

wegen

$$v^2=\xi^2+\eta^2+\zeta^2$$

also

$$F(v^2)\,\mathrm{d}\xi\,\mathrm{d}\eta\,\mathrm{d}\zeta\sim\mathrm{e}^{-\beta v^2}\,\mathrm{d}\xi\,\mathrm{d}\eta\,\mathrm{d}\zeta\sim v^2\,\mathrm{e}^{-\beta v^2}\,\mathrm{d}v.$$

Die Berechnung des Mittelwertes

$$\overline{v^2} = \frac{\int v^2\, \mathrm{e}^{-\beta v^2}\, \mathrm{d}\xi\, \mathrm{d}\eta\, \mathrm{d}\zeta}{\int \mathrm{e}^{-\beta v^2}\, \mathrm{d}\xi\, \mathrm{d}\eta\, \mathrm{d}\zeta} \sim \frac{1}{\beta}$$

zeigte $\beta \sim 1/T$. Die Überlegung war mit damaligen Betrachtungen zur Fehlerverteilung verwandt. Überhaupt bestand damals Interesse an statistischen Überlegungen. Es war die Zeit der aufkommenden Soziologie und der Darwinschen Lehre von der Entwicklung der Arten durch Auslese und statistische Streuung der Individuen. MAXWELL war 1866 mit seiner Begründung unzufrieden; er stützte sich jetzt darauf, daß die Verteilung bei den Stößen der Molekeln gegeneinander stationär bleiben müsse. Wenn beim Stoß zweier Molekeln aus den Geschwindigkeiten $\boldsymbol{u}_1$, $\boldsymbol{u}_2$ die Geschwindigkeiten $\boldsymbol{v}_1$, $\boldsymbol{v}_2$ werden, muß

$$F(u_1^2) \cdot F(u_2^2) = F(v_1^2) \cdot F(v_2^2)$$

sein; wegen des Energiesatzes

$$u_1^2 + u_2^2 = v_1^2 + v_2^2$$

konnte MAXWELL wieder

$$F(v^2) \sim \mathrm{e}^{-\beta v^2}$$

schließen. 1871 illustrierte er die statistische Betrachtung durch die Fiktion eines „Dämons“, der Geschwindigkeitsunterschiede von Gasmolekeln bemerken, zur Auswahl ausnutzen und so Temperaturunterschiede schaffen könnte. Als dies später einmal als Einwand gegen Clausiussche Überlegungen vorgebracht wurde, konnte dieser antworten, daß solche Dämonen ja keine Angelegenheit der Theorie der Wärme wären.

Bezüglich der spezifischen Wärme nahm MAXWELL die Gleichverteilung der kinetischen Energie auf die Freiheitsgrade der Translation und der Rotation der Molekeln an und erhielt so für ein z-atomiges Gas

$$m\, c_v = \tfrac{3}{2} R\, z;$$

er errechnete so für zweiatomige Gase $c_p/c_v = 4/3$ statt 1,4. L. BOLTZMANN faßte 1866 die Gleichverteilung auf als Gleichheit der mittleren Translationsenergie der ganzen Molekel mit der mittleren kinetischen Energie eines Atoms, was auf dasselbe hinauskam. Die Differenz zwischen den gemessenen und errechneten Werten versuchte er durch innere Arbeit an den Molekeln zu erklären. Auch 1871 betonte er die Diskrepanz; er erklärte sie aber noch nicht mit der Annahme der Starrheit der Molekeln. Diese Diskrepanz sollte bald eine wichtige Rolle in der Entwicklung der Theorie der Atome spielen.

Transporterscheinungen

Der von CLAUSIUS eingeführte Begriff der freien Weglänge konnte auf eine Reihe von Erscheinungen an Gasen angewandt werden, zunächst auf die innere Reibung. Den Koeffizienten der inneren Reibung in Flüssigkeiten und Gasen hatte im Grunde schon NEWTON eingeführt: bei einer örtlichen Änderung der Geschwindigkeit einer Flüssigkeitsströmung werden Scherungskräfte auf eine gedachte Flächeneinheit vom Betrage

$$R = \eta \frac{\mathrm{d}v}{\mathrm{d}x}$$

ausgeübt (die x-Richtung wird senkrecht zur Bezugsfläche und senkrecht zur Strömung angenommen). Die Größe η wurde dann von G. STOKES in der Hydrodynamik angewandt und schon von COULOMB, genau um 1840 von G. HAGEN und J. L. M. POISEULLE gemessen. Sie wurde 1860 von MAXWELL für Gase durch Betrachtung der Impulsübertragung berechnet. Die Geschwindigkeit einer Molekel setzte er aus dem Anteil v_1 der ungeordneten Bewegung und einem Anteil zusammen, der der Strömungsgeschwindigkeit v_0 am Ort der Molekel beim letzten Stoß bestimmt war. Bei Abhängigkeit der Strömungsgeschwindigkeit von x allein ergab sich:

$$v = v_0(x - l\cos\vartheta) + v_1 = v_0(x) - l\cos\vartheta \frac{\mathrm{d}v_0}{\mathrm{d}x} + v_1 + \cdots,$$

durch Summation der Impulse:

$$R = \sum n(v, \cos\vartheta) \cdot \mu v \cos\vartheta \left[v_0(x) - l\cos\vartheta \frac{\mathrm{d}v_0}{\mathrm{d}x} + v_1 + \cdots \right],$$

mit etwas sorgloser Mittelbildung:

$$R = \tfrac{1}{3} n \mu \bar{l} \bar{v} \frac{\mathrm{d}v_0}{\mathrm{d}x}$$

$$\eta = \tfrac{1}{3} n \mu \bar{l} \bar{v} = \tfrac{1}{3} \rho \bar{l} \bar{v}.$$

Da nach (1) $n\bar{l}$ konstant war, folgte $\eta \sim \sqrt{T}$ unabhängig von Dichte oder Druck. MAXWELL war darüber erstaunt. Der Grenzübergang $n \to 0$ sollte doch $\eta \to 0$ geben (in der Grenze $\eta \to 0$ sind jedoch die Voraussetzungen der Rechnung nicht mehr erfüllt). Aber 1866 maßen MAXWELL und O. E. MEYER wirklich η als unabhängig von der Dichte.

Ein erstaunliches Ergebnis der Theorie war durch Messung bestätigt worden. Das stärkte das Vertrauen in die kinetische Theorie der Gase.

Für die Wärmeleitung in Gasen fand MAXWELL durch eine entsprechende Betrachtung des Energietransportes und der Wärmestromdichte

$$j = -\frac{1}{3} n \mu \bar{l} \bar{v} \frac{d}{dx}\left(\frac{v^2}{2}\right) = -\eta c_v \frac{dT}{dx}$$

den Ausdruck:

$$\kappa = \eta c_v .$$

Verfeinerungen der Mittelbildung gaben später bei η und κ etwas andere Faktoren.

Die frühe Theorie der Transporterscheinungen ist recht sorglos bei der Berechnung von Mittelwerten verfahren. Verfeinerungen brachte die statistische Physik. Aber auch heute ist die Diskussion um den Gegenstand noch nicht am Ende.

Kondensation

Die Anschauungen über das Zusammenwirken der Molekeln eines Gases führten auch zu einem qualitativen Verständnis der Kondensation.

Man wußte, daß viele einfache Stoffe im festen, flüssigen und gasförmigen Zustand existieren können. Die Kristalle dachte man sich als regelmäßige Anordnungen von Atomen oder Molekeln, die mit Kräften kurzer Reichweite zusammenhielten. In Flüssigkeiten dachte man sich die Atome oder Molekeln verschieblich, und in Gasen nahm man (wie wir gesehen haben) geradlinig bewegte und gelegentlich gegeneinander stoßende Molekeln an. Man fragte sich natürlich, ob alle Gase sich verflüssigen ließen. 1779 war NH_3, 1823 Cl_2 verflüssigt worden, 1835 CO_2, aber nur unter Druck. Dann kam eine Pause im Verflüssigen, und man wollte nun wissen, wie man weiter kommen könne, worauf es also dabei ankäme.

Allmählich kam man zu der Einsicht, daß es auch einen stetigen Übergang zwischen Gas und Flüssigkeit gäbe. Schon 1822 fand CH. CAGNIARD DE LA TOUR, daß CO_2 bei sehr hohen Drücken wenig kompressibel und fast so dicht wie eine Flüssigkeit war. Um 1850 studierte man genauer die Abweichungen vom Townley-Boyleschen Gesetz, 1860 vermutete D. MENDELEJEW einen stetigen Übergang bei hohen Temperaturen, und 1867 konnte T. ANDREWS auf Grund seiner Messungen das pV-Diagramm für CO_2 zeichnen; es zeigte den schon früher angenommenen kritischen Punkt.

Man versuchte dieses Verhalten in einer Zustandsgleichung zu fassen. Am weitesten kam damit J.D. VAN DER WAALS. Für ein ideales Gas konnte er je Mol

$$pv = RT$$

setzen. Wegen des endlichen Volumens der Molekeln lag eine Korrektur

$$p(v-b) = RT$$

nahe. Weiter konnte man eine Anziehung zwischen den Molekeln annehmen, die den Druck des Gases nach außen, also den gemessenen Druck, herabsetzte

$$(p+\pi)(v-b) = RT.$$

Diese Wirkung π der Anziehungskräfte konnte proportional n^2, also proportional $1/v^2$ angenommen werden (dies tat schon LAPLACE bei der theoretischen Behandlung der Kapillarität). So kam VAN DER WAALS auf die Gleichung

$$\left(p + \frac{a}{v^2}\right)(v-b) = RT. \tag{2}$$

Sie wird durch das Diagramm der Abb. 24 wiedergegeben. Die Zustände mit $dp/dv > 0$ sind nicht stabil, und die Zweige mit $dp/dv < 0$ der Isothermen sind durch je eine waagerechte Gerade zu verbinden. Für

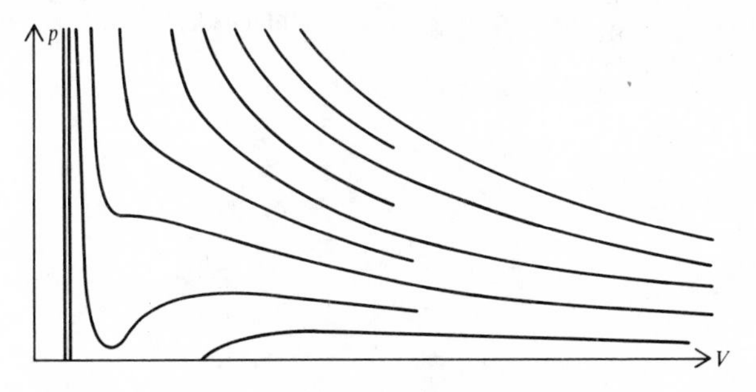

Abb. 24. Zur Gleichung von VAN DER WAALS

deren Lage schloß MAXWELL 1875, daß sie von der Isotherme des stetigen Übergangs gleiche Flächen abschneidet.

Die van der Waalssche Gleichung (2) hat sich qualitativ bewährt; man sah jetzt, worauf es beim Verflüssigen ankam. Spezielle Folgerungen haben sich aber nicht so bewährt. Für den kritischen Punkt,

$$\frac{\mathrm{d}p}{\mathrm{d}v}=0 \qquad \frac{\mathrm{d}^2 p}{\mathrm{d}v^2}=0$$

ließen sich p_k, v_k, T_k durch a und b ausdrücken, so daß eine allgemeine Beziehung

$$\tfrac{8}{3}\, p_k v_k = R T_k$$

folgte. Diese stimmte nur mäßig zur Erfahrung.

VAN DER WAALS schrieb seine Zustandsgleichung auch in der Form

$$\left(\frac{p}{p_k}+\frac{3v_k^2}{v^2}\right)\left(\frac{3v}{v_k}-1\right)=8\,\frac{T}{T_k}, \tag{3}$$

die mit Benutzung der auf die kritischen Größen bezogenen Variablen für alle Gase gleich lautete (1880). Das darin ausgesprochene „Gesetz der übereinstimmenden Zustände“ erwies sich empirisch besser gültig, als die spezielle Form (3). Theorien der van der Waalsschen Gleichung gelangen zunächst nur im Grenzfall geringer Dichten, als Abweichungen vom idealen Gas. Sie waren also noch keine Theorien der Kondensation. Auch die modernen Theorien, die das ganze Rüstzeug der statistischen Physik benutzen, sind noch nicht völlig durchschaubar. Die Erscheinung der Kondensation ist also noch nicht ganz verstanden.

1898 konnte man H_2 in größeren Mengen verflüssigen; 1908 gelang die Verflüssigung von He. Dies war der Anfang der eigentlichen Tieftemperaturphysik.

10. STATISTISCHE PHYSIK

Letzte Höhepunkte der vorquantentheoretischen Physik waren die Aufstellung der Strahlungsgesetze von L. BOLTZMANN (1884) und W. WIEN (1893), sowie die statistische Deutung von Temperatur und Entropie durch J.C. MAXWELL, L. BOLTZMANN und J.W. GIBBS (1860 bis 1900). Dieser statistischen Deutung der Wärmeerscheinungen im Rahmen der klassischen Physik waren nur Teilerfolge beschieden. Die Quantentheorie zeigte später, warum es so sein mußte.

Heutige Theorie

Die statistische Theorie der Wärmeerscheinungen hat erst allmählich eine durchsichtige Gestalt gewonnen; an ihrem Anfang standen sehr umfangreiche und schwer verständliche Abhandlungen. Eine kurze Darstellung der Geschichte dieses Zweiges der Physik muß darum notgedrungen von der heutigen übersichtlichen Form der Theorie ausgehen.

Die statistische Physik will das makroskopische physikalische Geschehen durch einen mikroskopischen Hintergrund mit sehr vielen Teilchen oder sehr vielen Freiheitsgraden erklären.

Beispiel eines makroskopischen Verhaltens ist, daß in einem ungleichmäßig mit Gas gefüllten Gefäß sehr rasch sich ein Zustand konstanter Dichte einstellt. Den mikroskopischen Hintergrund bilden die Örter und Geschwindigkeiten sehr vieler gleichartiger Teilchen. In diesem System hat eine Verteilung, die makroskopisch als Gleichverteilung über den Raum erscheint, eine ungeheuer größere Wahrscheinlichkeit als alle Verteilungen, die makroskopisch keine Gleichverteilungen wären. Eine makroskopisch ungleiche Verteilung geht darum mit der Zeit in eine makroskopische Gleichverteilung über; das umgekehrte ist extrem unwahrscheinlich. Ein einfaches Modell einer solchen Gleichverteilung gibt die Verteilung von N unabhängigen Partikeln auf zwei gleiche Kästen, sagen wir auf einen linken und einen rechten Kasten, ab. Bei 10 Partikeln wird die Verteilung (10,0) durch einen einzigen Fall, die Verteilung (9,1) durch 10 Fälle, die Verteilung (8,2) durch

45 Fälle usw. verwirklicht. Die Verteilung (5,5) hat das Maximum der Fälle. Die Zahl der Fälle der Verteilung (N_1, N_2) ist allgemein

$$W = \frac{N!}{N_1!\, N_2!}$$

und wird für große N durch

$$W \sim e^{-2N\left(\frac{N_1}{N} - \frac{1}{2}\right)^2}$$

angenähert. Merkliche Abweichungen der Größe N_1/N vom Mittelwert 1/2 werden mit wachsendem N immer seltener. Bei sehr großen N braucht man nur mit der Gleichverteilung $N_1 \approx N/2$ zu rechnen. Mit einem Mechanismus, der eine Verteilung (N_1, N_2) in eine Nachbarverteilung $(N_1 \pm 1, N_2 \mp 1)$ überführt, also „durch Schütteln", wird aus einer ungleichen Verteilung mit großer Wahrscheinlichkeit schließlich die Gleichverteilung. Wir haben das Modell eines irreversiblen Vorgangs und können die Entropie als

$$S \sim \ln W$$

verstehen. Auch bei mehreren Kästen liegt das Maximum des „Gewichtes"

$$W = \frac{N!}{N_1!\, N_2!\, N_3! \ldots} \qquad (1)$$

einer Verteilung, also das Minimum von

$$\ln W = \sum N_l \ln N_l$$

bei $N_1 = N_2 = N_3 \ldots$. Es ist dies das Gesetz der großen Zahlen.

Ein anderes Beispiel makroskopischen Verhaltens ist die „barometrische Höhenformel"

$$\rho \sim e^{-\frac{gmh}{RT}};$$

durch mikroskopische Größen (Teilchenzahl n je Raumeinheit, Teilchenmasse μ) ausgedrückt lautet sie:

$$n \sim e^{-\frac{g\mu h}{kT}}.$$

Man sieht, daß wir Temperaturgleichgewicht vorausgesetzt haben oder berücksichtigt haben, daß unter ungestörten Verhältnissen (also ohne Sonnenstrahlung und Wind) sich ein solches einstellt. Ein Modell dafür ist die Verteilung von N Partikeln auf gleichgroße Kästen, in denen sie Energien $\varepsilon_1, \varepsilon_2, \varepsilon_3 \ldots$ haben, bei gegebener Gesamtenergie. Das

Maximum des Gewichtes (1) erhält man unter Berücksichtigung der Nebenbedingungen $\sum N_l = N$, $\sum N_l \varepsilon_l = N \bar{\varepsilon}$ für große Zahlen bei der „kanonischen Verteilung“:

$$N_l \sim \mathrm{e}^{-\beta \varepsilon_l}$$

$$\frac{N_l}{N_m} = \mathrm{e}^{-\beta(\varepsilon_l - \varepsilon_m)};$$

der Parameter β ist dabei von $\bar{\varepsilon}$ abhängig. Bei sehr großen Zahlen ist dieses Maximum wieder ein erdrückendes Maximum, und man braucht nur mit der kanonischen Verteilung zu rechnen. Ist $\beta = +\infty$, so sind alle Partikel im energetisch tiefsten Kasten, bei $\beta > 0$ sind unten mehr als oben, bei $\beta = 0$ haben wir Gleichverteilung, bei $\beta < 0$ sind oben mehr als unten, bei $\beta = -\infty$ sind alle Partikel im höchsten Kasten; $1/\beta$ nimmt monoton mit $\bar{\varepsilon}$ zu. Wenn die Reihe der ε_l nach oben unbegrenzt ist, wie bei der kinetischen Energie, kann β nicht negativ sein. Bei Vereinigung zweier Systeme wie die beschriebenen, braucht die Verteilung, die entsteht, nicht die wahrscheinlichste des Gesamtsystems zu sein. Sie ist es, wenn β für beide Teilsysteme gleich ist. Im anderen Falle wird ein höheres Gewicht erreicht, wenn Energie aus dem Teilsystem mit kleinerem β in das mit größerem β übergeht; $1/\beta$ verhält sich wie die Temperatur.

Die beiden Beispiele der Gleichverteilung und der kanonischen Verteilung zeigen schon das Wesentliche der allgemeinen statistischen Physik. Sie erklärt einen Makrozustand, z.B. ortsabhängige Dichte, Druck, Temperatur durch Mikrozustände, die etwa als Mechanismen mit den kanonischen Variablen $q_l(t)$, $p_l(t)$, für die Bewegungsgleichung gelten, oder auch durch Feldgrößen beschrieben werden. Ein beobachtbarer Makrozustand wird durch eine große Anzahl W von Mikrozuständen verwirklicht. Normalerweise tritt der Makrozustand auf, der das erdrückende Maximum des Gewichts W hat. Nach künstlicher Herstellung einer Abweichung von diesem Makrozustand nimmt W zu bis zur Erreichung des Maximums. Zur Definition der Zahl W betrachtet man eine große Zahl von unabhängigen gleichartigen Mechanismen; das können Massenpunkte, Atome, Molekeln, Flüssigkeitskörper, Kristalle usw. sein. Sie durchlaufen ihre Mikrozustände gemäß den Bewegungsgleichungen, jeder der Mechanismen mit einer anderen Anfangsphase. Wenn ein Makrozustand durch W solcher Mikrozustände verwirklicht wird, so setzt man die Entropie des Makrozustandes

$$S = k \ln W,$$

auch bei seltenen Makrozuständen. Nimmt man bei gegebener mittlerer Energie zwischen den Mechanismen der Gesamtheit einen Austausch von Energie als möglich an, so ist die Verteilung

$$N_l \sim e^{-\beta E_l} = e^{-\frac{E_l}{\Theta}}$$

die wahrscheinlichste. Der Vergleich mit thermodynamischen Größen zeigt

$$\Theta = kT.$$

Eine solche Gesamtheit ist das Modell eines Thermostaten. Die Einbettung eines Mechanismus in eine Umgebung konstanter Temperatur wird also dargestellt durch die Einbettung in eine große Schar gleichartiger Mechanismen. Ein Mechanismus hat die Temperatur T, wenn er sich verhält wie ein Glied der kanonischen Gesamtheit mit dem Modul $\Theta = kT$, wenn also ein Mikrozustand der Energie E_l mit einem Anteil $\sim e^{-E_l/kT}$ vorkommt.

Der Begriff der Entropie ist also der allgemeinere; auch Nichtgleichgewichte haben eine Entropie. Dagegen läßt sich der Temperaturbegriff nur auf Gleichgewichte anwenden.

Die beiden genannten Definitionen der Entropie und der Temperatur gehören der allgemeinen statistischen Physik an. Wir müssen aber nun fragen: wie zählt man die Fälle oder Mikrozustände ab? An der Antwort hierauf scheiden sich klassische Statistik und Quantenstatistik. In der klassischen Mechanik haben sich im Anschluß an Formulierungen von LAGRANGE und HAMILTON (Abschnitt 1) die „kanonischen Variabeln", verallgemeinerte Koordinaten und Impulse, die man heute gewöhnlich q_k, p_k nennt, zur Beschreibung der jeweiligen Zustände eines Mechanismus eingebürgert. So wird auch in der klassischen Statistik der Mikrozustand eines Mechanismus durch die Werte der kanonischen Variablen beschrieben. Zu einem Makrozustand gehört dann ein ganzes Gebiet

$$\Phi = \int dq_1\, dq_2 \dots dp_1\, dp_2 \dots$$

des „Phasenraumes" der kanonischen Variablen. Auf Grund der Bewegungsgleichungen

$$\dot{q}_k = \frac{\partial H}{\partial p_k} \qquad \dot{p}_k = -\frac{\partial H}{\partial q_k}$$

ändert sich die „Phasenausdehnung" Φ im Laufe der Zeit nicht. Φ hat auch noch andere Invarianzeigenschaften, so daß man, ohne in Widersprüche zu geraten. $W \sim \Phi$ oder

$$S = k \ln \frac{\Phi}{\omega}$$

setzen kann. Da der Phasenraum in der klassischen Physik keine natürliche Einheit ω hat, muß man diese hinreichend klein, aber sonst beliebig wählen. Die Entropie S bekommt so eine willkürliche additive Konstante.

Mit der Festsetzung $W \sim \Phi$ kann man Mittelwerte von Größen x bei der Temperatur T ausrechnen:

$$\bar{x} = \frac{\int x \, e^{-\frac{E(q,p)}{kT}} \, dq_1 \, dq_2 \ldots dp_1 \, dp_2 \ldots}{\int e^{-\frac{E(q,p)}{kT}} \, dq_1 \, dq_2 \ldots dp_1 \, dp_2 \ldots}.$$

Für einen Bestandteil $p_l^2/2m_l$ der kinetischen Energie wird:

$$\frac{\overline{p_l^2}}{2m_l} = \frac{\int p_l^2 \, e^{-\frac{p_l^2}{2m_l kT}} \, dp_l}{2m_l \int e^{-\frac{p_l^2}{2m_l kT}} \, dp_l} = \frac{kT}{2}.$$

Auf jeden Freiheitsgrad entfällt im Mittel die kinetische Energie $kT/2$ (Gleichverteilung der kinetischen Energie). Für potentielle Energien der Form $\sim x_l^2$ gilt das gleiche.

Verteilungsgesetze

Die wichtigen Sätze der statistischen Physik sind nicht in dieser systematischen Reihenfolge und auch nicht gleich in ihrer vollen Tragweite erkannt worden. Von den beiden Sätzen der allgemeinen Statistik ist $e^{-\varepsilon/kT}$ 1860 für die kinetische Energie von Gasmolekeln von MAXWELL plausibel gemacht, 1868 von BOLTZMANN verallgemeinert und 1877 von ihm gut begründet worden. $S \sim \ln W$ wurde 1871 von BOLTZMANN etwas speziell, 1877 und 1879 von ihm und MAXWELL allgemeiner ausgesprochen. Zusammen damit gaben beide Autoren auch den Ansatz $W \sim \Phi$ der klassischen Statistik an. Der Gleichverteilungssatz wurde von 1845–1879 gefunden. Auseinandersetzungen mit Einwänden gab es bis etwa 1900, und 1902 schrieb GIBBS eine zwar sehr abstrakte, aber sehr klare Fassung des Ganzen. Die Quantenstatistik setzte mit der Quantentheorie seit 1900 ein. Die historische Reihenfolge in der klassischen statistischen Physik war also: Gleichverteilung, Maxwell-Boltzmann-Verteilung der Geschwindigkeiten, statistische Entropiedefinition, Abzählung der Fälle durch die Phasenausdehnung, Auseinandersetzung mit Einwänden. Die erstgenannten Punkte hatten mit dem Verständnis der Temperatur zu tun, die letztgenannten mit dem der Entropie.

Die Gleichverteilung der kinetischen Energie war nahegelegt durch die Gleichverteilung der Temperatur und durch $T \sim \mu \overline{v^2}$ auch für Gasgemische. So wurde sie von WATERSTON 1845–1851 und von MAXWELL angenommen. Für die spezifischen Wärmen der Gase schloß CLAUSIUS 1857 aus der Translationsenergie

$$\overline{\varepsilon_{tr}} = \tfrac{3}{2} k T,$$

wofür wegen einer thermodynamischen Beziehung

$$\overline{\varepsilon_{tr}} = \tfrac{3}{2} \mu (c_p - c_v) T$$

gesetzt werden konnte, und aus der Gesamtenergie

$$\bar{\varepsilon} = \mu c_v T$$

auf

$$\frac{c_p}{c_v} = 1 + \frac{2}{3} \frac{\overline{\varepsilon_{tr}}}{\bar{\varepsilon}};$$

der empirische Wert $c_p/c_v = 1{,}4$ bedeutete dann $\overline{\varepsilon_{tr}}/\bar{\varepsilon} = 0{,}6$. Nicht nur die Translationsbewegung der Molekel, sondern auch die inneren Bewegungen tragen zur Wärmeenergie bei. Aus einem festen Verhältnis $\bar{\varepsilon}_{tr}/\bar{\varepsilon}$, das CLAUSIUS plausibel machte, folgte die Unabhängigkeit der spezifischen Wärme der Gase von der Temperatur.

Mit dem Gleichverteilungssatz schloß MAXWELL 1859 für zweiatomige Molekeln $\bar{\varepsilon} = 2\overline{\varepsilon_{tr}}$ und $c_p/c_v = 4/3$; BOLTZMANN schrieb 1866–1867 für die n-atomige

$$\frac{c_p}{c_v} = 1 + \frac{2}{3n};$$

die Abweichung der Meßergebnisse, 1,4 für zweiatomige und 1,3 für mehratomige, schob er auf eine nicht berücksichtigte „innere Energie“. MAXWELL und CLAUSIUS zogen aus den Abweichungen den Schluß, daß man die kinetische Theorie nicht auf die inneren Verhältnisse von Molekeln anwenden dürfe. Wir wissen heute, wie wahr diese Einsicht ist. Die Molekel ist für uns ungefähr der kleinste Baustein, aus dem die Materie im Sinne der klassischen Physik aufgebaut gedacht werden kann; für den Bau einer Molekel jedoch gilt die Quantentheorie. Als BOLTZMANN die Gründe für den Gleichverteilungssatz besser durchschaut hatte, und als am Quecksilberdampf $c_p/c_v = 1{,}7$ gemessen war, $c_p/c_v = 5/3$ für einatomige, konnte er 1876 die Werte $c_p/c_c = 7/5$ für zweiatomige und $c_p/c_v = 4/3$ für mehratomige durch die Annahme von 3, 5 bzw. 6 Freiheitsgraden und mit dem Modell harter, glatter Molekeln verstehen. MAXWELL nahm diese Erklärung nicht an. Wie können Molekeln gleichzeitig glatt und elastisch sein, sagte er. Auch beim Grenzübergang zur Starrheit könne man nicht die über die Zahl 5 oder 6 hinausgehenden Freiheitsgrade vernachlässigen. Die Spektren der Atome und Molekeln zeigten sogar noch weitere Freiheitsgrade an. Die Diskussion über das Versagen der statistischen Theorie bei den spezifischen Wärmen zog sich in die 90er Jahre hinein. Sie führte zu einer Prüfung der Grundlagen der Theorie. Aber es blieb zunächst die Frage: ist BOLTZMANNS statistische Theorie bloße Mathematik und für die Physik unfruchtbar? Die Antwort gab uns die Quantentheorie.

MAXWELLS Formel

$$F \sim e^{-\beta v^2} \qquad \beta \sim \frac{1}{T}$$

und ihre frühen Begründungen haben wir schon im vorigen Abschnitt kennen gelernt. BOLTZMANNS Beitrag dazu von 1868 führte tiefer in die Statistik. Er merkte, daß die Überlegungen zur Stationarität von F irgendwie mit der Gleichberechtigung gleich großer Gebiete des Orts-Geschwindigkeits-Raumes zusammenhängen und daß das Gebiet, das die Bildpunkte einer Gesamtheit von Molekeln einnimmt, auf Grund der Bewegungsgleichungen sich im Laufe der Zeit nicht ändert. 1871 machte er im Zusammenhang mit der Stationarität von F die Annahme, daß im Laufe der Zeit der Bildpunkt einer Molekel überall hinkäme, die Annahme, die man später die Ergodenhypothese nannte. Am Beispiel der Lissajouschen Figuren bei Schwingungen, die i. allg. ja ein ganzes Gebiet füllen, erläuterte er die Annahme. Er sprach jetzt die Verteilung auch beim Vorhandensein einer potentiellen Energie aus:

$$F \sim e^{-\frac{\varepsilon_{\text{kin}} + \varepsilon_{\text{pot}}}{kT}}.$$

Entropie

BOLTZMANNS Überlegungen zum Verständnis des zweiten Hauptsatzes der Thermodynamik liefen zweigleisig. Einerseits zählte er gleichberechtigte Fälle mittels gleicher Phasenausdehnungen und nahm an, daß jedes dieser gleichen Gebiete während der Bewegung gleich oft eingenommen würde, daß man also ein Scharmittel (Mittel über die Gesamtheit) durch ein Zeitmittel und (bei erdrückendem Übergewicht des mittleren Wertes) durch den beobachteten Wert ersetzen durfte. Andererseits verfolgte er im einzelnen die Stöße von Gasmolekeln und ihren Einfluß auf die Verteilung $f(\boldsymbol{x}, \boldsymbol{v})$ der Molekeln auf Ort und Geschwindigkeit. Diese Überlegungen waren oft sehr mühsam. Die beiden Linien sind bei BOLTZMANN nicht scharf getrennt. Auf der ersten Linie liegen seine Überlegungen zur Maxwell-Verteilung von 1868–1871, auf der zweiten das berühmte H-Theorem von 1872, auf dem ersten wieder seine wichtigste Abhandlung, die von 1877.

Er betrachtete 1872 die Größe

$$\int f(\boldsymbol{v}) \ln f(\boldsymbol{v}) \, \mathrm{d}^3 \boldsymbol{v}$$

für die Verteilung $f(\boldsymbol{v})$ der Molekeln im Geschwindigkeitsraum. Er nannte diese Größe E, daraus wurde dann ein H (Eta), schließlich ein H. Er fand: wenn f die Maxwellsche Verteilung ist, wird H durch die Stöße der Molekeln nicht verändert. Sonst nimmt H ab, so bei Diffusion, Reibung und Wärmeleitung. Die Größe $-H$ ist also der Entropie analog. So verstand BOLTZMANN den zweiten Hauptsatz aus der Mechanik der Stöße heraus.

1877 war für BOLTZMANN die Zunahme der Entropie der Übergang in einen wahrscheinlicheren Zustand (Makrozustand würden wir sagen). Er untersuchte, da solche Überlegungen noch sehr ungewohnt waren, ausführlich die Verteilung von N Partikeln auf Zustände mit den Energien $0, \varepsilon, 2\varepsilon, 3\varepsilon \ldots$. Das Maximum der Häufigkeit einer Verteilung $N_0, N_1, N_2 \ldots$ der Partikel auf die Zustände, also der Häufigkeit

$$W = \frac{N!}{N_0!\, N_1!\, N_2! \ldots}$$

mit den Nebenbedingungen $\sum N_l = N$ und $\sum N_l \, l \varepsilon = E$ führte auf die wahrscheinliche Verteilung

$$N_l \sim \mathrm{e}^{-\beta l \varepsilon}.$$

Allgemeiner ergab sich für das Kontinuum der kinetischen Energien ε im zweidimensionalen Modell $\mathrm{e}^{-\beta\varepsilon} \mathrm{d}\varepsilon$, im dreidimensionalen Modell $\mathrm{e}^{-\beta\varepsilon} \mathrm{d}^3 \boldsymbol{v}$. Als Zahl der Fälle nahm BOLTZMANN mithin die Ausdehnung im Orts-Geschwindigkeits-Raum an. Das Maximum von W war auch das Maximum von $-\sum N_l \ln N_l$ (für große Zahlen); im kontinuierlichen Raume wurde daraus $\int f \ln f \, \mathrm{d}^3 \boldsymbol{v}$, der Ausdruck im H-Theorem.

Das „Permutationsmaß“ $\ln \Phi$ *verhält sich wie die Entropie (1877).*

Bei mehratomigen Molekeln nahm BOLTZMANN den Raum der Variablen $q_1, q_2 \dots p_1, p_2 \dots$. Er beschränkte seinen Entropieausdruck auf Gase, bei Flüssigkeiten hielt er ihn für „plausibel". Schwankungen um das Maximum der Entropie untersuchte er 1878. In einer Besprechung der Boltzmannschen Untersuchungen, „über BOLTZMANNS Theorem" 1879, sah MAXWELL die große Allgemeinheit der Benutzung der Variablen $q_1, q_2 \dots p_1, p_2 \dots$. Bei einem beliebigen Mechanismus konnte die Phasenausdehnung Φ, die einem Makrozustand entspricht, als Maß der Zahl W der Mikrozustände benutzt werden.

BOLTZMANNS Theorem $S \sim \ln \Phi$ hatte nun allgemeine Bedeutung (1879).

Auf dem sehr mühsamen zweiten der oben genannten Geleise bewegten sich dann BOLTZMANNS Versuche von 1896–1898, die Theorie der Transportvorgänge zu verfeinern. Dabei kam er wieder auf den ergodischen Charakter der Bewegung zurück. Die Fassungen ... „durch jeden Punkt", „beliebig nahe jedem Punkt", hat er nicht unterschieden. In den Vorlesungen über Gastheorie 1896–1898 erwähnte er das Problem nicht mehr.

In einem Vortrage des Jahres 1886 erläuterte BOLTZMANN seine Vorstellung von der Entropie am System der Sonne, Erde, Leben: Infolge der hohen Temperatur der Sonne wird der Erde Energie mit verhältnismäßig niedriger Entropie zugeführt; der Kampf der Lebewesen ist der Kampf um (negative) Entropie.

Einwände

Gegen die entstehende statistische Mechanik wurde zunächst eingewandt, daß sie sich der Molekularhypothese bediente, was nach MACH, OSTWALD, DUHEM als ungesunde Metaphysik galt (Abschnitt 8). BOLTZMANNS besondere Überlegungen zum H-Theorem traf dann der „Umkehreinwand" von LORD KELVIN und von LOSCHMIDT (1875): Man könne Gleichungen für Stöße und die These $\Delta S \geq 0$, die ja irreversible Vorgänge einschließen, nicht aus den Prinzipien der Mechanik ableiten, die zu jeder Bewegung auch die in der Zeit umgekehrt verlaufende zulassen. BOLTZMANN erwiderte 1877, kurz vor Aufstellung von $S \sim \ln W$, daß der zweite Hauptsatz in der Tat nicht aus den Prinzipien der Mechanik allein abzuleiten sei, vielmehr unter Annahme einer extrem unwahrscheinlichen Anfangsbedingung: Ungleiche Verteilungen gehen in Gleichverteilungen über; aber viel mehr gleiche Verteilungen gehen in dieselbe Gleichverteilung über. Eine zeitliche Umkehr der mikroskopischen Bewegungen läßt in der überwiegenden Zahl der Fälle eine Gleichverteilung bestehen und führt extrem selten zu einer ungleichen Verteilung. Der zweite Hauptsatz gilt mit extrem großer Wahrscheinlichkeit.

Als im Zusammenhang mit dem Versagen der Theorie bei den spezifischen Wärmen die Diskussion der Grundlagen erneut aufflammte, zeichnete BOLTZMANN 1895 eine „*H*-Kurve“ (Abb. 25). An ihr konnte man unmittelbar sehen, wie der Widerspruch zwischen den reversiblen Grundgleichungen der Mechanik und den irreversiblen Gleichungen der Stoßvorgänge und der Entropie aufgelöst werden kann. Die *H*-Kurve

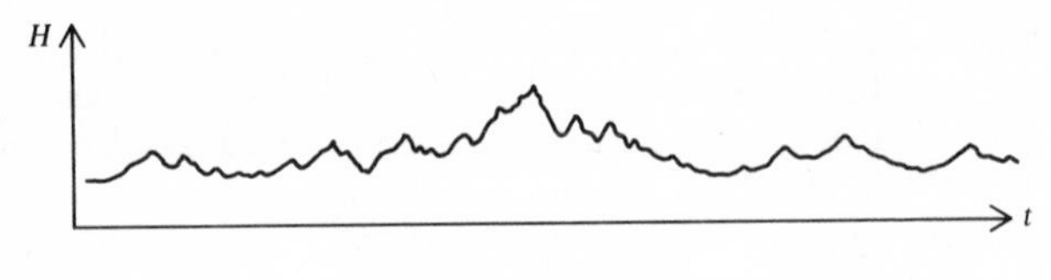

Abb. 25. *H*-Kurve

ist symmetrisch in den beiden Zeitrichtungen. Indem BOLTZMANN nun die in der Figur absteigenden Äste der kleinen Schwankungen den großen irreversiblen Änderungen des wirklichen Geschehens als wesensgleich ansah, konnte er die Nichtumkehrbarkeit des Geschehens als Folge einer extremen Anfangsbedingung verstehen.

Der „Wiederkehreinwand“ von H. POINCARÉ und E. ZERMELO (1896) betonte, daß jeder Zustand eines mechanischen Systems mit endlich vielen Freiheitsgraden nach irgendeiner Zeit wiederkehren muß. BOLTZMANN konnte erwidern, daß mit zunehmender Zahl der Freiheitsgrade die Wiederkehrzeiten extrem lang werden, und er konnte die Häufigkeit der Wiederkehr wahrscheinlicher und weniger wahrscheinlicher Zustände an der *H*-Kurve erläutern. In einem Vortrag von 1904 über erkenntnistheoretische Fragen stellte er am Schluß die statistische Mechanik als strenge Wissenschaft den problematischen Anwendungen auf Physik gegenüber. Zu dem Umstande, daß die Gesetze der Mechanik zeitlich reversibel, das wirkliche Geschehen aber irreversibel ist, gab er zwei mögliche Standpunkte an: 1. Die Welt ist aus einem sehr unwahrscheinlichen Anfangszustand hervorgegangen. 2. Wenn die Welt nur groß genug ist, so gibt es irgendwo starke Abweichungen von der Gleichverteilung. Bei der Bildung und Auflösung solcher starken Abweichungen ist der Verlauf des Geschehens einsinnig und wird als Ablauf der Zeit empfunden.

L. BOLTZMANN war etwa 20 Jahre jünger als die Begründer der Thermodynamik CLAUSIUS und THOMSON. Zwischen MAXWELL und PLANCK, die eine Generation auseinander lagen, stand er in der Mitte, zwischen dem Vollender der klassischen makroskopischen Physik und dem Begründer der Quantentheorie als der Schöpfer einer mikroskopischen klassischen Physik. Er wurde 1844 geboren, wuchs in einem gebildeten Elternhause in auskömmlichen Verhältnissen auf und konnte sich im Studium frei der Wissenschaft widmen. Professuren hatte er in Graz, Wien, wieder in Graz, in München, Wien, Leipzig und nochmals (bis zu seinem Tode 1906) in Wien. In seiner Frühzeit war er auch Gast bei BUNSEN, KIRCHHOFF und HELMHOLTZ. Seine produktivsten Jahre waren die des Ausbaues der statistischen Physik 1868–1878 in Wien, Graz und Wien; in die zweite Professur in Graz fielen die mühsamen Untersuchungen zur Transporttheorie, aber auch experimentelle und theoretische Arbeiten zur Maxwellschen Theorie. Die Abfassung seiner Bücher und die Verteidigung seiner Auffassungen füllten die Münchener und die späteren Wiener Zeiten. Zu BOLTZMANNS Schülern gehören: F. HASENÖHRL, P. EHRENFEST und LISE MEITNER. In seinen wissenschaftlichen Arbeiten stand BOLTZMANN vielfach allein. MACH, OSTWALD und DUHEM, die Vertreter der „Energetik", hatten viele Anhänger; auch LORD KELVIN und P. G. TAIT glaubten nicht recht an die Fruchtbarkeit der statistischen Mechanik für die Physik.

Abschluß

Die klare Herausarbeitung des Wesentlichen der statistischen Physik gelang J. W. GIBBS (an der Yale-Universität) 1902 in den „elementary principles of statistical mechanics". Sie sind eine abstrakte, deduktive Darstellung des Verhaltens von Gesamtheiten, die aus einer großen Zahl gleichartiger Mechanismen bestehen. Diese werden mittels der Variablen $q_1, q_2 \dots p_1, p_2 \dots$ beschrieben; die Phasenausdehnung irgendeiner Auswahl von Mechanismen ist zeitunabhängig. Die kanonische Verteilung wird zunächst mittels $\mathrm{e}^{-\varepsilon/\Theta}$ definiert, und dann wird das Verhalten von Θ bei Vereinigung und Trennung von Gesamtheiten gezeigt. Kanonische Verteilung heißt also Gleichgewicht mit einem Thermostaten, einem großen System gegebener Temperatur. Mittelwerte solcher Verteilungen führen zu den Gleichverteilungssätzen. Die Schwankungen um die Mittelwerte werden um so geringer, je mehr Freiheitsgrade die Mechanismen haben; bei sehr vielen Freiheitsgraden ist der Mittelwert gleich dem makroskopischen Wert. Der Vergleich mit der Thermodynamik zeigt $\Theta = kT$, $S = k \ln W$.

Die Abzählung mittels der Phasenausdehnung steht jetzt ganz im Vordergrund. Die Beschränkung auf Gase ist gefallen, eine spezielle atomistische Hypothese ist gleichgültig geworden.

Eine mustergültige Zusammenfassung der statistischen Physik gaben 1911 P. und T. EHRENFEST[1]. Dabei machten sie die Irreversibilität des sehr komplexen, im einzelnen nicht durchschaubaren wirklichen Geschehens an einfachen, genau durchschaubaren simulierten Abläufen, an „Urnenspielen“ oder „Entropiespielen“ deutlich. Gegen diese Illustration der Entropiezunahme konnte man einwenden, daß die Spiele Zufallshandlungen enthielten, der zweite Hauptsatz aber auch bei streng determiniertem Ablauf eines hinreichend komplexen Systems gälte. Man kann aber die Spiele so abändern, daß man die Zufallshandlungen durch eine einigermaßen komplizierte deterministische Vorschrift ersetzt. Man erhält dann zwar die Poincarésche Wiederkehr, also eine Abnahme der Entropie auf den Anfangswert. Durch weitere Komplizierung der erwähnten Vorschrift kann man die Wiederkehr zeitlich hinausschieben, so daß der determinierte Ablauf sich in seinen Folgen für die Entropie vom probabilistischen nicht mehr unterscheidet.

Im Rückblick auf die Physik des 19. Jahrhunderts stellen wir fest: *Das mechanische Naturbild erfuhr im 19. Jahrhundert eine Einschränkung durch die Erfolge der Feldtheorie von Elektrizität, Magnetismus und Licht. Es erhielt eine Stütze durch die mechanische Erklärung von Entropie und Temperatur.*

Die Schaffung der statistischen Physik durch BOLTZMANN, MAXWELL und GIBBS in den Jahren 1868 bis 1902 war Höhepunkt und Krise am Ende der „klassischen Physik“. Die Krise zeigte sich am Versagen bei der Berechnung von spezifischen Wärmen. Darüber wurde viel diskutiert; für LORD KELVIN war das Versagen 1901 eine der „Wolken des 19. Jahrhunderts auf der Theorie von Wärme und Licht“ (die andere betraf die Eigenschaften des Äthers).

Mit dem Versagen des Gleichverteilungssatzes blieben Wert und Tragweite der statistischen Physik im unklaren. Weiter waren am Jahrhundertende die Erfahrungen über den Atombau noch ganz ungeordnet; eine Deutung der Spektren erschien hoffnungslos; die eben entdeckte Radioaktivität stellte den Energiesatz in Frage.

Nach Behebung der genannten Unsicherheiten (im wesentlichen durch die Quantentheorie) ist die statistische Physik ein entscheidender Teil des modernen Naturbildes geworden. Der physikalische Zeitbegriff, der

[1] P. u. T. EHRENFEST, Enc. math. Wiss. IV Beitrag 32 (1911).

mit dem naiven die Gerichtetheit, den einsinnigen Verlauf, gemeinsam hat, ist durch die statistische Deutung der Entropievermehrung präzisiert worden; die Einbettung alles Geschehens in das Weltganze mit einem Anfang (in irgendeinem Sinne) ist deutlich geworden. Gedanken zur biologischen Evolution, an der der Zufall mitwirkt und die dann eine Art „Drift" zeigt, wurden zugänglich. Bei der Entstehung des Lebens kam es auf einen Wettlauf zwischen Entropievermehrung und Selektionsvorteil an.

11. ATOM

Atom als Baustein

Das Atom, dessen Begriff aus der antiken Philosophie kam, war durch gut zwei Jahrtausende für viele Denker der metaphysische Hintergrund des Seins der Materie. Die Vernunft schien diesen Denkern zu fordern, daß die Körper der Natur aus gleichartigen einfachen Partikeln oder aus einigen Arten jeweils gleichartiger einfacher Partikel aufgebaut wären. Die andere verbreitete Ansicht, daß die vier Elemente irgendwie als Potenzen in den Stoffen enthalten wären, ohne daß den Elementen gesonderte Partikel entsprächen, herrschte jedoch in der Schulphilosophie zunächst vor. Aber die atomistische These verschwand nie ganz; im 17. Jahrhundert wurde sie von bedeutenden Forschern angenommen.

Den Rang einer klaren naturwissenschaftlichen Hypothese erhielt das Atom durch die Entwicklung der quantitativen Chemie und der Kristallographie am Beginn des 19. Jahrhunderts. Beide zeigten Beziehungen, die ganzen Zahlen entsprachen. Die Chemie war besonders durch A. L. LAVOISIER eine quantitative Wissenschaft geworden. Er erkannte die Erhaltung der Massen der chemischen Elemente, auch wenn diese zu Verbindungen zusammentreten, und er wußte (um 1790), daß die Elemente in einer Verbindung in einem festen Massenverhältnis stehen. Etwa gleichzeitig untersuchte B. J. RICHTER (an der Berliner Porzellanmanufaktur) die Neutralisierung von Basen durch Säuren; er fand jeweils ein festes Verhältnis der Massen von Base und Säure; er erkannte so den Begriff des Äquivalentgewichtes und prägte den Begriff „Stöchiometrie". Etwas später sprach J. L. PROUST das Gesetz der konstanten Proportionen in Verbindungen aus und stritt darüber mit C. L. BERTHOLLET, der mehr mit Metallverbindungen und Legierungen beschäftigt war, wo die Proportionen eben nicht konstant sind. J. DALTON sprach das Gesetz der multiplen Proportionen aus, gestützt auf Verbindungen, die wir heute CO, CO_2; N_2O, NO, N_2O_3, NO_2 ... schreiben. Er erklärte den Sachverhalt durch die Hypothese: *die kleinsten Stoffteilchen sind aus wenigen Atomen zusammengesetzt, und die Atome eines Elements sind einander gleich* (1803–1808). Er gab auch eine Tabelle der Atomgewichte an. Soweit DALTONS Hypothese nur ein Ausdruck des Gesetzes der multiplen Proportionen war, wurde sie weitgehend akzeptiert. Atom war dann eine Abkürzung für reagierende Mengeneinheit. Der Begriff des „Äquivalents“ (Äquivalentgewichts) wurde ein zentraler Begriff der Chemie. Gegen darüber hinausgehende Vorstellungen vom Bau der Materie waren aber die Chemiker sehr zurückhaltend.

Das Gesetz der multiplen Proportionen wurde (1808) von J.L. GAY-LUSSAC durch das Gesetz der einfachen Volumenverhältnisse bei Gasen ergänzt. A. AVOGADRO deutete schließlich den Umstand, daß bei Bildung von NO aus Stickstoff und Sauerstoff je 1 l Stickstoff und 1 l Sauerstoff 2 l Stickoxyd geben, durch die Vorstellung, daß ein Atom N durch ein Atom O und umgekehrt ersetzt wird, also durch die Vorstellung, die man später mittels der Gleichung $N_2 + O_2 = 2NO$ ausdrückte. In einem bestimmten Gasvolumen waren dann unabhängig vom Stoff gleichviel „molecules integrands“ (wie N_2, O_2, NO), also Molekeln im heutigen Sinne, die aus „molecules elementaires“ (N, O), also Atomen, bestanden.

Mit der Zurückhaltung gegen die Atomvorstellung erklärt sich auch die verbreitete Nichtbeachtung der Verbindungsvolumina der Gase bei Bestimmung der Atomgewichte, „Mischungsgewichte“, „chemischen Gewichte“, „Äquivalente“; so wurden häufig die Zahlen 6, 8, 14 für C, O, N angegeben. BERZELIUS jedoch sah Wasser als H_2O an und gab 16 für O.

In der Mineralogie erklärte (1785) R.J. HAÜY die regelmäßigen Formen der Kristalle durch regelmäßige Packungen aus molecules integrands. Von 1825 ab drückte man die Ganzzahligkeitsbeziehungen bei den Orientierungen der Kristallflächen durch rationale „Indices“ aus. Schließlich stellten (1885–1890) E.v. FEDOROW und A. SCHOENFLIES die möglichen 230 „Raumgruppen“ zusammen.

Die Massenverhältnisse in der Chemie verstand man mit der Hypothese von Atomen, die zu Molekeln zusammentreten. Die kristallographischen Richtungsgesetze verstand man mit Atomen oder Molekeln, die regelmäßige Gitter bilden.

Um 1900 war die Atomhypothese noch umstritten. Eine gesicherte Tatsache wurde das Atom jedoch bald durch die Übereinstimmung der auf sehr verschiedene Weise gewonnenen Daten für Zahl und Größe der Atome. Die Hinweise auf den Bau der Atome führten aber zu recht widersprüchlichen Ansichten über das Atom, die erst in der Quantentheorie verstanden werden konnten.

Im Rückblick sieht die Geschichte des modernen Atombegriffs sehr dramatisch aus. Aber man muß daran denken, daß die Widersprüche in den Erfahrungen über den Atombau nur zum Teil als solche empfunden werden konnten; die Methoden waren ja noch wenig erprobt.

Größe und Zahl der Molekeln

Die Ganzzahligkeitsgesetze der Chemie gaben nur die Verhältnisse von Atommassen und Molekelmassen, nicht die Massen selbst, und sie gaben nur die Verhältnisse der Anzahlen.

Die erste Schätzung der Größe und Anzahl der Molekeln in einem Gas gab J. LOSCHMIDT 1865. Nach D. BERNOULLI, P. JOULE und R. CLAUSIUS (Abschnitt 9) konnte die mittlere Geschwindigkeit der Gasmolekeln aus Druck und Dichte gemäß

$$p=\tfrac{1}{3}\rho\,\overline{c^2}$$

und nach CLAUSIUS die mittlere Weglänge der Molekeln aus der inneren Reibung gemäß

$$\eta=\tfrac{1}{3}\rho\,\bar{l}\,\bar{c}$$

entnommen werden. Die Beziehung

$$\bar{l}=\frac{1}{\pi\sigma^2 n}$$

zu Molekeldurchmesser und Anzahl in der Raumeinheit erlaubte so die Größe $\sigma^2 n_G$ für ein Gas zu schätzen. Hieraus und mit der Beziehung $\sigma^3 n_K \approx 1$ für das Kondensat konnte LOSCHMIDT σ genähert zu etwa 10^{-7} cm angeben. Dies entsprach ungefähr 10^{23} Molekeln im Mol. Bei Seifenblasen konnten Lamellendicken bis unter 10^{-6} cm, bei Öl auf Wasser bis unter 10^{-7} cm hergestellt werden, was zu ähnlichen Schätzungen führte.

Präzisionsmessungen der Zahl L der Molekeln im Mol waren die Bestimmungen der mikroskopischen Größen k, e, v (Volumen, das im Kristall auf ein Atom kommt). Mit den makroskopischen Größen Gaskonstante, Faraday-Zahl, Molvolumen sind sie gemäß

$$R=Lk$$

$$F=Le$$

$$V_M=Lv$$

verbunden. Daß das Faradaysche Gesetz, wonach bei der Elektrolyse ein chemisches Äquivalent jeweils die gleiche elektrische Ladung überträgt, auf ein Elementarquantum e der elektrischen Ladung hindeutet, haben W. WEBER (1846), J. C. MAXWELL (1873), G. J. STONEY und H. HELMHOLTZ (1881) betont; STONEY prägte 1891 für dieses Quantum (nicht für das Teilchen) den Namen Elektron. Die k-Bestimmung konnte an einem makroskopischen Analogon zum idealen Gas, die e-Bestimmung an makroskopisch meßbaren, sehr kleinen Ladungen vorgenommen werden, die v- oder Abstandsbestimmung in Kristallgittern durch Vergleich mit geritzten Gittern mittels Röntgen-Interferenzen.

Die k-Bestimmung von M. PLANCK (1900) war mit Quantentheorie verwoben. Die k-Bestimmung von J. PERRIN (1908) benutzte als Analogon zu den Molekeln eines Gases die Partikeln in Aufschlämmungen von Harz. Für Partikeln gleicher Masse (um die Masse des verdrängten Lösungsmittels reduziert) nahm PERRIN die barometrische Höhenformel

$$\frac{\mathrm{d}n}{n} = \frac{\mathrm{d}p}{p} = -\frac{g\mu}{kT}\,\mathrm{d}h$$

oder, was dasselbe ist,

$$\frac{n_1}{n_2} = \mathrm{e}^{\frac{g\mu(h_2-h_1)}{kT}}$$

an. Durch Zentrifugieren der Aufschlämmung konnte er Partikeln einheitlicher Größe herstellen und damit die Gültigkeit der Beziehung für $\mathrm{d}n/n$ prüfen, also zeigen, daß das Analogon zum idealen Gas vorlag. Durch Wägen und Zählen konnte er $g\mu$ bestimmen. So ergab sich k.

e-Messungen wurden an Nebeltröpfchen, später an Öltröpfchen ausgeführt. Die Messungen an Öltröpfchen führte R.A. MILLIKAN zu hoher Präzision. Die Öltröpfchen bewegten sich in Luft zwischen den Platten eines Kondensators. Bei Ionisation der Luft erhielten die Tröpfchen Ladungen (q); durch Anpassen der parallel zur Schwere gerichteten elektrischen Feldstärke (E) konnten sie schwebend gehalten werden,

$$qE = \mu g;$$

damit war q/μ gemessen (μ die durch den Auftrieb in Luft korrigierte Masse der Tröpfchen). Ohne Feld oder ohne Ladung fielen sie nach unten mit einer Geschwindigkeit

$$v = \frac{\mu g}{R},$$

wo die Reibungskonstante R durch $\eta\sigma^2$ (innere Reibung der Luft und Querschnitt) ausgedrückt werden konnte. So ergab sich μ/σ^2, über die Dichte ($6\mu/\pi\sigma^3$) also μ und damit q. Um 1910 konnte MILLIKAN diskrete Ladungen nachweisen. Das 1916 erzielte Endergebnis zeigte Ladungen, die das 4- bis 17fache einer Ladung e waren. Die Werte $e = 4{,}77 \cdot 10^{-10}$

elektrostatische Einheiten $=1{,}59\cdot10^{-19}$ C, entsprechend $L=6{,}06\cdot10^{23}$, wurden eineinhalb Jahrzehnte als die genäherten Werte von e und L angesehen.

Die Werte mußten dann doch noch etwas korrigiert werden. 1912 hatten M. v. LAUE, W. FRIEDRICH und P. KNIPPING die Interferenz von Röntgenstrahlen am Kristallgitter gefunden; bald wurde sie zur Messung von Abständen der Atome in den Kristallen benutzt (W. H. und W. L. BRAGG, P. DEBYE und P. SCHERRER). Die relativen Abstände konnten so sehr genau bestimmt werden; für die absoluten Werte benutzte man dabei einen auf andere Weise bestimmten Wert von L. Nachdem jedoch 1922 A. H. COMPTON auch mit künstlich geritzten Gittern Interferenzen von Röntgenstrahlen herstellen konnte, waren absolute Abstandsbestimmungen durch den Vergleich von Kristallgittern und künstlichen Gittern möglich. Messungen von E. BÄCKLIN in Schweden (1928) und I. A. BEARDEN in USA führten auf $L=6{,}02\cdot10^{23}$ und $e=1{,}60\cdot10^{-19}$ C. Über die Diskrepanz wurde 1929 heftig diskutiert. Die Öltröpfchen waren doch sehr klein; konnte man da das Stokessche Widerstandsgesetz noch anwenden? Die Röntgeninterferenzen waren im wesentlichen durch oberflächennahe Schichten bedingt; konnte man da den gleichen Atomabstand annehmen wie im übrigen Kristall? Eine Neumessung der Konstante η korrigierte dann den Millikanschen Wert auf $1{,}60\cdot10^{-19}$ C und die Diskrepanz war beseitigt.

Schon vor den genannten Daten 1908, 1916, 1929 waren genäherte Werte von L bekannt. Daran waren auch Schwankungserscheinungen, wie das Himmelsblau oder die Brownsche Molekularbewegung, sowie Szintillationszählungen beim radioaktiven Zerfall beteiligt. Die zunehmende Übereinstimmung der auf sehr verschiedene Weise gewonnenen Werte für die Zahl der Molekeln im Mol überzeugte schließlich auch die Gegner der Atomhypothese von der Existenz der Atome.

Atome und Molekeln waren bald nach 1900 meßbare Tatsachen geworden.

Atombau

Die Angaben über Größe und Zahl der Molekeln und Atome betrafen diese Gebilde als ganze. Aber waren diese Atome nun unteilbar oder konnte man über ihren Bau etwas erfahren? Die Chemie konnte einige Hinweise geben. Die Elektrolyse (Abschnitt 3) hatte gezeigt, daß die chemische Affinität mit Elektrizität am Atom zu tun hat, und sie hat zur Unterscheidung von elektropositiven Elementen (H, Na, K ..., Be, Mg...)

und elektronegativen Elementen (F, Cl, O, S ...) geführt. Die Annahme, daß an den Atomen elektrische Ladungen säßen, lag nahe. FARADAYS Entdeckung, daß die chemischen Äquivalente gleiche Ladungen übertrugen, wurde jedoch erst spät atomistisch gedeutet. Hinweise auf den Atombau konnte auch die allmähliche Aufdeckung des Periodensystems der Elemente liefern, von der Aufstellung von Reihen analoger Elemente (Li, Na, K; Ca, Sr, Ba; S, Se, Te; Cl, Br, J) um 1830 über die vollständigen Reihen von L. MEYER (Li ... Cs, O, S, Se, Te; N, P, As, Sb, Bi) 1864 bis zu den Tabellen von L. MEYER und D. MENDELEJEW um 1870. Sie erlaubten die Vorhersage noch unbekannter Elemente mit ihren Eigenschaften. Die Entdeckung der Elemente Ga, Ge, Sc (1875–1885) bestätigte das Periodensystem; die Entdeckung der Edelgase in den neunziger Jahren rundete es ab. Die Zahl der seltenen Erden blieb noch unklar; auch konnte man zwischen H und He noch ein Element vermuten.

Elektrolyse und Periodensystem betrafen die anorganische Chemie. Die organische Chemie lieferte ein etwas anderes Bild vom Bau des Atoms. Um 1840 wußte man, daß H durch Cl ersetzbar war, also daß das mit den Ladungen am Atom nicht so einfach sein konnte. Allmählich kam man auf die Vierwertigkeit des Kohlenstoffs und die Bedeutung der räumlichen Anordnung der Atome. Seit 1875 nahm man die tetraedrische Anordnung der vier vom C-Atom ausgehenden Bindungen an. Hinzu kamen Regeln über andere „Valenzwinkel", über die Drehbarkeit von Einfachbindungen und Nichtdrehbarkeit von Doppelbindungen.

So gab es schließlich zwei Modellvorstellungen für die chemische Affinität. In der anorganischen Chemie beruhte sie auf elektrischen Ladungen am Atom, die das +1, +2, +3fache oder −3, −2, −1fache der Elementarladung betragen. Für die organische Chemie waren die Atome so etwas wie Kugeln mit 1, 2, 3 oder 4 Haken daran, mit Haftstellen in bestimmter geometrischer Anordnung. Solche Modelle wurden aber nicht betont. Die Chemie war damals etwas theorienmüde.

Um 1900 herum konnte die Chemie kein einheitliches Atombild liefern. Aber man hatte das Periodensystem der Elemente mit den ausgezeichneten Zahlen 2, 8, 18 (32 war noch nicht sicher) als Hinweis.

In der kinetischen Theorie der Gase wurden die Molekeln als Gebilde geringer Kompressibilität angesehen. Die Molwärmen der Gase, $mc_v = 3R/2$, $5R/2$, $6R/2$ für 1-, 2- und mehratomige, waren in der statistischen Mechanik (Abschnitt 10) nur zu verstehen, wenn man die Molekeln als absolut starr und glatt ansah, was aus anderen Gründen nicht wohl anging. Lord RAYLEIGH schloß daraus: die kinetische Theorie ist auf das Innere der Molekeln nicht anwendbar – wie, ist später durch die Quantentheorie gezeigt worden. L. BOLTZMANN und J. H. JEANS schlossen: gewisse Freiheitsgrade der Molekeln kommen nicht ins thermische Gleichgewicht. Die Dulong-Petitsche Regel gab für feste Körper $mc_v = 3R$; auch hier gaben die inneren Freiheitsgrade der Atome keinen Beitrag. Bei einigen Stoffen, wie Diamant, Be, Al, war $3R$ nur der Grenzwert für hohe Temperaturen (E. H. WEBER 1875).

Elektronen

Die Erscheinungen, die man damals unter dem Stichwort „Elektrizitätsdurchgang durch Gase" zusammenfaßte, gaben neue Hinweise. Um 1860 konnte man zuverlässig mit Kathodenstrahlen experimentieren. Die Ablenkung durch einen Magneten wie die Aufladung eines Elektroskops zeigten bald, daß die Kathodenstrahlen negative Ladung führen. Besonders wichtig wurde die Bestimmung von e/m durch E. WIECHERT und J. J. THOMSON (1897) mit Hilfe der Ablenkungen oder Beschleunigungen im elektrischen und magnetischen Feld. Im elektrischen Feld gilt für die Krümmung von Bahnen

$$eE = \frac{mv^2}{r},$$

für die Geschwindigkeitsänderung in Feldrichtung

$$eU = \Delta \frac{mv^2}{2};$$

man konnte so die Größe e/mv^2 bestimmen. Für die Krümmung im Magnetfeld gilt

$$eBv = \frac{mv^2}{r};$$

man konnte damit e/mv bestimmen, mit beiden Feldern zusammen also e/m. Später konnte v auch direkt gemessen werden. Nahm man für e das elektrische Elementarquantum, so ergab sich für m etwa 1/2000 der Masse des leichtesten Atoms. Beim Elektrizitätsdurchgang durch Gase entstanden auch Strahlen mit positiver Ladung, ihr Verhältnis e/m deutete aber immer auf Massen von Atomen hin.

Negative Elektrizität wird durch sehr leichte Korpuskeln übertragen; die positive Elektrizität schien mit den Atommassen unlösbar verbunden zu sein.

Daß diese leichten Teilchen, die man später Elektronen nannte, auch Bausteine des Atoms wären und daß ihre Bewegungen mit den

Frequenzen der Linienspektren zusammenhingen, lag nahe. Bestätigt wurde diese Annahme durch eine e/m-Bestimmung der Träger von Spektrallinien. 1897 entdeckte P. ZEEMAN die Aufspaltung von Spektrallinien, wenn die Atome sich in einem Magnetfelde befanden. Er fand zunächst das, was man später den normalen Zeeman-Effekt nannte. H. A. LORENTZ erklärte ihn im gleichen Jahre. Vergleicht man die Bewegungsgleichung im Magnetfeld (Ladung $-e$)

$$m\ddot{\boldsymbol{x}} = \boldsymbol{F} + e\boldsymbol{B} \times \dot{\boldsymbol{x}},$$

wo $\boldsymbol{F}$ eine nichtmagnetische Kraft ist, mit der Bewegungsgleichung in einem rotierenden Bezugssystem

$$m\ddot{\boldsymbol{x}} = \boldsymbol{F} - 2m\boldsymbol{\omega} \times \dot{\boldsymbol{x}},$$

so sieht man, daß man eine magnetische Kraft durch eine gleichförmige Drehung

$$\omega = \frac{eB}{2m}$$

wegtransformieren kann. Die periodische Bewegung von Teilchen im Atom erhält also im Magnetfeld eine zusätzliche Präzession, die sich in einer Aufspaltung der Frequenzen äußert. Aus der gemessenen Zeeman-Aufspaltung ($\sim B$) konnte daher LORENTZ e/m bestimmen. Er fand den gleichen Wert und das gleiche negative Vorzeichen wie THOMSON bei Kathodenstrahlen.

Die Träger der Spektrallinien sind also Teilchen mit gleichem Wert e/m wie die Teilchen der Kathodenstrahlen. Die Spektrallinien entsprechen Bewegungen von Elektronen im Atom. Allerdings fehlte der Beitrag dieser Elektronen in der spezifischen Wärme.

Als nun einigermaßen sicher war, daß das Elektron ein Baustein des Atoms ist, wurden entsprechende Atommodelle aufgestellt, Modelle aus einer positiven Ladung und einer Anzahl Elektronen. Es gab Modelle mit punktförmiger und solche mit stetig verteilter positiver Ladung. Von letzteren hielt sich eine Weile das von W. THOMSON 1902 aufgestellte und von J. J. THOMSON genauer untersuchte Modell. Letzterer suchte stabile Verteilungen von Elektronen in der positiven Ladung und konnte wenigstens eine Andeutung machen, wie etwa die Homologie von Elementen und die Valenzzahl mit der Anordnung von Elektronen in verschiedenen Ringen verstanden werden könnten. So wurde die Anzahl der Elektronen wesentlich für die chemischen Eigenschaften der Elemente. J. J. THOMSON schätzte diese Anzahl aus der Streuung von Röntgenstrahlen an Atomen und fand sie ungefähr gleich dem Atomgewicht. Aber das gab ja keineswegs ein widerspruchsfreies Bild vom Atom. Denn viele Atome zeigten ja schon in Absorption, also in energetisch tiefen Zuständen, eine Zahl von Spektralfrequenzen, die weit über die Zahl der möglichen Frequenzen eines so einfachen Modells hinausging. Dagegen war die Stabilität des Thomsonschen Atommodells noch kein drängendes Problem; vielmehr wurde sie auf die noch nicht verstandene Anordnung der positiven Ladung abgeschoben.

P. Lenard benutzte die Kathodenstrahlen als Sonden für das Atom. Er fand (1903), daß rasche Elektronen ziemlich ungehindert die Atome durchdringen. Er betrachtete darum den Raum eines Atoms im wesentlichen als leer von Materie und als ein System von Kraftfeldern.

Atomkern

Nach der heutigen Auffassung besteht das Atom aus dem Kern und der Elektronenhülle, und wir können deutlich Vorgänge im Kern und in der Hülle unterscheiden. Wie kam das?

Mit der Entdeckung der Radioaktivität durch H. Becquerel (1896) trat ein Phänomen auf, das sich später als Äußerung der Atomkerne erwies. Nach Unterscheidung der verschiedenen radioaktiven Strahlen (α, β, γ), z. T. noch durch Becquerel selbst, und nach Isolierung der Elemente Ra und Po durch Marie Curie war es vor allem E. Rutherford, der Ordnung in die Erscheinungen brachte. Er erkannte, daß es sich um eine Umwandlung von Elementen handelte, daß die α-Strahlen aus ionisierten He-Atomen bestanden, und er stellte mit F. Soddy die Umwandlungsreihen der radioaktiven Elemente auf.

In den Jahren 1909–1911 experimentierten Rutherford und seine Mitarbeiter mit α-Strahlen, insbesondere benutzten sie sie als Sonden für das Atom. Nachdem H. Geiger und E. Marsden dabei die starke Ablenkung einzelner α-Teilchen gefunden hatten, was auf ein starkes Kraftfeld im Atom hindeutete, konnte Rutherford 1911 die Messungen der Ablenkung durch die einfache Hypothese erklären, daß ein Atom aus einem sehr kleinen positiv geladenen Kern und einer Anzahl Elektronen bestünde. In den Diskussionen, die sich daran anschlossen und an denen sich auch N. Bohr beteiligte, lernte man, Kernphänomene (wie die Radioaktivität) und Hüllenphänomene (wie das chemische Verhalten und die optischen Spektren) zu trennen.

Wegen der Unteilbarkeit der Elementarladung e konnte es nur Kerne mit den Ladungen e, $2e \ldots Ze \ldots$ geben. Es tauchte so die verlockende

Aussicht auf, daß ein Atom durch den einzigen Parameter Z gekennzeichnet werde und daß die Eigenschaften eines Elements durch ihn bestimmt seien, ein Gedanke, der den jungen N. BOHR faszinierte.

Atomspektren

Das weitaus größte Beobachtungsmaterial von Atomeigenschaften lieferten die Linienspektren der Elemente. Das fundamentale Gesetz, daß eine Spektralfrequenz die Differenz zweier „Terme" sei,

$$\nu = F(n_1, l_1 \ldots) - F(n_2, l_2 \ldots), \tag{1}$$

und daß das System der Terme F einfacher sei als das der Frequenzen, schälte sich dabei allmählich heraus.

1883 fand W. HARTLEY Gesetzmäßigkeiten, als er nicht die Wellenlängen λ, sondern die Wellenzahlen $1/\lambda \sim \nu$ betrachtete. 1885 schrieb J.J. BALMER die Wellenlängen von vier Wasserstofflinien in der Form

$$\lambda = \frac{C n^2}{n^2 - 4};$$

C. RUNGE schrieb dafür

$$\frac{1}{\lambda} = \frac{B}{4} - \frac{B}{n^2}.$$

„Linienserien" anderer Elemente stellte er durch

$$\frac{1}{\lambda} = A - \frac{B}{n^2} + \frac{C}{n^4} + \cdots$$

oder auch durch

$$\frac{1}{\lambda} = A + \frac{B}{n} + \frac{C}{n^2} + \cdots$$

dar. 1888–1892 kamen dann genaue Messungen von H. KAYSER und C. RUNGE der Linienserien der Elementreihen: Na, K, Rb, Cs; Mg, Ca, Sr, Ba; Zn, Cd, Hg; Cu, Ag, Au; Al, In, Tl; Sn, Pb; As, Sb, Bi. RUNGE und F. PASCHEN fügten 1895–1897 O, S, Se sowie He zu. 1889 schrieb J.R. RYDBERG die Wellenzahlen der Spektralserien in der Form

$$\frac{1}{\lambda} = A - \frac{R}{(n - \alpha)^2}$$

$$\frac{1}{\lambda} = \frac{R}{(n_1 - \alpha_1)^2} - \frac{R}{(n_2 - \alpha_2)^2}.$$

Darin war das Kombinationsprinzip (1) der Spektren enthalten, aber zugleich mit einer speziellen Formel, die nur genähert galt. Dies und der Umstand, daß RYDBERG seine Feststellungen mit weitgehenden Spekulationen verband, mögen verhindert haben, die grundsätzliche Bedeutung des Kombinationsprinzips zu erkennen. Jedoch, 1893 trug man zusammengesetzte Tripletts in quadratische Schemata ein, wobei untereinander und nebeneinanderstehende Paare von Linien gleiche $1/\lambda$-Differenz hatten. 1896 betonte A. SCHUSTER, daß die Differenz der Grenzterme der s- und p-Serien, die RYDBERG

$$\frac{1}{\lambda}=A-\frac{R}{(n-s)^2}$$

$$\frac{1}{\lambda}=B-\frac{R}{(n-p)^2}$$

geschrieben hatte, wieder eine Spektrallinie ergaben, und zwar genauer als es RYDBERGS Schreibweise

$$\frac{R}{(2-p)^2}-\frac{R}{(n-s)^2}$$

$$\frac{R}{(2-s)^2}-\frac{R}{(n-p)^2}$$

entsprach. Um 1900 wurden ganze Spektren in rechteckige Schemata mit neben- und untereinanderstehenden gleichen $1/\lambda$-Differenzen geschrieben.

Um 1900 haben die Spektroskopiker das Kombinationsprinzip als Ordnungsprinzip benutzt.

Erst 1908 wurde es von W. RITZ ausdrücklich formuliert. F. PASCHEN fand damals im Ultraroten zahlreiche Linien, die dem Prinzip entsprachen, auch die Wasserstoffserie $1/\lambda=R/9-R/n^2$. Man versuchte damals auch theoretische Deutungen des Wasserstoffspektrums

$$\frac{1}{\lambda}=\frac{R}{m^2}-\frac{R}{n^2};$$

sie waren jedoch sehr künstliche Modelle.

Um 1913 erschien eine Erklärung der optischen Spektren der Elemente noch ziemlich hoffnungslos.

Um jene Zeit wurden die Röntgenspektren erforscht. Die 1895 entdeckten Röntgenstrahlen, die beim Abbremsen von Kathodenstrahlen entstehen, hielt man für „elektromagnetische Impulse", also Wellen kurzer räumlicher und zeitlicher Erstreckung und damit unscharfer Frequenz. Man fand bald, daß ihr Durchdringungsvermögen, ihre „Härte" mit zunehmender Abbremsspannung U stieg. J.J. THOMSON schloß aus Rechnungen über Streuung und Absorption dieser Strahlen, daß ihre effektive Frequenz mit der Härte zunehme, so daß eine Beziehung $\nu \sim U$ angedeutet war. Die von LAUE und den beiden BRAGG 1912 gefundenen Interferenzen erlaubten die Messung von Wellenlängen; man fand Absorptionskanten und Emissionslinien. H.G.J. MOSELEY untersuchte dann die den chemischen Elementen charakteristischen Linien, fand sie für alle Elemente ähnlich, nur von Element zu Element verschoben. Für die Linienserie, die man später K-Serie nannte, konnte er

$$\nu \sim (Z-1)^2$$

angeben, wo Z die Nummer des Elements in der Reihenfolge des Periodensystems war, bald darauf für die anderen Serien

$$\nu \sim (Z-\sigma)^2,$$

wo σ für die Serie (K, L, M) charakteristisch war. Vor der Veröffentlichung haben MOSELEY und BOHR miteinander gesprochen. MOSELEY fiel 1915 im Kriege.

Die Moseleyschen Gesetze legten die „Atomnummer" Z und die Periodenlängen 2, 8, 8, 18, 18, 32 *endgültig fest, eine sehr wichtige Feststellung.*

Unstimmigkeiten

Mit der Betrachtung der Spektren sind wir schon in das Zeitalter der Quantentheorie gerückt, die dann 1913 mit den Spektren verknüpft wurde. Kehren wir aber zur Jahrhundertwende zurück, so müssen wir feststellen, daß die Erfahrungen über den Bau der Atome kein einheitliches Bild lieferten. Schon innerhalb der Chemie entstand keine überzeugende einheitliche Vorstellung von der Natur der chemischen Kräfte. Man konnte annehmen, daß die Elektronen eine Rolle im Bau der Atome spielten und daß ihre Bewegungen mit den Spektren zusammenhingen; aber zwischen den Atommodellen und den Gesetzen der Spektren konnte kein Zusammenhang hergestellt werden. Eine weitere Schwierigkeit boten die spezifischen Wärmen und der Photoeffekt.

Die theoretische Mechanik, Elektrodynamik und Thermodynamik haben im 19. Jahrhundert eine bemerkenswerte Geschlossenheit erreicht, und man glaubte, das Wesentliche der Physik bald erfaßt zu haben. Doch gab es Wolken vor diesem Bilde. LORD KELVIN sprach 1901 von diesen Wolken. Neben der Bewegung der Körper durch einen Äther, der sich wie ein fast starres System verhielt, war es der Umstand, daß die spezifischen Wärmen der Körper kleiner waren, als es der statistischen Physik entsprach, und zwar bei Gasen und bei festen Körpern. Die starke Abnahme der spezifischen Wärme bei tiefen Temperaturen war damals noch nicht bekannt.

Ein ähnliches Versagen der statistischen Physik hatte 1900 RAYLEIGH bei der Strahlung der Körper festgestellt. Er hatte vorher die Verteilung der Eigenschwingungen bei 1-, 2- und 3dimensionalen Kontinua theoretisch untersucht und im Dreidimensionalen die Zahl dieser Eigenschwingungen im Intervall $\mathrm{d}\nu$ proportional $\nu^2\,\mathrm{d}\nu$ gefunden. Da die statistische Theorie für jede Eigenschwingung die mittlere Energie kT ergab, hätte die im Intervall $\mathrm{d}\nu$ der Strahlung übertragene Energie

$$w\,\mathrm{d}\nu \sim \nu^2\,k\,T\,\mathrm{d}\nu$$

sein müssen. Diese Rayleighsche Strahlungsformel entspricht aber gar nicht der Wirklichkeit, in der bei höheren ν-Werten die Energiedichte wieder abnimmt. Der Gleichverteilungssatz der statistischen Mechanik versagte also auch bei der Strahlung.

1902 deutete LENARD die bei Auftreffen von Licht auf Metallflächen gefundenen elektrischen Erscheinungen als Austritt von Elektronen, und er fand, daß die Geschwindigkeit der Elektronen nur von der Frequenz, nicht von der Intensität des absorbierten Lichtes abhing. Schon ganz geringe Intensitäten reichten zur Auslösung von Elektronen, wenn nur die Frequenz hoch genug war. Bei der Auslösung von Sekundärelektronen durch Röntgenstrahlen zeigte sich entsprechendes. Das war energetisch schwer zu verstehen. Man kam auf den Gedanken: die Energie der Elektronen stammt nicht aus der der Strahlung, sondern wird durch die Strahlung nur ausgelöst (LENARD), und auf die andere Auffassung: die Energie ist in der Strahlung ungleichmäßig verteilt (W. WIEN u.a.).

12. QUANTENTHEORIE UND TIEFTEMPERATURPHYSIK

Rolle von h

Um 1900 waren eine Reihe von Erscheinungen bekannt, die nicht nur aus der Hypothese des Atomismus eine gesicherte Tatsache machten, sondern auch mancherlei Hinweise auf den Bau des Atoms gaben. Sie ließen sich jedoch nicht zu einem einheitlichen und überzeugenden Bilde vom Atom zusammenfügen. Die Situation wurde damals nicht so dramatisch empfunden, wie sie im Rückblick aussieht. Im Rückblick möchte man sagen: die Zeit rief nach einer neuen Synthese. Die neue Synthese geschah dann in den Jahren 1900–1927 in der Quantentheorie, der Theorie des elementaren Wirkungsquantums h. Sie führte zu einer neuen unerwarteten Art, die einfachen Naturerscheinungen zu beschreiben. Sie ermöglichte eine Theorie der Stoffeigenschaften und verband so die Chemie mit der Physik. Sie ist heute ein zentrales Gebiet dieser beiden Wissenschaften.

Wie ein Physiker heute mit der Größe $h = 2\pi\hbar$ umgeht, daran mögen einige Gleichungen erinnern:

$$\varepsilon = h\nu \tag{1}$$

$$\Phi = \oint p\,\mathrm{d}x = hn \tag{2}$$

$$me^2 a = \hbar^2 \tag{3}$$

$$\nu = \frac{E(n+\tau) - E(n)}{h} \approx \tau \frac{\mathrm{d}E}{\mathrm{d}\Phi} \tag{4}$$

$$E, \boldsymbol{p} = \hbar(\omega, \boldsymbol{k}) \tag{5}$$

$$\mathrm{i}(pq - qp) = \hbar \tag{6}$$

$$-\frac{\hbar^2}{2m}\Delta\Psi + V\Psi - \mathrm{i}\hbar\dot{\Psi} = 0 \tag{7}$$

$$\Delta p \Delta q \approx \hbar. \tag{8}$$

Die Gleichungen sind jeweils Ausdruck wichtiger Einsichten: (1) ist die Größe des Energiequants für den harmonischen Oszillator; mit ihr leitete PLANCK eine richtige Formel für die Strahlung im Temperaturgleichgewicht ab, wegen ihrer allgemeinen Aussage mußte die Konstante h eine weit über das Modell des Oszillators hinausgehende fundamentale Bedeutung haben. Eine Verallgemeinerung des Ansatzes (1) führte zur „Quantenbedingung" (2) für periodische Systeme; sie zeigt h als naturgegebene (nicht willkürliche) Einheit für die Abzählung von Fällen in der Statistik; h unterscheidet damit die Quantenstatistik von der klassischen Statistik. Nach (3) bestimmt h die Größe des einfachsten Atoms. h ist der Schlüssel zum Verständnis des Atoms, und (4) vergleicht die quantentheoretische Frequenz mit dem klassischen Ausdruck der Frequenz eines einfach periodischen Systems. Weiter beschreibt h den Dualismus Teilchen–Welle bei Licht und Materie; in (5) werden die Teilchengrößen Energie und Impuls den Wellengrößen Frequenz und Wellenzahl gegenübergestellt und in anschaulich nicht beschreibbarer Weise verknüpft. In (6) und (8) begrenzt h in deutlicher Weise die anschauliche Beschreibbarkeit der Vorgänge. Die Schrödinger-Gleichung (7) kann zunächst als Feldgleichung gelesen werden; aber sie macht Aussagen über ein Teilchen.

h wurde in den Jahren 1900–1927 als fundamentale Naturkonstante von immer umfassenderer Bedeutung erkannt.

Heutzutage benutzt man als Zugang zur Quantentheorie meist den Dualismus von Licht und Materie. Anwendungen sind dann die Erklärung von Stabilität und Bau der Atome und die Deutung der Atomspektren, insbesondere des Kombinationsprinzips (Abschnitt 11), weiter die Erscheinungen bei tiefen Temperaturen. Historisch ist es umgekehrt zugegangen: die Geschichte begann 1900 mit Tieftemperaturphysik; denn den Abfall der Strahlungsintensität in einem heißen Hohlraum nach hohen Frequenzen hin dürfen wir so nennen. 1913 erst wurde das fundamentale Kombinationsprinzip der Spektren und die Balmer-Formel des Wasserstoffspektrums ausgenutzt; die konsequente Beachtung des Kombinationsprinzips führte 1925 zur ersten streng gültigen Fassung der Quantenmechanik. 1923 wurde das Lichtquant ernst genommen und die Materiewelle hypothetisch eingeführt und 1926 mit dieser Wellenvorstellung eine zweite Fassung der Quantenmechanik geschaffen. Dann folgte rasch das physikalische Verständnis der mathematischen Formalismen als Ausdrücke des Dualismus Welle–Teilchen. Wir können darum die geschichtliche Entwicklung in der Reihenfolge: Tieftemperaturerscheinungen, Kombinationsprinzip der Spektren, Dualismus bei der Materie verfolgen[1].

Entdeckung der fundamentalen Konstanten h

Die um 1900 anstehenden wichtigen Fragen der theoretischen Physik waren das Verständis der geringen spezifischen Wärmen und die Erklärung der chemischen Eigenschaften und der Spektren durch das Verhalten der Elektronen im Atom. Das Wirkungsquantum h hat diese Fragen beantwortet. Entdeckt aber wurde es an einer mit der spezifischen Wärme verwandten Erscheinung, der Hohlraumstrahlung. Nach W. WIENS Überlegungen von 1893 (Abschnitt 8) sollte die im Frequenzbereich $\mathrm{d}\nu$ vorhandene Energiedichte der Strahlung sich in der Form

$$w(T, \nu)\,\mathrm{d}\nu = \nu^3 f\left(\frac{\nu}{T}\right)\mathrm{d}\nu \tag{9}$$

durch eine Funktion f einer einzigen Variablen ν/T ausdrücken lassen.

In den folgenden Jahren wurde diese Funktion sorgfältig gemessen, vor allem in der Physikalisch-Technischen Reichsanstalt in Berlin. W. WIEN fand 1896

$$w\,\mathrm{d}\nu \sim \nu^3\,\mathrm{e}^{-\frac{b\nu}{T}}$$

(er schrieb die Formel mit λ) mit seinen Messungen im Einklang, und er deutete die Formel als Maxwellsche Verteilung von Molekeln, deren Geschwindigkeit eindeutig mit λ (oder ν) zusammenhing. M. PLANCK versuchte 1899 eine Theorie der Wienschen Formel, indem er einen bestimmten einfachen Ansatz (mit zwei Parametern a und b) für die Entropie eines harmonischen Oszillators als dem Modell des Strahlung emittierenden und absorbierenden Mechanismus machte, der auf

$$w = \frac{8\pi}{c^3}\,a\,\nu^3\,\mathrm{e}^{-\frac{b\nu}{T}} \tag{10}$$

führte. Er glaubte damit eine theoretische Begründung für die Wiensche Formel erbracht zu haben. Da die Strahlung von der Natur der beteiligten Stoffe unabhängig war, sah PLANCK die Größen a und b als fundamentale Konstanten an; sie hießen später h und h/k. Zusammen mit Gravitationskonstante und Lichtgeschwindigkeit sah er so vier „natürliche

[1] Im folgenden wird nur auf die Hauptlinien der Entwicklung eingegangen. Eine ausführliche Darstellung habe ich in einem besonderen Band gegeben: Geschichte der Quantentheorie. 2. Aufl. Mannheim 1975.

Einheiten". Er sagte noch nicht: die wirkliche Welt verträgt keine Ähnlichkeitstransformation, und die vier Konstanten bestimmen die Ausmaße der Naturdinge. Dafür wären die vier ja auch nicht recht geeignet; man legt besser h, k, m (Elektronmasse) und e zugrunde, was man ja später auch getan hat.

Als genauere Messungen zeigten, daß die Wiensche Formel für kleine ν nicht richtig war, änderte PLANCK seinen Ansatz für die Entropie der Oszillatoren etwas ab und erhielt so seine Strahlungsformel (1900). Er ging nun sofort daran, eine statistische Erklärung für jenen Entropieansatz zu finden. Ähnlich wie BOLTZMANN die kanonische Verteilung von Partikeln auf Zustände mit den Energien $0, \varepsilon, 2\varepsilon \ldots n\varepsilon \ldots$ vorgenommen hatte, so verteilte PLANCK Oszillatoren auf Energiestufen $n\varepsilon$. Er verteilte also nicht unabhängige Energiequanten ε so auf die Oszillatoren, wie es im Sinne BOLTZMANNS gewesen wäre (diese Boltzmannsche Statistik von Energiequanten hätte die Wiensche Strahlungsformel ergeben; PLANCKS Statistik, die der späteren Bose-Statistik entsprach, ergab eben die Plancksche Strahlungsformel). Wegen des Wienschen Verschiebungsgesetzes (9) mußte er sein Energiequant $\varepsilon \sim \nu$ setzen, wofür er

$$\varepsilon = h\nu$$

schrieb.

h erschien jetzt als Konstante rätselhafter Natur im Verhalten des harmonischen Oszillators. Wegen der Unabhängigkeit der Hohlraumstrahlung von der speziellen Art der Erzeugung mußte h aber umfassendere Bedeutung haben; es mußte zu den fundamentalen Naturkonstanten gehören.

Einen Widerhall fand PLANCKS Theorie der Hohlraumstrahlung erst von 1905 ab. Lord RAYLEIGH und J.H. JEANS diskutierten seine Überlegung im Vergleich zur klassischen Statistik, die ja zu $w \sim \nu^2 kT$ führte, und stellten eben fest, daß die klassische Statistik hier nicht anwendbar war. A. EINSTEIN kam 1905 durch eine thermodynamische Analyse der Wienschen Formel auf die Hypothese der Lichtquanten mit der Energie $h\nu$, und er legte sich 1906 PLANCKS Theorie so zurecht: dieser „hat die Lichtquantenhypothese eingeführt". H.A. LORENTZ faßte die Schwierigkeit 1908 etwa so zusammen: JEANS' (und RAYLEIGHS) Theorie ist verständlich, aber falsch; PLANCKS Theorie ist richtig, aber unverständlich. Eine kurze durchsichtige Ableitung der Planckschen Strahlungsformel gab P. DEBYE (1910): RAYLEIGHS Abzählung der Eigenschwingungen eines strahlenden Hohlraumes ergab als Zahl der Fälle solcher Schwingungen

$$Z(\nu)\,d\nu = \frac{8\pi}{c^3}\,\nu^2\,d\nu,$$

und die mittlere Energie einer Schwingung war (wegen $E = h\nu n$):

$$\bar{E}(T,\nu) = \frac{\sum_n h\nu n\,\mathrm{e}^{-\frac{h\nu n}{kT}}}{\sum_n \mathrm{e}^{-\frac{h\nu n}{kT}}} = \frac{h\nu}{\mathrm{e}^{\frac{h\nu}{kT}} - 1}.$$

So lieferte

$$w(T,\nu)\,\mathrm{d}\nu = Z(\nu)\,\bar{E}(T,\nu)\,\mathrm{d}\nu$$

die Plancksche Formel:

$$w(T,\nu) = \frac{8\pi}{c^3}\,\frac{h\nu^3}{\mathrm{e}^{\frac{h\nu}{kT}} - 1}.$$

Tiefe Temperaturen

Man wußte, daß die Dulong-Petitsche Regel für die spezifische Wärme der Metalle – $3k$ je Atom – im Grenzfall höherer Temperatur galt; bei tiefen Temperaturen, bei Al und erst recht bei Diamant schon bei Zimmertemperatur, lag der Wert der spezifischen Wärme darunter. Der 1905 von W. NERNST entdeckte neue Wärmesatz besagte allgemein, daß bei Annäherung an den Nullpunkt der thermodynamischen Temperaturskala die spezifische Wärme gegen null ginge. EINSTEIN sah 1907 dèn Zusammenhang mit der Quantentheorie: Der Energieinhalt einesSystems von Oszillatoren der Frequenz ν und der Energiestufen $h\nu n$, je Oszillator im Mittel

$$\bar{E} = \frac{h\nu}{\mathrm{e}^{h\nu/kT} - 1}$$

(für hohe Temperaturen kT, für tiefe $h\nu\,\mathrm{e}^{-h\nu/kT}$) zeigte solchen Abfall der spezifischen Wärme ($\sim \mathrm{d}E/\mathrm{d}T$). Idealisierte man nun einen festen Körper aus gleichen Atomen etwas grob durch ein System von Oszillatoren (3 je Atom) einheitlicher Frequenz ν, so war der Nernstsche Satz erfüllt; man erhielt für höhere Temperaturen die spezifische Wärme $3k$, nach tieferen zu eine Abnahme, die um so eher einsetzte, je größer ν war. Bei leichten Atomen waren höhere Frequenzen zu erwarten; die niedrige spezifische Wärme des Diamants war zu verstehen. Freiheitsgrade der Schwingung „froren ein", um so mehr, je niedriger T/ν war. Der Abfall der Intensität in der Hohlraumstrahlung nach hohen ν/T hin, waren dieselbe Erscheinung. Die Quantentheorie war jetzt aus dem engen Bereich der Strahlung gelöst; aber sie war immer noch Quantentheorie des harmonischen Oszillators.

In jenen Jahren der beginnenden experimentellen Tieftemperaturphysik zeigte sich auch, daß die spezifische Wärme der zweiatomigen Gase bei tiefen Temperaturen unter den Regelwert $5/2\,k$ je Molekel – absank. NERNST, der solche Messungen anstellte, war von einem Zusammenhang mit der Quantentheorie überzeugt, und er regte den ersten Solvay-Kongreß von 1911 an, der der Quantentheorie gewidmet wurde. NERNSTS dringende Frage nach dem quantentheoretischen Verhalten einer zweiatomigen Molekel, die er auf dem Kongreß stellte, führte dann die Quantentheorie über den harmonischen Oszillator hinaus.

h als Maßeinheit in der statistischen Physik

PLANCK sah 1905–1906, daß die Energien $E = h\nu n$ des harmonischen Oszillators Zuständen entsprechen, für die $\Phi = hn$ ist. Φ ist dabei die (schon in der statistischen Physik – Abschnitt 10 – vorkommende) „Phasenausdehnung", die Fläche in der x, p- (Ort-Impuls-)Ebene, die der Bildpunkt der Bewegung in einer Schwingungsperiode umfährt. 1911 rückte er diesen Gesichtspunkt in den Vordergrund.

Jeweils ein Kontinuum von Zuständen der Phasenausdehnung h wird durch einen einzigen Fall (im Sinne der statistischen Physik) ersetzt.

Nach der Messung der spezifischen Wärme von Gasen bei sehr tiefen Temperaturen war, wie wir sahen, die Frage nach der Quantentheorie des Rotators als Modell einer Molekel und die Verallgemeinerung des Planckschen Ansatzes akut geworden, und auf dem „Solvay-Kongreß" 1911 stellte auf NERNSTS Frage hin F. HASENOHRL $\Phi = hn$ als allgemeine Anweisung hin (wie es Abb. 26 angibt). Er kam zwar beim Rotator nicht gleich auf den richtigen Weg, indem er ihn nicht als System mit einem Freiheitsgrad behandelte; aber kurz nach dem Solvay-Kongreß gab er für einen periodischen Mechanismus mit einem Freiheitsgrad die dann für über ein Jahrzehnt gültige Anweisung: Wegen des Zusammenhanges der drei einen Zustand kennzeichnenden Variablen E, $\nu(E)$, $\Phi(E)$

$$\nu = \frac{\mathrm{d}E}{\mathrm{d}\Phi}$$

kann man bei bekanntem $\nu(E)$ die Quantenzustände aus

$$\Delta\Phi = \int_{E_n}^{E_{n+1}} \frac{\mathrm{d}E}{\nu(E)} = h$$

oder

$$\Phi = hn$$

berechnen.

h war nun naturgegebene Einheit für die Abzählung von Fällen bei periodischen Systemen.

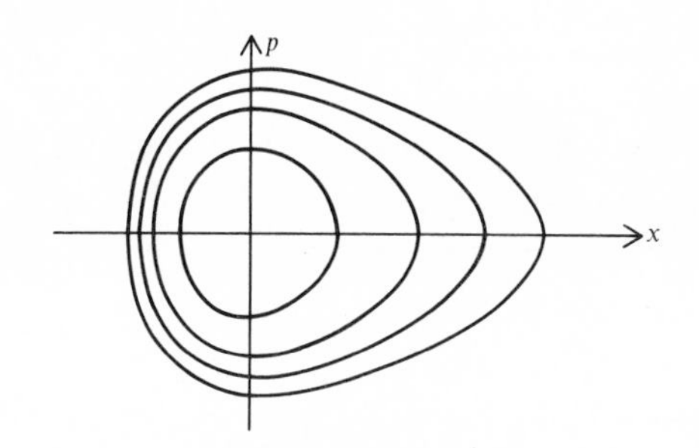

Abb. 26. Phasengebiete h

Planck bemerkte, daß der Nernstsche Wärmesatz von 1905 der additiven Konstanten in der Entropie einen bestimmten Wert erteilt, daß also in $S = k \ln W$ die Größe W keinen willkürlichen Faktor enthält und die Phasenausdehnung eine natürliche Einheit hat. 1912 sah man, daß auch für Systeme mit Translationsbewegungen h die natürliche Einheit ist. Mit

$$S = k \ln \frac{\Phi}{h^f}$$

bei f Freiheitsgraden erhielten O. Sackur und H. Tertrode die richtigen Werte der Entropie von Gasgemischen. 1913 war so eine Quantenstatistik entstanden, die Strahlungsformel, spezifische Wärmen, Gasgleichgewichte und Nernstschen Satz verstehen ließ. Irrwege wurden noch gegangen, wie etwa der Ansatz

$$E(n) = h\,\nu(E)\,n$$

(statt $\mathrm{d}E = \nu\,h\,\mathrm{d}n$). Die richtige Formel für den Rotator, die mit dem Drehimpuls (gemäß $\Phi = 2\pi P$),

$$P = \frac{h}{2\pi}\,n,$$

gelang erst P. Ehrenfest 1913.

h war nicht nur bei einem Problem der statistischen Physik entdeckt worden, sondern die Quantentheorie wurde auch zunächst als Quantenstatistik weitergebildet. In Wirklichkeit ist sie aber eine Abänderung der nichtstatistischen Physik, eigentlich schon der Kinematik.

13. QUANTENTHEORIE ALS ATOMDYNAMIK

In ihrer frühen Phase (1900–1913) war die Quantentheorie weitgehend eine Erklärung der Erscheinungen bei tiefen Temperaturen. Sie zeigte, daß in der statistischen Theorie der Wärme die Fälle etwas anders abgezählt werden mußten, als nach dem der klassischen Mechanik angepaßten Verfahren von BOLTZMANN. Daß der Haupterfolg der Quantentheorie schließlich darin bestand, daß sie das Atom sowohl als Einheit wie auch als System denkmöglich machte und damit auch die Stoffeigenschaften erklären konnte, trat in der zweiten Phase zutage.

h und das Atom

In den ersten Jahren der Quantentheorie lag schon die Ansicht nahe, daß das elementare Wirkungsquantum eine sehr allgemeine Bedeutung habe. Wir finden da (J. STARK 1908) die Ansicht, daß h so primär sei wie m und e (Elektronmasse und Elementarladung) und besonders wichtig bei Vorgängen wie Energieaufnahme oder Ionisation von Atomen, bei den Spektren und in der Photochemie. Man unterschied (STARK 1910) „Mediumdynamik" als klassische Dynamik makroskopischer Systeme von „Atomdynamik"; man unterschied (PLANCK 1911) „Physik" (im bisherigen Sinne) von „Chemie" (als Quantentheorie).

Eine direkte Verknüpfung von h mit einer atomaren Größe gab A. E. HAAS (1910). Er setzte beim damals üblichen Thomsonschen Atommodell mit einem Elektron „nach der Mechanik" die Zentripetalkraft gleich der elektrischen Kraft und die Energie „nach der Quantentheorie" gleich $h\nu$. Das erste gab eine Beziehung zwischen dem Radius a der Elektronenbahn und den Größen m, e, ν, das zweite eine Beziehung zwischen a, e, ν

$$m(2\pi\nu)^2 a^3 = e^2$$

$$h\nu a = e^2;$$

so folgte die Beziehung

$$me^2 a = \left(\frac{h}{2\pi}\right)^2.$$

Sie zeigte, daß die atomaren Größen m, e, a zu h passen; auch die Frequenz ν lag in der richtigen Größenordnung. War nun h eine Folge des Atomismus oder der Atomismus eine Folge von h? A. SOMMERFELD war 1911 entschieden für die zweite Möglichkeit.

h wurde eine natürliche Einheit, die zusammen mit e und m die Größe der Atome bestimmte.

Eine wirkliche Atomdynamik wurde 1913 von N. BOHR begründet.

SOMMERFELD hatte das Wirkungsquantum h als den Schlüssel zum Verständnis des Atomismus angesehen. BOHR handhabte diesen Schlüssel. Nun braucht eine große Entdeckung nicht nur einen genialen Entdecker, sondern auch die Gunst von Ort und Stunde. Für den jungen BOHR waren Ort und Stunde das Rutherfordsche Laboratorium in Manchester kurz nach Aufstellung des neuen Atommodells. Diese Modell bot die verlockende Aussicht, die Eigenschaften der Elemente aus einem einzigen Parameter Z (in der Kernladung Ze) zu erklären. Jedoch konnte das Atommodell gemäß der klassischen Physik nicht stabil sein; aus den Größen m und e allein konnte auch kein Atomradius hergeleitet werden. BOHR sah nun in h das stabilisierende Prinzip. Die Theorie des Wasserstoffatoms, mit der BOHR 1913 die Reihe seiner Abhandlungen zur Atomdynamik eröffnete, war sehr verallgemeinerungsfähig; sie enthielt im Grunde schon das später so genannte Korrespondenzprinzip.

Korrespondenzprinzip

Die Vorstellung einer einfach periodischen Bewegung zeigt eine „Grundfrequenz“ ν, die im allgemeinen von der Energie abhängt, und ihre ganzzahligen Vielfachen

$$\tau \nu(E) \tag{1}$$

als „Oberfrequenzen“. Das ist klassische Physik, sogar klassische Kinematik. Das Kombinationsprinzip der Spektren (Abschnitt 11) zeigt jedoch Frequenzen, die Differenzen aus je zwei „Termen“ sind, im einfachsten Falle

$$F(n+\tau) - F(n)\,. \tag{2}$$

Das widerspricht der klassischen Kinematik. Nur im Grenzfall, wo F eine glatte Funktion und τ nicht zu groß ist, ist dies genähert

$$\tau \frac{\mathrm{d}F}{\mathrm{d}n}\,. \tag{3}$$

Nehmen wir bei einem atomaren System diskrete Energien $E(n)$ an und lassen wir n wachsen, so mag das System schließlich ein makroskopisches werden; für sehr große n und kleine τ mag der Grenzfall (3) erreicht sein. Das Kombinationsprinzip der Spektren steht also nicht im Widerspruch zum klassischen Verhalten (1), wenn man dieses nur als Grenzfall ansieht.

Speziell beim Wasserstoffatom zeigt das empirische Spektrum die Terme

$$F(n) = -\frac{Rc}{n^2} \tag{4}$$

mit der Eigenschaft

$$\frac{\mathrm{d}F}{\mathrm{d}n} \sim |F|^{3/2}. \tag{5}$$

Der Vergleich mit der Grundfrequenz

$$\nu(E) \sim |E|^{3/2} \tag{6}$$

eines nach der klassischen Theorie um den Kern laufenden Elektrons zeigt mit der nach PLANCK und EINSTEIN naheliegenden Setzung $E = hF$, daß das Wasserstoffspektrum in der Grenze großer n in das einer klassischen Bewegung übergeht.

N. BOHR erkannte und benutzte 1913 diesen Sachverhalt. Er sah die Unmöglichkeit, die Zustände tiefer Energie eines Wasserstoffatoms klassisch beschreiben zu wollen; aber er sah auch, daß der Schritt zu höheren, schließlich zu makroskopischen und daher klassischen Zuständen den Zugang zu einer Theorie ermöglichte. In der Grenze hoher n wurde die Grundfrequenz

$$\nu(E) = \frac{\mathrm{d}F}{\mathrm{d}n} = \frac{2Rc}{n^3} = -\frac{2F}{n} = -\frac{2E}{hn}$$

($E = hF$ gesetzt). Für hohe Werte von n wurde so der „Quantenansatz"

$$E(n) = -h\nu(E)\frac{n}{2} \tag{7}$$

begründet. Einsetzen der klassischen Beziehung (6) ergab dann:

$$E(n) \sim -\frac{1}{n^2}. \tag{8}$$

Mit dem in (6) zu ergänzenden durch m, e ausdrückbaren Faktor ergab sich in (8) ein Faktor, der der empirischen Rydbergschen Konstanten R

in (4) entsprach. Damit hatte der eingeschlagene Weg des Anschlusses an den makroskopisch klassischen Grenzfall sich als angemessen gezeigt. Da (8) auch für niedrige n den empirischen Termen entsprach, galt der auf diesem Wege gewonnene Quantenansatz mit der klassischen Beziehung $\nu(E)$ auch für die niedrigen Anregungszustände des Wasserstoffatoms anscheinend exakt.

Das Kombinationsprinzip der Spektren gab so einen Zugang zu einer Atomdynamik. Beim Atom mit einem Elektron verlangte die asymptotische Übereinstimmung mit der klassischen Theorie den Quantenansatz (7). *Er gab auch für kleine n das richtige Spektrum mit der empirischen Rydbergschen Konstanten.*

BOHR machte bald die Gegenüberstellung der klassischen Frequenzen eines allgemeinen periodischen Vorganges

$$\nu = \tau \frac{\mathrm{d}E}{\mathrm{d}\Phi} \tag{9}$$

mit den beobachteten, dem Kombinationsprinzip der Linienspektren entsprechenden Frequenzen

$$\nu = F(n+\tau) - F(n) \approx \tau \frac{\mathrm{d}E}{\mathrm{d}n}. \tag{10}$$

Die noch unbekannte Atomdynamik mußte nun für größere Systeme, also für große n, in die klassische Dynamik übergehen. $E = hF$ war (wie schon gesagt) eine Verallgemeinerung der Ansätze von PLANCK und EINSTEIN und wurde durch den Elektronenstoßversuch von FRANCK und HERTZ bestätigt. Die Beziehung

$$\Phi = hn,$$

die (9) und (10) asymptotisch gleichmachte, war die Hasenöhrlsche Setzung (Abschnitt 12)

$$\Phi = \int \frac{\mathrm{d}E}{\nu(E)} = hn;$$

sie führte, obwohl nur im Grenzfalle als $\mathrm{d}\Phi = h\,\mathrm{d}n$ gefordert, manchmal zu richtigen Ergebnissen, erwies sich jedoch schließlich als zu eng.

Diese Setzung sicherte also nicht nur die asymptotische Gültigkeit der klassischen Statistik, sondern auch die der klassischen Bewegung. *h war der Schlüssel zur Theorie des Atoms geworden.*

Die Ausdehnung auf mehrere Freiheitsgrade in der Form

$$\oint p_k \, \mathrm{d}q_k = h\, n_k$$

wurde besonders von A. SOMMERFELD erfolgreich gehandhabt. Die Quantisierung der Bewegung eines Elektrons in einem Coulombschen oder allgemeinen Zentralfeld vollzog er mit den den beiden Polarkoordinaten r und φ entsprechenden „Quantenbedingungen“

$$\oint p_r \mathrm{d}r = h n_r \qquad \oint p_\varphi \mathrm{d}\varphi = 2\pi p_\varphi = h n_\varphi$$

und erhielt eine von n_r und n_φ abhängige Energie $E(n_r, n_\varphi)$, die im Grenzfall des Coulombschen Feldes in den Bohrschen Wert

$$E \sim -\frac{1}{(n_r + n_\varphi)^2} = -\frac{1}{n^2}$$

überging. Die Terme der Alkalispektren konnten so als Energiezustände des äußeren Elektrons in einem kugelsymmetrischen Kraftfeld durch eine Hauptquantenzahl $n = n_r + n_\varphi$ und eine Nebenquantenzahl n_φ, später l genannt, gekennzeichnet werden.

Periodensystem der Elemente

Ein Höhepunkt der Entwicklung war BOHRS intuitive Theorie des Periodensystems der Elemente (1921–1922). Wir verstehen heute die spektroskopischen Eigenschaften und die Valenzzahl der Elemente mit der energetischen Reihenfolge der Elektronenbahnen in der Ein-Elektron-Näherung:

$$1s\; 2s\; 2p\; 3s\; 3p\; \overbrace{4s\; 3d}\; 4p\; \overbrace{5s\; 4d}\; 5p\; \overbrace{6s\; 5d\; 4f}\; 6p\; \ldots$$

und dem Abschlußprinzip, wonach s-Bahnen mit 2, p-Bahnen mit 6, d-Bahnen mit 10, f-Bahnen mit 14 Elektronen abgeschlossen sind. Wir bezeichnen etwa den Grundzustand des Cu-Atoms mit $1s^2\, 2s^2\, 2p^6\, 3s^2\, 3p^6\, 3d^{10}\, 4s$.

Daß es so etwas wie abgeschlossene Elektronenschalen gibt, wurde zuerst an den Röntgenspektren deutlich. Die Absorptionskanten (Beginn eines Kontinuums) mußten mit dem Übergang eines Elektrons aus einem diskreten Energiezustand in ein Energiekontinuum, also mit dem Entfernen eines Elektrons aus dem Inneren der Atomhülle zusammenhängen, die Emissionslinien mit dem Nachrücken eines Elektrons auf einen so freigewordenen Platz. W. KOSSEL sprach es 1916 so aus: die inneren Schalen sind gewöhnlich voll besetzt. Man sah bald, daß die Valenzzahl mit der Zahl der Elektronen zusammenhängt, die über die volle Besetzung von Schalen hinausgeht oder an ihr fehlt.

BOHR las nun aus den Atomspektren, soweit sie Serien erkennen ließen und mit den Zuständen eines einzigen Elektrons, des „Leuchtelektrons" gedeutet werden konnten, die energetische Reihenfolge und die Abschlußzahlen heraus. Erstere konnte er durch Abschätzungen plausibel machen.

Den Schritt von einem Atom zu dem mit der um 1 höheren Nummer vergegenwärtigte er sich als Einfangen eines neuen Elektrons. Zum (in heutiger Bezeichnung) 1s-Elektron im Grundzustand des H-Atoms und He^+-Ions kam im Grundzustand des He ein weiteres 1s-Elektron. Das dritte Elektron, das bei Li hinzutrat, war wenig stark gebunden; zu der bei He und Li^+ mit der Anordnung $1s^2$ abgeschlossenen „einquantigen Elektronenschale" kam bei Li ein 2s-Elektron. Der bei Li beginnende Ausbau der „zweiquantigen Schale" war dann beim Edelgas Ne mit der hochsymmetrischen Anordnung $2s^4\ 2p^4$ abgeschlossen. Die dreiquantige begann bei Na mit 3s und war beim Edelgas Ar mit $3s^4\ 3p^4$ vorläufig abgeschlossen. Vorläufig, weil 3d noch fehlte. 3d war beim nächsten Atom K schwach gebunden, der Grundterm war ein s-Term und die vierte Periode mußte bei K mit der Anlagerung eines 4s-Elektrons beginnen. Bei den Ionen Ca^+, Sc^{++}, Ti^{+++}, die mit K gleiche Elektronenanzahl haben, wird nun das Kraftfeld für das äußere Elektron immer mehr einem Coulombschen ähnlich, so daß 3d energetisch unter 4s rücken muß. So kommt es zum Einbau von 3d-Elektronen. BOHR dachte sich die so entstehende „lange Periode" bei Edelgas Kr mit der wieder hochsymmetrischen Konfiguration $1s^2\ 2s^4\ 2p^4\ 3s^6\ 3p^6\ 3d^6\ 4s^4\ 4p^4$ abgeschlossen, die folgende lange Periode bei X mit ... $4s^6\ 4p^6\ 4d^6\ 5s^4\ 5p^4$. In der jetzt folgenden „ganz langen Periode", die die seltenen Erden enthält, wurden dann 4f-Elektronen eingebaut, so daß das Edelgas Em die Konfiguration $1s^2\ 2s^4\ 2p^4\ 3s^6\ 3p^6\ 3d^6\ 4s^8\ 4p^8\ 4d^8\ 4f^8\ 5s^6\ 5p^6\ 5d^6\ 6s^4\ 6p^4$ erhielt. So kamen die Periodenlängen 2, 8, 8, 18, 18, 32 zustande. Die Abschlußzahlen glaubte BOHR durch die hohe Symmetrie der Anordnung zu verstehen, die die Zufügung eines weiteren Elektrons im Rahmen einer Korrespondenz zur klassischen Bewegung nicht mehr gestatten konnte.

Tab. 2 faßt die Abschlußzahlen als Besetzungszahlen der Elektronenschalen bei Edelgasen noch einmal zusammen.

Mit dieser großartigen Schau über das Periodensystem der Elemente, gegründet auf energetische Abschätzungen und ein mit dem Korrespondenzprinzip plausibel gemachtes Abschlußprinzip gelang BOHR ein Verständnis der Spektren und des chemischen Verhaltens der Elemente; er verstand auch das Auftreten von farbigen Ionen mit magnetischen Mo-

Tabelle 2. Besetzungszahlen bei den Edelgasen

	$n=1$	2	3	4	5	6
He	2					
Ne	2	8				
Ar	2	8	8			
Kr	2	8	18	8		
X	2	8	18	18	8	
Em	2	8	18	32	18	8

menten und mit wechselnden Wertigkeiten (mit nicht abgeschlossenen inneren d- und f-Schalen).

Es zeigte sich später, daß der Schalenabschluß mit 2, 8, 18, 32 Elektronen nicht, wie BOHR meinte, mit dem Korrespondenzprinzip zu begründen war, sondern daß ein neues Prinzip dahinter stak, das Abschlußprinzip von W. PAULI (1925).

Die weitere Entwicklung der Quantentheorie in den Jahren 1922–24 war gekennzeichnet durch die Erforschung zahlreicher Einzelheiten bei den Atomspektren, wie der anomalen Zeeman-Effekte und der Multipletts, die in das vorhandene Schema eingeordnet werden mußten. Das gab einige Verwirrung, da man zunächst nicht sah, daß die schwer einzuordnenden Befunde mehr mit dem noch nicht entdeckten Spin des Elektrons als mit den Grundlagen der Quantentheorie zu tun hatten.

Vektormodell

Geblieben ist von dieser Entwicklung, die man manchmal spöttisch „Zoologie“ der Spektren nannte, das Vektormodell des Atoms. Die „Feinstruktur“ der Spektralterme eines Atoms beschrieb SOMMERFELD, indem er für das Leuchtelektron neben der Quantenzahl n und der Drehimpulsquantenzahl l eine weitere Drehimpulsquantenzahl j einführte, die durch eine Einwirkung der übrigen Elektronen bedingt sein konnte. Auch die um 1923 in den komplizierten Spektren gefundenen höheren Multipletts ließen sich in das n, l, j-Schema einpassen; j war (nach A. LANDÉ) zunächst die Quantenzahl eines Gesamtdrehimpulses, der sich vektoriell aus dem eines Atomrestes mit der Quantenzahl r und dem des Leuchtelektrons mit der Quantenzahl l zusammensetzte. Die anomalen Zeeman-Effekte waren nur mit manchmal halbzahligen r (1/2, 3/2, 5/2 ...)

und einer magnetischen Anomalie von r einzuordnen. Da die in den Multipletts sichtbaren l-Werte schließlich nicht immer zu den angenommenen Bahnen eines Leuchtelektrons paßten, beschrieb man die Multipletts mit formalen R, L, J; R nahm bei Zufügung eines Elektrons um 1/2 zu oder ab. Schließlich wurde (H. N. Russell und F. A. Saunders) L als Resultierende von Drehimpulsen $l_1, l_2 \ldots$ der einzelnen Elektronen verstanden. Die Zustände eines Atoms, bei dem mehrere Elektronen außerhalb der abgeschlossenen Schalen zusammen wirkten, wurden so durch ein Vektormodell verständlich, bei dem ein Vektor R sich aus Beiträgen $\pm 1/2$ der Elektronen zusammensetzte (zwei Elektronen ergaben $R=0$ oder 1, drei gaben $R=1/2$ oder 3/2 usw.) und ein Vektor L aus vektoriellen Beiträgen $l_1, l_2 \ldots$ dieser Elektronen. R und L setzten sich schließlich zu J zusammen, dem Gesamtdrehimpuls (in Einheiten $\hbar$). In einem äußeren Magnetfeld war die Komponente M von J in der Feldrichtung wichtig (Abb. 27).

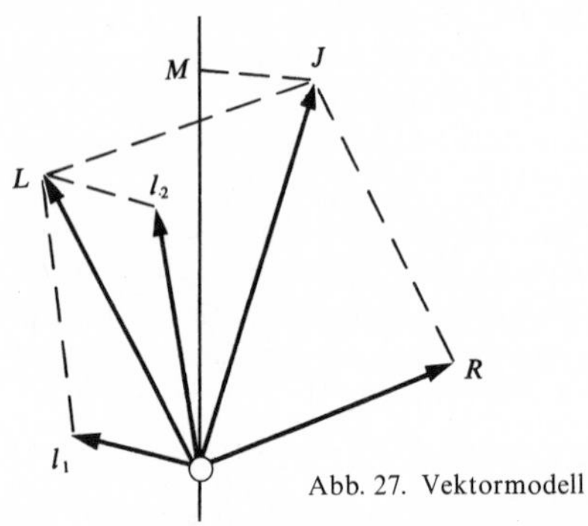

Abb. 27. Vektormodell

W. Pauli sah 1925, daß es zweckmäßig war, jedem einzelnen Elektron vier Quantenzahlen n, l, j, m oder n, l und zwei magnetische Quantenzahlen zuzuordnen. Die in den Spektren auftretenden Terme waren dann genau mit dem Prinzip verständlich, daß es zu jedem Wertsystem der vier Quantenzahlen höchstens ein Elektron gab. Bei s-Elektronen, für die man $l=0$ annahm, gab es (in späterer Bezeichnung) $m_l=0$, $m_r=\pm 1/2$, also zwei Möglichkeiten. Bei p-Elektronen, $l=1$, $m_l=1, 0, -1$, $m_r=\pm 1/2$, gab es sechs, bei d-Elektronen, $l=2$ ($m_l=2, 1, 0, -1, -2$), zehn und bei f-Elektronen vierzehn Möglichkeiten. Schalenabschlüsse waren also mit s^2, p^6, d^{10}, f^{14} erreicht, die Schalen $n=1, 2, 3, 4$ waren mit 2, 8, 18, 32 Elektronen abgeschlossen.

Aus den Möglichkeiten, die sich aus den vier Quantenzahlen eines Elektrons ergaben, lasen S. Goudsmit und G.E. Uhlenbeck noch im

Jahre 1925 heraus, daß man jedem Elektron einen Eigendrehimpuls von der Hälfte der Einheit $h/2\pi = \hbar$, einen „Spin" mit der Drehimpulsquantenzahl $s = 1/2$ und den möglichen Komponenten $m_s = \pm 1/2$ zuschreiben könne. Warum die Vektoren s der einzelnen Elektronen gewöhnlich zu einer Resultierenden S (für das bisherige R) zusammentraten, verstand man später.

Seit 1922 zweifelte man an der strengen Gültigkeit der Quantenbedingungen $\oint p_k \mathrm{d} q_k = h n_k$; man neigte zu mehr qualitativer Auffassung des Korrespondenzprinzips und suchte dann seine richtige Verschärfung. Die Hinweise aus der „Zoologie" der Spektren halfen nicht weiter; da waren Erscheinungen, die mit dem noch nicht erfaßten Spin zusammenhingen, unlösbar verwoben mit solchen, die auf die noch nicht gefundene Verschärfung deuteten. Man hatte ohne Spin eben kein angepaßtes klassisches Modell, auf das man das Korrespondenzprinzip anzuwenden hätte.

Die hier geschilderte Entwicklung der Quantenstatistik und der im wesentlichen auf das Bohrsche Korrespondenzprinzip gestützten Atomdynamik nennt man häufig die ältere Quantentheorie. Ihre Begründer sind PLANCK, EINSTEIN und BOHR. M. PLANCK (1858–1947) hatte in jungen Jahren den Begriff der Entropie verstanden und hatte ein Gespür für zentrale Fragen der Physik. So kam er nicht zufällig auf die Theorie der Hohlraumstrahlung. Er war aber kein revolutionärer Denker; er versuchte auch später, den Bruch, den das elementare Wirkungsquantum bedeutete, abzumildern. N. BOHR (1885–1962) schuf in Kopenhagen ein Zentrum der modernen Physik. Auch nach Abschluß der Quantentheorie trug er zu den Grundfragen der Physik, z. B. der der Kerne und der Elementarteilchen, wesentlich bei. Seine philosophische Art zu denken und sein Gefühl der Verantwortung für die wissenschaftliche Sprache ließen ihn weit über das Fach hinauswirken. Auch das Nichtsagbare zu sagen, versuchte er. EINSTEINS Interesse an der Quantentheorie trat bald hinter dem an der allgemeinen Relativitätstheorie und an einer einheitlichen Feldtheorie zurück. Bei A. SOMMERFELD (1868–1951) spürt man die Freude an den zahlenmäßigen Gesetzen der Natur; für ihn war die Quantentheorie „das geheimnisvolle Organon, auf dem die Natur die Spektralmusik spielt und nach dessen Rhythmus sie den Bau der Atome und der Kerne regelt" (Vorwort seines Buches). Mit der Aufstellung von Ordnungsprinzipien hat er der Quantentheorie unschätzbare Dienste erwiesen. Neben W. PAULI (1900–1958) war P. EHRENFEST (1880–1933), der immer das noch Unklare aufzuhellen versuchte, so etwas wie das Gewissen der Quantentheorie.

Verschärfung des Korrespondenzprinzips

Die gesuchte Verschärfung fand nach Vorarbeiten von H. A. KRAMERS der noch junge W. HEISENBERG im Jahre 1925. Er hatte sich vorher mit den Feinheiten der Atomspektren wie anomalem Zeeman-Effekt und Multiplettstruktur befaßt, kehrte aber jetzt zu einem sehr einfachen System zurück, zur periodischen Bewegung einer Partikel mit einem einzigen Freiheitsgrad. Eine erneute folgerichtige Anwendung des Kombinationsprinzips der Spektren führte ihn zum Erfolg. Er änderte die klassische Kinematik und Mechanik so ab, wie es das Kombinationsprinzip nahelegte.

In der klassischen Kinematik kann das Verhalten des periodischen Systems durch die Frequenzen

$$\tau\,\omega(E) \tag{9k}$$

und die Auslenkungen

$$x_\tau(E)\,\mathrm{e}^{-\mathrm{i}\tau\omega(E)t}, \tag{10k}$$

die man als Glieder einer Fourierschen Reihe ansehen mag, beschrieben werden. Für die Frequenzen (9k) gilt das triviale „Kombinationsprinzip“

$$\rho\,\omega+(\tau-\rho)\,\omega=\tau\,\omega\,. \tag{11k}$$

Dieses führt zu einer einfachen Regel für die Bildung eines Produkts. Multiplikation zweier Fourier-Reihen

$$x=\sum_\rho x_\rho\,\mathrm{e}^{-\mathrm{i}\rho\omega t} \qquad y=\sum_\sigma y_\sigma\,\mathrm{e}^{-\mathrm{i}\sigma\omega t}$$

(mit gleichem ω) ergibt wieder eine Fourier-Reihe

$$x\,y=\sum_\tau z_\tau\,\mathrm{e}^{-\mathrm{i}\tau\omega t}$$

mit

$$z_\tau=\sum_\rho x_\rho\,y_{\tau-\rho}\,. \tag{12k}$$

Das ist klassische Kinematik.

In der Quantentheorie gehört eine Frequenz zu zwei Zuständen. HEISENBERG ersetzte darum die Frequenzen (9k) durch die korrespondierenden

$$\omega(n+\tau,n)\,. \tag{9q}$$

Da auch die Amplituden eine physikalische Bedeutung haben, ersetzte er (10k) durch

$$x(n+\tau,n)\,\mathrm{e}^{-\mathrm{i}\omega(n+\tau,n)t}\,. \tag{10q}$$

An die Stelle des klassischen Kombinationsprinzips (11k) tritt jetzt das der Spektren

$$\omega(n+\rho,n)+\omega(n+\tau,n+\rho)=\omega(n+\tau,n)\,. \tag{11q}$$

Eine Zusammenfassung der Größen (10q) zu etwas, was der Fourier-Reihe entspräche, ist wegen der Symmetrie in den beiden ganzen Zahlen jetzt nicht sinnvoll. Zur Lösung von Bewegungsgleichungen hat man mit „Gesamtheiten" der Form (10q) zu rechnen. Wegen des Kombinationsprinzips (11q) wird

$$\mathrm{e}^{-\mathrm{i}\omega(n+\rho,n)}\,\mathrm{e}^{-\mathrm{i}\omega(n+\tau,n+\rho)}=\mathrm{e}^{-\mathrm{i}\omega(n+\tau,n)}\,;$$

das legt die Regel

$$z(n+\tau,n)=\sum_{\rho}x(n+\rho,n)\,y(n+\tau,n+\rho) \tag{12q}$$

als Übertragung von (12k) nahe. M. BORN erkannte darin die Multiplikation von Matrizen. Wegen des Kombinationsprinzips der Spektren werden also physikalische Größen durch Matrizen wiedergegeben und die Matrizen multipliziert.

Produkte von Matrizen sind im allgemeinen nicht kommutativ. Damit hängt zusammen, daß man noch eine Einschränkung braucht, einen ganz bestimmten Grad des Nichtkommutierens, wenn man klassische Rechnungen, wie etwa die Lösung einer Bewegungsgleichung in die Quantentheorie übertragen will. HEISENBERG fand, daß die sinngemäße Übertragung der alten Quantenbedingung

$$\frac{\mathrm{d}}{\mathrm{d}n}\oint p\,\mathrm{d}x=\frac{\mathrm{d}}{\mathrm{d}n}\oint m\dot{x}^2\,\mathrm{d}t=h$$

diese Einschränkung lieferte. Mit Fourier-Koeffizienten geschrieben kamen in der Quantenbedingung Glieder

$$\sum_{\tau}\tau\frac{\mathrm{d}}{\mathrm{d}n}\tau\omega|x_\tau|^2$$

vor, deren Übertragung mittels

$$\tau\frac{\mathrm{d}f}{\mathrm{d}n}\;\rightarrow\;f(n+\tau,n)$$

$$\tau\omega|x_\tau|^2\;\rightarrow\;\omega(n+\tau,n)\,|x(n+\tau;n)|^2$$

HEISENBERG zu einer Vorschrift führte, die M. BORN und P. JORDAN als „Vertauschungsbeziehung"

$$\mathrm{i}(px-xp)=\frac{h}{2\pi}=\hbar \tag{13}$$

schreiben konnten, wobei p und x jetzt Matrizen sind.

HEISENBERGS *Verschärfung des Bohrschen Korrespondenzprinzips bestand also in einer nochmaligen folgerichtigen Anwendung des Kombinationsprinzips der Spektren; sie führte zur Wiedergabe physikalischer Größen durch Matrizen, wobei die Matrizen von Ort und Impuls die Vertauschungsbeziehung* (13) *zu erfüllen hatten.*

Das Ergebnis der mathematischen Ausformung dieses Ansatzes durch BORN, JORDAN und HEISENBERG ließ sich so aussprechen:

In der klassischen Mechanik konnte man das Verhalten eines Mechanismus durch kanonische Variablen $p_1, p_2 \ldots, q_1, q_2 \ldots$, seine besondere dynamische Struktur durch die Hamilton-Funktion $H(p_1, p_2 \ldots q_1, q_2 \ldots)$ beschreiben. Dieses Schema erwies sich nun als der Quantentheorie besonders angemessen. Nur wurden jetzt die kanonischen Variablen durch allgemeinere mathematische Gebilde, zunächst durch Matrizen, wiedergegeben; für sie galten die „Vertauschungsbeziehungen"

$$\mathrm{i}(p_k q_l - q_l p_k) = \hbar\, \delta_{kl}. \tag{14}$$

Mechanisches Geschehen blieb auch hinfort ein Geschehen im Raume der kanonischen Variablen. Aber dieser kanonische Raum war jetzt kein (im geometrischen Sinne) gewöhnlicher $2f$-dimensionaler Raum mehr; die Koordinaten waren ja nicht mehr gemeinsam durch Zahlen angebbar.

h bestimmte die besondere Struktur des Raumes der kanonischen Variablen.

Das schwerfällige Rechnen mit Matrizen fand eine gewisse Auflockerung durch P.A.M. DIRAC, dessen „q-Zahlen" (Gebilde, für die Vertauschungsregeln gelten) geschmeidiger waren, der z.B. mit Vertauschungsregeln

$$P\mathrm{e}^{\mathrm{i}\varphi} = \mathrm{e}^{\mathrm{i}\varphi}(P + \hbar)$$

für Drehimpuls und Winkel rechnete. Man hätte damals auch die Ersetzung $p_k \to \hbar\, \partial/\mathrm{i}\, \partial q_k$ zur Erfüllung der Vertauschungsregeln (14) benutzen können; man hätte dann die Schrödingergleichung (ohne die wellentheoretische Interpretation) gehabt und bequemer rechnen können. Der Weg zu allgemeineren Formulierungen wäre auch bei dieser Entwicklung offen gewesen: Zustände als Vektoren, Observable als selbstadjungierte Operatoren im Hilbertschen Raume. Aber eine andere Entwicklung ging schneller.

14. QUANTENTHEORIE ALS AUSDRUCK DES DUALISMUS

Gegenwärtig gründet man die Quantentheorie gern auf die beiden anschaulich nicht zu vereinigenden Aspekte, den Partikel- und den Wellenaspekt von Licht und Materie; die Quantenmechanik (die ja von der Materie handelt) gründet man auf die beiden Aspekte der Materie. Der „Dualismus" Teilchen–Welle wurde 1905 und 1908 von A. EINSTEIN beim Licht erkannt, 1923 von L. DE BROGLIE auf die Materie übertragen und 1926 von E. SCHRÖDINGER für die Quantenmechanik genutzt.

Lichtquanten und Lichtwellen

Der Dualismus Teilchen–Welle steht schon in der Planckschen Strahlungsformel von 1900. PLANCK hatte sie zunächst (ohne Statistik heranzuziehen) erraten durch einen Ansatz für die Entropie eines Oszillators, der eine Vermittlung zwischen zwei leichtverständlichen Ansätzen war. Der Zustand eines so einfachen Systems ist durch den Wert E der Energie festgelegt, und die Entropie S ist eine Funktion der Energie; die Ableitung $\mathrm{d}S/\mathrm{d}E\,(=1/T)$ muß positiv sein und die zweite Ableitung $\mathrm{d}^2S/\mathrm{d}E^2$ negativ (sonst kann bei Energieaustausch zwischen zwei gleichen Systemen verschiedenen Energieinhaltes die Entropie nicht zunehmen). Drei einfache Ansätze, die dies erfüllen, sind:

$$\frac{\mathrm{d}^2S}{\mathrm{d}E^2}=-\frac{k}{E^2} \qquad \frac{\mathrm{d}S}{\mathrm{d}E}=\frac{k}{E} \qquad E=kT \tag{1}$$

$$\frac{\mathrm{d}^2S}{\mathrm{d}E^2}=-\frac{k}{h\nu E} \qquad \frac{\mathrm{d}S}{\mathrm{d}E}=\frac{k}{h\nu}\ln\frac{h\nu}{E} \qquad E=\frac{h\nu}{\mathrm{e}^{h\nu/kT}} \tag{2}$$

$$\frac{\mathrm{d}^2S}{\mathrm{d}E^2}=\frac{k}{E^2+h\nu E} \qquad \frac{\mathrm{d}S}{\mathrm{d}E}=\frac{k}{h\nu}\ln\left(1-\frac{h\nu}{E}\right) \qquad E=\frac{h\nu}{\mathrm{e}^{h\nu/kT}-1}. \tag{3}$$

Der Ansatz (1) entspricht dem Gleichverteilungssatz der Energie (Abschnitt 10); er gilt für klassische Schwingungen und führt auf die Rayleighsche Strahlungsformel. (2) gilt für ein System von Partikeln der Energie $h\nu$ und ergibt die Wiensche Strahlungsformel. (3) ist der Plancksche Ansatz; er kann als Vereinigung der beiden Vorstellungen von klassischen Lichtwellen und von Lichtquanten angesehen werden.

PLANCKS Ableitung der Strahlungsformel (3) als Folge einer statistischen Verteilung von Energiequanten auf Oszillatoren benutzte eine Abzählung von Fällen, bei der ein Fall nicht dadurch beschrieben wurde, daß jedes der Energiequanten bei einem bestimmten Oszillator war, sondern dadurch, daß jeder Oszillator eine bestimmte Anzahl Energiequanten hatte. Die mittlere Abb. 28 (S. 177) gibt für zwei Quanten und drei Kästen (Oszillatoren) die Fälle nach der erstgenannten Zählung an, man spricht dann von Boltzmannscher Statistik. Die linke Abb. 28 gibt die Fälle der Planckschen Zählung an; man nannte diese Art zu zählen später Bose-Statistik. L. NATANSON sah 1911 in dieser Fallabzählung eine vernünftige Statistik nichtunterscheidbarer Quanten, indem durch Permutation von Quanten kein neuer Fall entsteht.

EINSTEIN hatte 1905 aus der Wienschen Strahlungsformel die Existenz von Lichtquanten herausgelesen. Eine Analyse der Planckschen Formel hatte ihm 1909 gezeigt, daß in der Strahlung Teilchen und Wellen irgendwie nebeneinander vorhanden sind. Er wandte die Entropiedefinition $S = k \ln W$ (Abschnitt 10) auf Abweichungen vom Entropiemaximum, also vom Gleichgewicht an. Die „Schwankungen" einer Größe um ihren Gleichgewichtswert sind um so größer, je weniger scharf das Entropiemaximum beim Gleichgewichtswert ist. Für die Schwankungen ε der Energie um den Gleichgewichtswert $\bar{E}$ gilt:

$$\overline{\varepsilon^2} = -\frac{k}{\mathrm{d}^2 S/\mathrm{d}E^2}.$$

Von den (1), (2), (3) entsprechenden Schwankungsgrößen

$$E^2 \qquad h\nu E \qquad E^2 + h\nu E$$

zeigt die erste die Energieschwankung in einem Wellenfelde, die zweite die in einem System von Partikeln [$E = h\nu n$ ergibt $\overline{(n-\bar{n})^2} = \bar{n}$] an; die dritte ist aus beiden Beiträgen zusammengesetzt.

EINSTEIN *hat (am deutlichsten 1909) den Dualismus Teilchen–Welle in der Lichtstrahlung aufgedeckt.*

Materiewellen und Schrödinger-Gleichung

Ernst genommen wurde die Lichtquantenvorstellung im allgemeinen aber erst nach Entdeckung des Compton-Effekts (1922), der zeigte, daß die Streuung von Licht an Elektronen nach den Stoßgesetzen von Teilchen vor sich geht. Die Gegenüberstellung von Teilchen und Wellen übertrug dann L. DE BROGLIE (1923–1924) auf Materie. Er ließ die lorentzinvarianten Gleichungen für die Teilchengrößen $E, \boldsymbol{p}$ und die Wellengrößen $\omega, \boldsymbol{k}$

$$\frac{E^2}{c^2} - \boldsymbol{p}^2 - m^2 c^2 = 0 \qquad \frac{\omega^2}{c^2} - \boldsymbol{k}^2 - \kappa^2 = 0$$

(beim Licht waren m und κ null) einander entsprechen. Dies legte auch für Materie die Beziehung

$$(E, \boldsymbol{p}) = \hbar(\omega, \boldsymbol{k}) \tag{4}$$

nahe. DE BROGLIE erhoffte so eine neue Dynamik, die sich zur alten verhielt wie die Wellenoptik zur geometrischen Optik, und er glaubte, so ein anschauliches Verständnis der Quantenerscheinungen gewinnen zu können (die Quantenzustände eines Atoms sollten Eigenschwingungen, stehende Wellen, der Materie in der Umgebung des Atomkernes sein). Das anschauliche Verständnis gelang nicht; mit der Wellenvorstellung blieb die Existenz von Elementarteilchen unvereinbar. Die schließliche Konsequenz war:

Es gibt zwei Aspekte der Wirklichkeit, die anschaulich nicht zu vereinigen sind, und h vermittelt zwischen ihnen.

Der Inder N. S. BOSE leitete 1924 die Plancksche Strahlungsformel mit einer Statistik der Lichtquanten ab, bei der eine Permutation der ja nicht unterscheidbaren Lichtquanten keinen neuen Fall lieferte. Sie entsprach der erwähnten Planck-Natansonschen Statistik. EINSTEIN erwog nun die Gültigkeit dieser „Bose-Statistik“ für die Molekeln eines Gases, die ja als nichtunterscheidbar angesehen werden konnten. Danach erfüllte auch ein ideales Gas den Nernstschen Wärmesatz, die spezifische Wärme ging bei tiefen Temperaturen gegen null. Die veränderte Statistik bedeutete (wie früher bei der Planckschen Strahlungsformel) das Vorhandensein von Wellen neben den Teilchen. EINSTEIN sah so einen Zusammenhang mit DE BROGLIES Untersuchungen.

E. SCHRÖDINGER führte 1926 die Materiewelle auf eine Feldgleichung zurück. Er knüpfte dabei nicht an die relativistische Fassung an, die de Broglie der Materiewelle gegeben hatte, sondern an dessen allgemeine Analogie von Welle und Strahl. In der nur für eine feste Frequenz, für

$$\Psi \sim \cos(-\omega t + kx)$$

gültigen Wellengleichung

$$\Delta\Psi + k^2\Psi = 0,$$

nach de Broglie

$$\hbar^2\Delta\Psi + p^2\Psi = 0,$$

setzte er für p^2 den nichtrelativistischen Ausdruck $2m(E-V)$ ein und erhielt:

$$-\frac{\hbar^3}{2m}\Delta\Psi + (V-E)\Psi = 0, \tag{4}$$

die (zeitfreie) Schrödinger-Gleichung für ein Teilchen.

Die „stationären Zustände" der Quantentheorie mit den diskreten Werten der Energie wurden jetzt Eigenschwingungen eines Feldes mit diskreten Werten der Frequenz ($E_n = \hbar\omega_n$). Schrödinger konnte auch die Äquivalenz seiner Gleichung mit der Matrizenmechanik von Heisenberg, Born und Jordan zeigen. Die Äquivalenz beruhte darauf, daß (4) aus der Gleichung

$$\frac{\boldsymbol{p}^2}{2m} + V - E = 0$$

hervorging, indem man die Komponenten von $\boldsymbol{p}$ durch die Differentialoperatoren $(\hbar/\mathrm{i})(\partial/\partial x)\ldots$ ersetzte, und daß

$$\hbar\left(\frac{\partial}{\partial x}x - x\frac{\partial}{\partial x}\right)\Psi = \hbar\Psi\ldots$$

die Vertauschungsregeln

$$\mathrm{i}(p_x x - x p_x) = \hbar\ldots$$

erfüllten. Schrödinger glaubte, eine anschauliche Erklärung der Quantenerscheinungen gefunden zu haben. Seine Gleichung hatte jedoch nur im Falle eines einzigen Teilchens den Charakter einer Feldgleichung; die Erweiterung auf allgemeinere Mechanismen

$$\left\{H\left(\frac{\hbar}{\mathrm{i}}\frac{\partial}{\partial q_1}, \frac{\hbar}{\mathrm{i}}\frac{\partial}{\partial q_2}\ldots q_1, q_2\ldots\right) - \mathrm{i}\hbar\frac{\partial}{\partial t}\right\}\Psi(q_1, q_2\ldots) = 0$$

war ja eine Gleichung im vieldimensionalen Raum.

Man hatte nun zwei äquivalente mathematische Formen einer anscheinend zutreffenden Quantenmechanik. Dabei hatte die Schrödingersche Form den Vorteil, in der Anwendung auf konkrete Aufgaben handlicher zu sein, als die von HEISENBERG, BORN, JORDAN und DIRAC.

BORN war mit der Beschränkung der früheren Quantenmechanik auf periodische Systeme nie recht zufrieden. Er sah jetzt in der Schrödingergleichung einen Weg, aperiodische Vorgänge anzugreifen, z.B. die Streuung eines Materiestrahls an einem Potential oder einem Atom. Bestimmte, in der Rechnung auftretende Größen, im wesentlichen $\Psi^*(\boldsymbol{x})\,\Psi(\boldsymbol{x})$, deutete er dabei (1926) als Wahrscheinlichkeit, ein Teilchen in der Raumeinheit an der Stelle $\boldsymbol{x}$ anzutreffen; so verband er den Teilchenaspekt mit dem Feld- oder Wellenaspekt.

Der Nachweis der Äquivalenz von „Matrizenmechanik" und „Wellenmechanik" war der Anfang nach der Suche einer „invarianten" Fassung der Quantenmechanik, die über die Transformationstheorie von DIRAC und JORDAN zum Umgehen mit „Operatoren im Hilbert-Raume" führte.

Über die Tragweite des Geleisteten konnte man 1926–1927 zwei Auffassungen haben: (a) Fundamental sind die Vertauschungsregeln für kanonisch konjugierte Größen; sie sind der Kern der Quantenmechanik; die Schrödingergleichung hingegen ist ein mathematisch bequemes Mittel, mit ihnen umzugehen. Das war ungefähr die Meinung in Göttingen. (b) Fundamental ist die Materiewelle; sie gibt vielleicht (man weiß noch nicht wie) eine anschauliche Deutung der Quantenerscheinungen. So dachten wohl DE BROGLIE und SCHRÖDINGER. Diese Hoffnung hat sich nicht erfüllt. Aber auch die Auffassung (a) wurde der Sache nicht voll gerecht.

Die Einschränkung der anschaulichen Partikelmechanik war an der Vertauschungsregel abzulesen; eine Einschränkung der anschaulichen Deutung der Schrödinger-Gleichung war dadurch gegeben, daß es eine Gleichung für die Wahrscheinlichkeit der Örter von Teilchen war. Die Klärung dieses Sachverhalts ergab einen verhältnismäßig allgemeinverständlichen Ausdruck. Aus dem Formalismus der damaligen Transformationstheorie, die ein sehr abstrakter Ansatz einer invarianten Quantenmechanik war, leitete HEISENBERG 1927 die Unbestimmtheitsbeziehung

$$\Delta x\,\Delta p \approx h \tag{5}$$

für Koordinaten- und Impulsmessung und eine entsprechende für Zeit- und Energiemessung ab. Die Größe h schränkte damit auch die Determinierung der Zukunft durch den gegenwärtigen Zustand ein. Allgemein: Die Begriffe der klassischen Partikelmechanik (Ort, Impuls, Zeit, Energie usw.) lassen sich auch im atomaren Bereich exakt definieren. Aber die simultane Bestimmung kanonisch konjugierter Größen ist mit einer nicht aufhebbaren Unbestimmtheit behaftet. BOHR argumentierte etwas anders: durch gleichzeitige Benutzung des Teilchenaspektes und des Wellenaspektes bei Materie und Licht kommt die Beziehung (5) zustande, indem man etwa bei einem Lichtmikroskop Δq aus der Beugung (Wellenaspekt) und Δp aus dem Compton-Effekt (Teilchenaspekt) berechnet. Ort und Impuls sind „komplementäre Größen".

h tritt auf, wenn man Teilchenaspekt und Wellenaspekt nebeneinander benutzt.

Die von BOHR angedeutete Symmetrie von klassischer Partikelmechanik und anschaulicher Feldvorstellung wurde bald etwa folgendermaßen ausgesprochen: man ändere das klassische Partikelbild in unanschaulicher Weise gerade soviel ab, daß Materiewellen möglich sind, und man ändere das Feldbild der Materie gerade so viel ab, daß von Teilchen gesprochen werden kann.

Die junge Quantenmechanik war 1926–1927 für die im Heisenbergschen Sinne Denkenden eine Abänderung der klassischen Partikelmechanik. SCHRÖDINGERS Ansicht war keine logisch konsistente Ordnung. BOHR sah 1927, wie oben berichtet, eine Art symmetrischen Beitrag der klassischen Partikelmechanik und eines anschaulichen Feldbildes der Materie zur Quantentheorie. Diese Auffassung fand 1927 eine Art Krönung (PLANCK hat es einmal so genannt), indem die quantentheoretische Abänderung der klassischen Partikelmechanik und eine Art Quantisierung des Wellenfeldes zur gleichen Quantentheorie führte.

Nichtunterscheidbare Teilchen

Für diesen Äquivalenzbeweis wurde der Zusammenhang von Statistik der Teilchen und Symmetrie der Wellenfunktionen wichtig.

Die Dynamik der Atome unterscheidet sich von der klassischen Mechanik der Partikel in zweierlei Hinsicht. Sie trägt einmal der Tatsache Rechnung, daß es auch den Wellenaspekt der Materie gibt; das war (zunächst unerkannt) in der Matrizenform, (erkannt) in der Schrödinger-Gleichung und der Transformationstheorie geschehen. Zum andern sind die Elektronen im Atom Elementarteilchen (in der klassischen Mechanik gibt es diesen Begriff nicht), also prinzipiell nicht unterscheidbar. Sogleich nach Aufstellung der Schrödinger-Gleichung wurde dem Rechnung getragen.

Die Plancksche Abzählung der Fälle in der Verteilung von Energiequanten war von NATANSON als vernünftige Statistik nichtunterscheidbarer Teilchen erkannt worden. Diese Statistik wurde dann von BOSE auf Lichtquanten angewandt und von EINSTEIN auf Gasmolekeln übertragen. EINSTEIN merkte dabei, daß diese Statistik den Dualismus Teilchen–Welle enthielt, daß also Nichtunterscheidbarkeit und Dualismus eng zusammenhingen. Für Elektronen gilt diese Bose-Statistik nicht, indem das Pauli-Prinzip fordert, daß in jedem Elektronenzustand höchstens ein Elektron sein kann. E. FERMI formulierte 1926 die für Elektronen gültige Statistik so: in jeder Zelle h^3 des Phasengebietes sitzt kein oder ein Elektron; Permutation der ununterscheidbaren Elektronen gibt keinen neuen Fall. Wegen des Elektronenspins war die Zelle dann noch zu verdoppeln. So hatte man drei Statistiken für Teilchen, die klassische Boltzmannsche, und die beiden Quantenstatistiken, die Bose- und die Fermi-Statistik. Abb. 28 gibt die Fälle bei der Verteilung von zwei Teilchen auf drei Kästen nach der Bose-, Boltzmann- und Fermi-Statistik an.

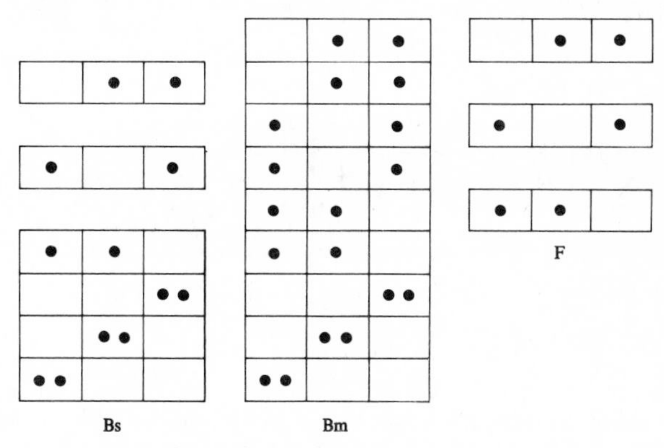

Abb. 28. Zur Bose-, Boltzmann- und Fermi-Statistik

Die Beziehung der Statistik der Teilchen zur Schrödingerschen Wellenfunktion sahen HEISENBERG und DIRAC 1926: Die Wellenfunktionen $\Psi(1,2)$ und $\Psi(2,1)$, wo 1 und 2 den Koordinaten zweier ununterscheidbarer Teilchen entsprechen, bezeichnen nicht zwei verschiedene Fälle.

Vielmehr ist Ψ entweder symmetrisch oder antimetrisch in 1 und 2; die symmetrischen Funktionen entsprechen den möglichen Zuständen gemäß der Bose-Statistik und die antimetrischen den möglichen Zuständen gemäß der Fermi-Statistik.

Äquivalenz von Teilchen- und Wellenquantelung

Wie wurde nun die Äquivalenz des quantisierten Partikelbildes mit dem quantisierten Feldbilde gezeigt? Anfänge einer Quantentheorie der Felder waren EINSTEINS Lichtquanten (1905), EHRENFESTS Anwendung der Quantentheorie harmonischer Oszillatoren auf die Eigenschwingungen eines Strahlungsfeldes (1906) und DEBYES durchsichtige Ableitung der Planckschen Strahlungsformel (1910). Die moderne Quantentheorie des Feldes begann mit den Matrizen harmonischer Oszillatoren. Bei Ersetzung der Variabeln p, x durch geeignete komplexe Kombinationen b, b^* waren es die Matrizen

$$b = e^{-i\omega t} \begin{pmatrix} 0 & \sqrt{1} & 0 & 0 & . \\ 0 & 0 & \sqrt{2} & 0 & . \\ 0 & 0 & 0 & \sqrt{3} & . \\ . & . & . & . & . \end{pmatrix} \qquad b^* = e^{i\omega t} \begin{pmatrix} 0 & 0 & 0 & 0 & . \\ \sqrt{1} & 0 & 0 & 0 & . \\ 0 & \sqrt{2} & 0 & 0 & . \\ . & . & . & . & . \end{pmatrix},$$

bei denen

$$N = b^* b = \begin{pmatrix} 0 & 0 & 0 & . & . \\ 0 & 1 & 0 & . & . \\ 0 & 0 & 2 & . & . \\ . & . & . & . & . \end{pmatrix}$$

die möglichen Anzahlen der Feldquanten angab und die Vertauschungsregel

$$b b^* - b^* b = 1 \tag{6}$$

galt. DIRAC entwarf 1926 eine solche Quantentheorie der Strahlung. Wandte man die Matrizen b und b^* auf Zustände Φ_n mit fester Zahl n von Quanten an, so erhielt man

$$b\Phi_1 = \begin{pmatrix} 0 & \sqrt{1} & 0 & . \\ 0 & 0 & \sqrt{2} & . \\ 0 & 0 & 0 & . \\ . & . & . & . \end{pmatrix} \begin{pmatrix} 0 \\ 1 \\ 0 \\ . \end{pmatrix} = \begin{pmatrix} 1 \\ 0 \\ 0 \\ . \end{pmatrix} = \Phi_0,$$

$$b^* \Phi_1 = \begin{pmatrix} 0 & 0 & 0 & . & . \\ \sqrt{1} & 0 & 0 & . & . \\ 0 & \sqrt{2} & 0 & . & . \\ . & . & . & . & . \end{pmatrix} \begin{pmatrix} 0 \\ 1 \\ 0 \\ . \end{pmatrix} = \begin{pmatrix} 0 \\ 0 \\ 1 \\ . \end{pmatrix} = \sqrt{2}\, \Phi_2 ,$$

allgemein:

$$b\, \Phi_n = \sqrt{n}\, \Phi_{n-1}$$

$$b^* \Phi_n = \sqrt{n+1}\, \Phi_{n+1} .$$

b vernichtete und b^* erzeugte also ein Quantum, b und b^* erwiesen sich als das, was man später Vernichtungs- und Erzeugungsoperatoren nannte. DIRAC wandte diese Behandlung, die zunächst für das Lichtfeld gedacht war, 1927 auf ein Materiefeld an; die so möglichen Teilchen folgten der Bose-Statistik

JORDAN sah sogleich noch eine Freiheit. So wie die Vertauschungsregel (6) zu den möglichen Anzahlen 0, 1, 2 ... der Feldquanten führte, so die Vertauschungsregel

$$b\, b^* + b^* b = 1 \qquad (7)$$

zu den Anzahlen 0 und 1.

Nun wurden Beweise der Äquivalenz des gequantelten Teilchenbildes mit dem gequantelten Feldbilde der Materie geführt. P. JORDAN und O. KLEIN gingen 1927 von einer anschaulichen Feldtheorie der Materie

$$\left.\begin{array}{r} \left\{ -\dfrac{\hbar^2}{2m} \Delta - e\,U - \mathrm{i}\hbar \dfrac{\partial}{\partial t} \right\} \varphi = 0 \\ \left\{ -\dfrac{\hbar^2}{2m} \Delta - e\,U + \mathrm{i}\hbar \dfrac{\partial}{\partial t} \right\} \varphi^* = 0 \\ \Delta U - 4\pi\, e\, \varphi^* \varphi = 0 \end{array}\right\}$$

aus, wo U jetzt neben dem äußeren Potential auch das der Wechselwirkung der Materie mit sich selbst enthielt. Sie entwickelten

$$\varphi = \sum b_n\, u_n$$

nach den Eigenfunktionen u_n der Feldgleichungen mit dem äußeren Potential allein und wandten die Vertauschungsregel (6) auf die b_n an. Weiter nahmen sie die symmetrischen Lösungen

$$\Psi = \sum b_{n_1 n_2 \dots}\, u_{n_1}(\boldsymbol{x}_1)\, u_{n_2}(\boldsymbol{x}_2) \dots$$

der Schrödinger-Gleichung für N Teilchen (als Ausdruck des quantisierten Partikelbildes). Auf beiden Wegen erhielten sie äquivalente Gleichungen. P. JORDAN und E. WIGNER führten 1928 die entsprechende Rechnung mit der Vertauschungsregel (7) und den antimetrischen Lösungen der Schrödinger-Gleichung durch.

Im nichtrelativistischen Falle gaben Quantisierung des Materiefeldes und Quantisierung der Materiepartikel die gleiche Quantentheorie.

Die Tabelle 3 stellt diese Symmetrie zusammen. Ein entscheidender Hinweis auf die notwendige unanschauliche Abänderung des klassischen Teilchenbildes war das Kombinationsprinzip der Spektren, von dem der historische Weg über das Korrespondenzprinzip zu den Vertauschungsregeln der kanonischen Variablen führte. Die unanschauliche Abänderung der anschaulichen Feldtheorie mit den Feldfunktionen Ψ und Ψ^* wurde durch die Existenz von Teilchen, also durch ganzzahlige Eigenwerte von $\Psi^* \Psi \Delta\tau$ gefordert.

Tabelle 3. Logisches Schema der Quantenmechanik

	Teilchenbild	Wellenbild
klassisch	Hamilton-Schema und Bewegungsgleichungen	Feldgleichungen
Hinweis auf Änderung	Kombinationsprinzip der Spektren	Existenz von Teilchen
Änderung	$i(p_k q_l - q_l p_k) = \hbar \delta_{kl}$	Vertauschungsregeln für die Feldgrößen
Ergebnis	Quantenmechanik	

Die Quantelung der Felder hat eine Weile die mißverständliche Bezeichnung „zweite Quantelung" geführt. Aber sie ist ja nur historisch ein zweiter Schritt gewesen, nicht logisch.

Die Symmetrie zwischen Teilchen und Feld im logischen Aufbau der Quantenmechanik ist nicht unangefochten geblieben. Die Feldgröße Ψ (oder ihre Erweiterung in den Feldtheorien mit Spin) ist ja nicht so eng mit einer meßbaren Größe verbunden, wie etwa die elektrische oder magnetische Feldstärke, da nur Größen wie $\Psi^* \Psi$ und ähnliche einfach meßbar sind. Manche Forscher neigen darum dazu, als Hintergrund der elektromagnetischen Erscheinungen und des Lichts nur ein *Feld* anzuerkennen, das allerdings quantentheoretisch zu behandeln sei, und als Hintergrund der Materie ein System von *Teilchen*, das zu quantisieren sei, ohne daß diese Quantisierung eines Feldes oder eines Systems von Teilchen etwas zu tun habe mit dem gleichzeitigen Vorhandensein des jeweils anderen Aspektes. Es handelt sich dabei nicht um einen Streit über den physikalischen Sachverhalt, sondern um die Sprache, in der er ausgedrückt wird. Die oben geschilderte „Kopenhagener" Auffassung, die die Symmetrie zwischen Teilchen und Wellen hervorkehrt, versucht, an die mit der klassischen Physik gewachsene Sprache anzuknüpfen. Und nach HEISENBERG kann die gewachsene Sprache ein Gefühl für Zusammenhänge geben, wo die mathematische Analyse schwierig ist. Licht und schnelle Elementarteilchen verhalten sich sehr ähnlich. Die direkte Einsicht in diesen Sachverhalt gäbe man doch preis, wenn man Licht nur als (quantisiertes) Feld und Materie nur als (quantisiertes) Partikelsystem ansähe.

Interferenzen bei Kathodenstrahlen wurden seit 1927 beobachtet, und die Beziehung zwischen Wellenzahl und Geschwindigkeit des Kathodenstrahls $k \sim v$ wurde experimentell einigermaßen gesichert. Seitdem konnte man die Schrödinger-Gleichung durch eine Gegenüberstellung von Beziehungen für Materieteilchen und Materiewellen oder Materiefeld begründen. Die Beziehungen für Partikel und Wellen

$$v = \frac{\mathrm{d}E}{\mathrm{d}p} \qquad v = \frac{\mathrm{d}\omega}{\mathrm{d}k},$$

nichtrelativistisch

$$\frac{\mathrm{d}E}{\mathrm{d}p} = \frac{p}{m} \qquad \frac{\mathrm{d}\omega}{\mathrm{d}k} = \frac{k}{\sigma},$$

korrespondieren einander. Die durch Integration folgenden Beziehungen sind durch den Einfluß eines elektrischen Potentials U zu ergänzen. So erhält man die weitere Korrespondenz

$$\frac{p^2}{2m} + eU - E = 0 \qquad \frac{k^2}{2\sigma} + \zeta U - \omega = 0\,.$$

Die zweite dieser Gleichungen ist mit festen Werten nur verträglich, wenn U konstant ist. Wellen $\Psi \sim \mathrm{e}^{\mathrm{i}(\boldsymbol{k}\boldsymbol{x} - \omega t)}$ mit dieser Dispersionsbeziehung zwischen k und ω sind Lösungen der Wellengleichung

$$-\frac{1}{2\sigma}\Delta\Psi + \zeta U \Psi - \mathrm{i}\dot{\Psi} = 0\,,$$

die man (jetzt auch für räumlich veränderliches U) als Grundgleichung einer „klassischen" Feldtheorie der Materie mit Kopplung an ein elektrisches Feld ansehen kann. Geht man nun mit

$$(m, e, E, \boldsymbol{p}) = \hbar(\sigma, \zeta, \omega, \boldsymbol{k})$$

zur Quantentheorie über, so erhält man die Schrödinger-Gleichung

$$-\frac{\hbar^2}{2m}\Delta\Psi + eU\Psi - \mathrm{i}\hbar\dot{\Psi} = 0$$

für ein Teilchen (von der klassischen Feldgleichung ausgehend beachte man, daß ein Teilchen nicht auf sich selbst wirkt, also U jetzt das Potential eines äußeren Feldes ist). Zur Gleichung für mehrere Teilchen kommt man von der Feldvorstellung her durch die komplizierte Feldquantelung, von der Teilchenvorstellung direkt (von $H(p_k q_k) - E = 0$):

$$\left\{H\left(\frac{\hbar}{\mathrm{i}}\frac{\partial}{\partial q_k}, q_k\right) - \mathrm{i}\hbar\frac{\partial}{\partial t}\right\}\Psi(q_k) = 0\,.$$

15. BAU DER MATERIE

Der Ausbau der Quantentheorie, besonders in der handlichen Form der Schrödinger-Gleichung, zeitigte in den Jahren nach 1926 eine Flut von Anwendungen. Sie führten zu einem qualitativen, teilweise quantitativen Verständnis des Aufbaues der Materie, d.h. der Molekeln und der Regeln der Chemie, der Rolle der Elektronen in festen Körpern, besonders in Metallen, auch der Stoßvorgänge und der Reaktionen von Atomen und Molekeln. Die Anwendungen lehrten auch Formen der Materie unter sehr hohen Drücken und Temperaturen kennen, wie sie im Laboratorium zunächst nicht zu verwirklichen waren, wie sie aber in Sternen vorkommen. Nach der Entdeckung des Neutrons im Jahre 1932 begann dann eine rasche Entwicklung der theoretischen Kernphysik, die zwar neuartige Kräfte voraussetzen mußte, sonst aber im Rahmen der Quantenmechanik blieb. Von diesen weitverzweigten Anwendungen können hier nur die grundsätzlich wichtig scheinenden (nicht auch die technisch wichtigen) behandelt werden, zunächst die, die mit verhältnismäßig einfachen Mitteln gemacht werden konnten.

Einfaches

Es waren ganz bestimmte Eigenschaften der Schrödingerschen Fassung der Quantenmechanik, die die rasche Folge von Anwendungen begünstigte. Die Berechnung der diskreten Energie, etwa von Atomen oder Molekeln, und der zugehörigen Eigenfunktionen lief auf Lösen einer Randwertaufgabe einer partiellen Differentialgleichung hinaus. Dafür gab es Näherungsmethoden, oder sie ließen sich leicht entwickeln. Symmetrieeigenschaften des physikalischen Systems bildeten sich oft in anschaulicher Weise auf Symmetrien der Lösungen ab. Der bildhafte Charakter der Eigenfunktionen – man kam oft mit reellen aus – erlaubte qualitative Übersichten.

Wichtig für die Anwendungen war zunächst der Ausbau von Näherungsverfahren. Dies waren einmal Entwicklungen, bei denen (in Analogie zu Methoden der Himmelsmechanik und in Weiterbildung von Verfahren bei partiellen Differentialgleichungen) die Hamilton-Funktion in der Form $H = H_0 + \lambda H_1$ geschrieben und bei denen für die Lösung der

Schrödinger-Gleichung $\Psi = \Psi_0 + \lambda \Psi_1 + \lambda^2 \Psi_2 + \cdots$ angesetzt wurde, wo Ψ_0 die bekannte Lösung für H_0 war. Weiter erprobte man mit Erfolg Ansätze $\Psi(c_1, c_2 \ldots \boldsymbol{x})$, in denen man die zunächst unbestimmten Parameter $c_1, c_2 \ldots$ in der den Typus der Lösung ungefähr erfassenden Funktion Ψ so bestimmte, daß die Gleichung möglichst gut gelöst wurde; dazu gehörten auch die genäherten Lösungen $\Psi = c_1 u_1 + c_2 u_2 + \cdots$ durch ein geeignet gewähltes „unvollständiges" Funktionensystem. So konnte z.B. J.C. SLATER (1929) die relativen Abstände der Multipletts eines Atoms ausrechnen, die zu einer bestimmten Wahl der Zustände der einzelnen Elektronen gehörten. Die Ausnutzung von Symmetrien des physikalischen Systems war durch die Schrödinger-Gleichung leicht gemacht. Zum Beispiel folgt aus der Symmetrie $V(x) = V(-x)$ des Potentials die Eigenschaft $\Psi(x) = \pm \Psi(-x)$ der Eigenfunktionen und (für Dipolübergänge) die Auswahlregel, daß nur Zustände miteinander kombinieren, von denen einer eine gerade und der andere eine ungerade Eigenfunktion hat. Man sah bald allgemeiner, daß aus einer bestimmten Symmetrie des mechanischen Systems eine Einteilung der Zustände in verschiedene „Symmetriecharaktere" sowie bestimmte Auswahlregeln für die Übergänge folgten. Zum Beispiel führte die Drehsymmetrie um eine feste Achse zu einem Faktor $e^{im\varphi}$ der Wellenfunktion mit $m = 0, \pm 1, \pm 2 \ldots$ und zur Auswahlregel $\Delta m = 0, \pm 1$; Kugelsymmetrie bei einem Teilchen führt zum Faktor $Y_l(\vartheta, \varphi)$ (Kugelfunktion l-ter Ordnung) und zu $\Delta l = \pm 1$, bei mehreren Teilchen zu der Einteilung in $S_+, P_-, D_+ \ldots$ $S_-, P_+, D_- \ldots$-Funktionen; $\hbar m$ und $\hbar l$ sind Drehimpulswerte. Zur systematischen Untersuchung mit Hilfe der Gruppentheorie trug besonders E. WIGNER bei (1926–1927). Die „Symmetriecharaktere" entsprachen den „Darstellungen" der Transformationsgruppe des Mechanismus. Frühere Klassifizierungen der Terme eines Spektrums, Multiplizität, Drehimpulsquantenzahlen, waren jetzt aus der Schrödinger-Gleichung herleitbar.

Die Systematik der Spektren, besonders der Multipletts und der anomalen Zeeman-Effekte war durch die Hypothese des Elektronenspins (G.E. UHLENBECK und S. GOUDSMIT 1926) sehr vereinfacht worden. In die Quantenmechanik wurde der Spin eingegliedert durch Benutzung zweikomponentiger Wellenfunktionen $\begin{pmatrix}\Psi_1\\ \Psi_2\end{pmatrix}$ (C.G. DARWIN 1927) und der Operatoren

$$\begin{pmatrix}0 & 1\\ 1 & 0\end{pmatrix} \quad \begin{pmatrix}0 & -i\\ i & 0\end{pmatrix} \quad \begin{pmatrix}1 & 0\\ 0 & -1\end{pmatrix}$$

für die drei Komponenten des Spindrehimpulses (PAULI 1927). Daß die „zweideutigen Darstellungen" der Drehgruppe den halbzahligen J-

Werten des Drehimpulses entsprachen, hatte schon H. WEYL 1925 gesehen.

Da man mit der Schrödinger-Gleichung auch aperiodische Vorgänge behandeln konnte, wurden die Stoß- und Streuungsvorgänge der Theorie zugänglich. Die Anfänge, die BORN zur Wahrscheinlichkeitsdeutung führten, haben wir betrachtet.

Ein gegenüber der klassischen Mechanik neuer Zug der Schrödinger-Gleichung war das Übergreifen der Wellenfunktionen über den Bereich der klassischen Bewegung hinaus und der Durchgriff durch eine Potentialschwelle. Potentiale mit zwei Minima gaben so (1926) Modelle für zweiatomige Molekeln und eine Erklärung der chemischen Kraft. Der „Tunneleffekt" ermöglichte das Verständnis der Bewegung der Elektronen im Metall und von Erscheinungen an Kontakten mit Halbleitern (1927) sowie eine Erklärung des α-Zerfalls der schweren Kerne (1928).

Die eigentliche „Quantenchemie" wurde 1927 durch eine Rechnung von W. HEITLER und F. LONDON eingeleitet, bei der Elektronenzustände der H_2-Molekel in der Form $\Psi = c(u_1 + u_2)$ durch die Eigenfunktionen u_1 und u_2 der Atomgrundzustände angenähert wurden. Die Valenzregeln der Chemie wurden bald auf bestimmte Verknüpfungen der Eigenfunktionen von Atomen in denen der Molekeln abgebildet; die gerichteten Valenzen und die Nichtdrehbarkeit von Doppelbindungen wurden um 1930 mit den Richtungen der Eigenfunktionen in Atomen in Zusammenhang gebracht. Die Quantenchemie entwickelte sich zunächst im wesentlichen in zwei Ausprägungen: In der einen wurden die Eigenfunktionen einer Molekel durch Funktionen für einzelne Elektronen im Kraftfeld der Molekel angenähert (Molekular-Orbitale); in der anderen wurden die Eigenfunktionen einer Molekel durch Funktionen für Elektronenpaare aus benachbarten Atomen, die Valenzbindungen entsprachen, zusammengesetzt. Vor- und Nachteile beider Verfahren und Kombinationen beider wurden eingehend studiert.

Die Quantentheorie der Elektronen in Metallen begann damit, daß W. PAULI 1926 die Fermi-Statistik auf freie Elektronen anwandte und damit den im wesentlichen temperaturunabhängigen Paramagnetismus der Metalle verstand. A. SOMMERFELD nahm 1927 systematisch das Studium der metallischen Eigenschaften mittels des Modelles freier Elektronen im Metalle auf und untersuchte besonders die thermoelektrischen und galvanomagnetischen Effekte. F. BLOCH betrachtete 1928 unabhängige Elektronen im Potential eines Kristallgitters, fand die Energiebänder $E(\boldsymbol{k})$ mit dem aus der Translationseigenschaft folgenden Parameter $\boldsymbol{k}$ (Wellenzahl). Die Funktion $E(\boldsymbol{k})$ war periodisch im $\boldsymbol{k}$-Raum mit den Perioden des reziproken Gitters. R. PEIERLS schließlich begründete 1931 den Begriff des Elektrons im Gitter als Teilchen mit der Hamilton-Funktion

$$H(\boldsymbol{k}, \boldsymbol{x}) = E\left(\boldsymbol{k} + \frac{e}{\hbar} \boldsymbol{A}(\boldsymbol{x})\right) - e\,U(\boldsymbol{x}),$$

wo $E(\boldsymbol{k})$ die Energieband-Funktion ist und $\boldsymbol{A}(\boldsymbol{x})$, $U(\boldsymbol{x})$ äußere Felder beschreiben.

Der elektrische Widerstand der Metalle wurde zunächst (so bei SOMMERFELD) durch die Annahme einer begrenzten freien Weglänge der sonst frei gedachten Elektronen erklärt. Die Beziehung zwischen elektrischem und thermischem Widerstand wurde so verstanden; auch für die Abhängigkeit des elektrischen Widerstandes in einem starken Magnetfeld konnte man einfache Modelle angeben. Man sah bald, daß der gewöhnliche elektrische Widerstand, also die Begrenzung der Weglänge der Elektronen, im wesentlichen zwei Ursachen hatte, nämlich Störungen der Periodizität des Gitters einmal durch Baufehler und Verunreinigungen, zum andern durch die temperaturbedingten Gitterschwingungen; mit diesen bekam BLOCH (1929) die Temperaturabhängigkeit des elektrischen Widerstandes.

So war in wenigen Jahren eine Quantentheorie der zusammenhängenden Materie entstanden, mit der man die einfacheren Eigenschaften qualitativ und zum Teil auch quantitativ verstand.

Die zweite Auflage des 24. Bandes des Handbuches der Physik, im wesentlichen 1931 geschrieben und 1933 gerade noch erschienen, gibt den damaligen Stand eindringlich wieder.

Für die Elektronenstruktur der Metalle ist von der Funktion $E(\boldsymbol{k})$ des teilweise besetzten Energiebandes (oder der teilweise besetzten Bänder) besonders die Nachbarschaft von

$$E(\boldsymbol{k}) = \zeta \tag{1}$$

wichtig, wo ζ die obere Grenze des nach der Fermi-Statistik bei tiefer Temperatur von Elektronen besetzten Energiebereichs ist. Es kommt also auf die Fläche (1) im $\boldsymbol{k}$-Raum an, auf die „Fermi-Fläche". Solche Fermi-Flächen konnten mit Hilfe des Verhaltens der Metalle in starken Magnetfeldern experimentell gemessen werden. Doch konnte man lange Zeit nur sehr kleine Fermi-Flächen, die in komplizierten Metallstrukturen auftreten, feststellen. So erhielt die Untersuchung der Elektronenstruktur der Metalle um 1960 einen neuen Auftrieb, als es gelang, auch die Fermi-Flächen der einfachen Metalle Cu, Ag, Au auszumessen, also in Metallen, bei denen die Theorie ziemlich willkürfrei mit den Messungen verglichen werden konnte. Die Messungen waren möglich mit extrem reinen Metallen bei tiefen Temperaturen. Es zeigte sich, daß die von freien Elektronen ausgehende genäherte Konstruktion der Funktion $E(\boldsymbol{k})$ schon viel für das wirkliche $E(\boldsymbol{k})$ und die Fermi-Fläche aussagte: Man hatte die Energiefunktion $E=\hbar^2\boldsymbol{k}^2/2m$ der freien Elektronen mit den Perioden $n_1\boldsymbol{b}_1+n_2\boldsymbol{b}_2+n_3\boldsymbol{b}_3$ des reziproken Gitters zu wiederholen und als Folge einer schwach gedachten Wechselwirkung mit dem Gitter die Überschneidungen der Funktionen $E=\hbar^2(\boldsymbol{k}+n_1\boldsymbol{b}_1+n_2\boldsymbol{b}_2+n_3\boldsymbol{b}_3)^2/2m$ aufzulösen. Man erhielt so qualitative, zeichnerisch darstellbare Verläufe für $E(\boldsymbol{k})$ und typische Formen der Fermi-Flächen. Man verstand die geschlossenen, fast kugelförmigen Fermi-Flächen der Alkalimetalle, die offenen von Cu, Ag, Au, die zierlichen Formen von Be, Mg, Ca, Sr, Ba, Zn und Cd sowie von Al. Isolatoren, Halbleiter, metallische Leiter unterschieden sich dadurch, daß die energetische Grenze, bis zu der die Zustände $E(\boldsymbol{k})$ gemäß der Fermi-Statistik besetzt waren, in eine breite oder schmale Energielücke fiel oder innerhalb eines Bandes (oder mehrerer einander überlagernder Bänder) lag.

Kompliziertes

In der theoretischen Chemie haben wir heute etwa folgende Situation: Aufgrund des Baues aus Kernen und Elektronen und der Sätze der Quantentheorie kann man die Eigenschaften der einfachsten Molekeln berechnen. Für kompliziertere Molekeln benutzt man Modellvorstellungen, die, durch die Quantentheorie geleitet, aus den Valenzregeln hervorgegangen sind, etwa die Vorstellung von σ- und π-Bindungen oder von Kombinationen mehrerer Valenzschemata. So arbeitet die theoretische Chemie gewissermaßen in drei Stockwerken: in einem unteren der „ersten Prinzipien", in einem zweiten von plausiblen Modellen, von denen man erwartet, daß sie das Typische erfassen, und in einem oberen Stockwerk von Erfahrungsregeln. Ähnlich liegen die Dinge beim Ferromagnetismus: es gibt (1) die qualitative Quantentheorie eines idealen ferromagnetischen Metallbereiches, (2) phänomenologisch-makroskopische Gleichungen für einen idealen Ferromagneten, (3) Regeln für die technische Magnetisierung. Die Erscheinung der Supraleitung hat lange einer theoretischen Erklärung widerstanden; aber heute haben wir (1) eine Einsicht in die physikalische Grundlage, (2) eine phänomenologische Theorie mit makroskopischen Gleichungen und (3) Ansätze zum Verstehen des Verhaltens verunreinigter Metalle.

Der Ferromagnetismus beruht auf der elektrostatischen, Coulombschen Wechselwirkung zwischen den Elektronen. Die Quantentheorie des Ferromagnetismus begann 1928. Ein Weg war die Untersuchung des Einflusses, den die elektrostatische Wechselwirkung der Elektronen in benachbarten Metallatomen hat (HEISENBERG). Gewöhnlich ist das diese Wechselwirkung beschreibende „Austauschintegral" A negativ, so in der H_2-Molekel, wo darum der Singulettzustand energetisch tiefer liegt als der Triplettzustand; die elektrostatische Wechselwirkung begünstigt also die antiparallele Stellung der Spins. Bei positivem A ist die parallele Stellung der Spins günstiger, und das kann Ferromagnetismus bedeuten. Der Wirklichkeit näher kam die Betrachtung der Wechselwirkung zweier Leitungselektronen (J. FRENKEL 1928). Sie zeigt zwei Tendenzen: Die Fermi-Statistik bedeutet bei Atomen, Molekeln und Kristallen, daß bei tiefen Energien die Spins vorzugsweise antiparallel stehen; die Coulombsche Wechselwirkung jedoch macht antimetrische Bahnfunktionen, also symmetrische Spinfunktionen, energetisch günstiger, d.h. Parallelstellung der Spins. Der Einfluß der beiden Tendenzen ist von gleicher Größenordnung; die Theorie ist darum noch nicht im Stande, auszurechnen, welche Metalle ferromagnetisch sind, wo die Curie-Temperatur liegt und wie hoch die Sättigungsmagnetisierung ist.

Die phänomenologischen Theorien des Ferromagnetismus sind älter. P. WEISS kombinierte die Langevinsche Abhängigkeit der Magnetisierung von Temperatur und Feld mit der Vorstellung eines durch die Magnetisierung erzeugten inneren Feldes; er setzte als wirksames Feld also

$$F = H + \alpha M$$

mit einem großen Faktor α. Er erhielt so für tiefe Temperaturen ferromangetisches, für hohe Temperaturen paramagnetisches Verhalten. Das Modell von E. ISING (1925) führte eine Wechselwirkung benachbarter Elementarmagnete ein. Die Durchrechnung des eindimensionalen Falles führte zu Ergebnissen, die der Weisschen Theorie äquivalent waren. Geleitet durch die Quantentheorie wurden dann verfeinerte phänomenologische Theorien ausgebildet. Nach Anfängen bei F. BLOCH (1932) stellten 1935 L. LANDAU und E. LIFSCHITZ Differentialgleichungen für die Magnetisierung auf. Es ist aber nicht möglich, die Materialkonstanten dieser Theorie mit der Quantentheorie der Elektronen auszurechnen, noch das Verhalten der ferromagnetischen Bereiche vollständig aus der phänomenologischen Theorie abzuleiten.

Zwischen den drei Stockwerken der Theorie des Ferromagnetismus klaffen also noch Lücken.

Die Erkenntnis der Ursachen der Supraleitung ließen länger auf sich warten. Ohne Berücksichtigung der Wechselwirkung der Elektronen ist der Grundzustand des Elektronensystems eines Metalles in einem idealen Gitter der Anfang eines Energiekontinuums. Dies gibt zwar einen idealen elektrischen Leiter; aber jede Störung des idealen Gitters muß zu einem elektrischen Widerstand führen. Man sah bald, daß die Erscheinung der Supraleitung einen diskreten tiefsten Zustand des Elektronensystems eines Metalles forderte, einen „Ordnungszustand", der nur mit einem endlichen Energieaufwand aufgebrochen werden kann. Nach Versuchen verschiedener Autoren, einen solchen Ordnungszustand als Folge irgendeiner Wechselwirkung der Elektronen zu verstehen, konnten H. FRÖHLICH und J. BARDEEN 1950 plausibel machen, daß die Wechselwirkung der Elektronen mit den Gitterschwingungen so etwas möglich macht. Die Abhängigkeit des Sprungpunktes von der Masse der Atome,

$$T_c \sim \frac{1}{\sqrt{M}} \sim \omega$$

bei Isotopen, stützte die Auffassung, daß die Gitterschwingungen beteiligt seien. L.N. COOPER konnte plausibel machen, daß eine besonders starke, durch die Gitterschwingungen vermittelte Wechselwirkung zwischen Elektronen entgegengesetzt gleicher Wellenzahl und entgegengesetzter Spinstellung besteht. J. BARDEEN, L.N. COOPER und J.R. SCHRIEFFER arbeiteten dann 1957 eine Quantentheorie der Supraleitung aus (BCS-Theorie wird sie genannt), in der für das System Gitter-Elektronen nach starker Vereinfachung des Ansatzes der Wechselwirkungen eine besonders enge Verbindung in Elektronenpaaren, wie sie COOPER annahm, folgte. Solche Paare waren nur mit endlicher Energie aufzubrechen. Das ergab einen diskreten Grundzustand des Systems, der vom darüberliegenden Kontinuum durch eine Energielücke getrennt war, die mit zunehmender Temperatur abnahm und beim Sprungpunkt null wurde. Dieser Abstand zum Kontinuum konnte durch Lichtabsorption gemessen, die Lücke auch bald durch Tunneleffekt nachgewiesen werden. Eine Bestätigung der Theorie (oder des Modells) von BARDEEN, COOPER, SCHRIEFFER geschah schließlich dadurch, daß 1961 der von supraleitendem Material eingeschlossene magnetische Fluß Φ experimentell als quantisiert nachgewiesen wurde, und zwar war

$$2e\Phi = hn;$$

er wurde demnach durch Umlauf von Ladungen $2e$ verursacht. Die Supraleitung beruht also auf der Bildung von Elektronenpaaren. Man kann jedoch noch nicht vorrechnen, welche Metalle supraleitend werden und welche Werte die Sprungtemperatur oder das die Supraleitung zerstörende Magnetfeld hat.

Phänomenologische Theorien der Supraleitung sind älter und jünger als die quantentheoretische Erklärung. Man begann mit Materialgleichungen $\boldsymbol{E}=0$ und $\boldsymbol{B}=0$ (nach der Entdeckung des Meissner-Ochsenfeld-Effekts 1933). Die Feldgleichungen von F. und H. LONDON waren eine Weiterbildung davon. Man konnte auch die Abhängigkeit von Temperatur und Magnetfeld mit thermodynamischen Funktionen beschreiben (1934). Die phänomenologische Theorie von V. L. GINZBURG und L. LANDAU (1950) schließlich enthielt Parameter, die nachher als Dichte der Elektronenpaare und als freie Weglänge solcher gedeutet werden konnten. Je nach den Werten dieser Parameter ist Supraleitung möglich oder nicht, gibt es einen Supraleiter erster Art oder zweiter Art.

Auch bei der Supraleitung bestehen noch Lücken zwischen den verschiedenen Stockwerken der Theorie.

Eine vollauf befriedigende Theorie der Flüssigkeiten und des Kondensationsphänomens scheint noch nicht vorzuliegen. Für die Berechnung der freien Energie eines Systems vieler Partikel mit Kräften dazwischen hat man zwar Methoden entwickelt; aber eine das Gebiet von Flüssigkeit und Gas lückenlos überdeckende Fassung scheint noch nicht gefunden zu sein. Die Van der Waalssche Theorie ist hier eine Theorie des zweiten Stockwerks.

Für eine Reihe komplizierter Phänomene in Festkörpern hat L. LANDAU eine zunächst phänomenologische Theorie der „Quasiteilchen" entwickelt. Das sind Anregungszustände des Körpers. Im Grundzustand sind keine, in energetisch niedrigen Zuständen wenig Quasiteilchen vorhanden. Die Wechselwirkungen zwischen ihnen können häufig als schwach angesehen werden, auch wo es die Wechselwirkungen zwischen den wirklichen Bausteinen nicht sind. Es sieht so aus, als könnten solche Theorien auch mikroskopisch begründet werden.

16. ATOMKERNE

Bau und Zustände der Atomkerne

Ein weiteres Gebiet der Physik, das heute noch nicht abgeschlossen ist, ist die Theorie der Atomkerne.

Der Atomkern wurde 1911 von E. RUTHERFORD entdeckt. Man lernte bald zu unterscheiden: Kernphänomene wie die α, β, γ-Strahlen der Radioaktivität, Phänomene der inneren Atomhülle wie die K-, L-, M-... Serien der Röntgenspektren und Phänomene der äußeren Hülle wie die optischen Spektren und das chemische Verhalten. Die erste künstliche Kernumwandlung

$$^{14}N + \alpha \rightarrow {}^{17}O + p,$$

(p bedeutet Proton) wurde 1919 gefunden. Der Kernspin wurde um 1925 erkannt.

Der frühen theoretischen Kernphysik begegneten zwei Schwierigkeiten: Die Energieverteilung der bei β-Umwandlungen ausgesandten Elektronen war kontinuierlich, während die Energiedifferenz der Kernzustände vor und nach der Aussendung des Elektrons als festbestimmte Größe angenommen werden mußte. Das Spektrum des N_2^+-Molekel-Ions deutete auf Bose-Statistik der N-Kerne hin, obwohl sie nach damaliger Ansicht aus 14 Protonen und 7 Elektronen, also einer ungeraden Anzahl von Teilchen mit Fermi-Statistik, bestehen mußten, somit der Fermi-Statistik gehorchen sollten.

Die beiden Schwierigkeiten wurden bald gelöst. 1932 wurde das Neutron entdeckt, und man nahm nun an, daß die Kerne aus Protonen und Neutronen bestünden und durch eine neuartige Kraft zusammengehalten wurden. HEISENBERG nahm (1932) an, daß die bei der β-Umwandlung ausgesandten Elektronen zu dieser Kernkraft in einer ähnlichen Beziehung stünden wie die Photonen, die die Atomhülle in bekannter Weise aussendet, zur elektrischen Kraft. Er führte auch einen Formalismus ein, in dem Proton und Neutron als zwei Zustände eines Teilchens (man nannte es später Nukleon) betrachtet wurden, die sich formal so unterschieden wie die beiden Spinstellungen eines Elektrons. Das war der Keim des späteren „Isospins“. Die Ordnung der bekannten Kerne nach Protonenzahl Z und Neutronenzahl N zeigte Symmetrie zwischen Z und N bis auf Abweichungen, die durch die Coulombsche

Abstoßung der Protonen erklärt werden konnten. Bis auf diese Coulomb-Wirkungen sollten die Eigenschaften von ^{3}H und ^{3}He, von ^{11}B und ^{11}C, von ^{13}C und ^{13}N gleich sein. Für Kerne mit gerader Nukleonenzahl, z.B. den N-Kern, galt nun die Bose-Statistik.

Die β-Strahlung wurde jetzt als Folge der Umwandlung eines Neutrons in ein Proton angesehen, und die Schwierigkeit der kontinuierlichen Energie der β-Strahlen, wie auch die Bilanz der Drehimpulse, wurde durch die Annahme eines neuen Teilchens, des Neutrino, in Ordnung gebracht. Die β-Umwandlung entsprach nun dem Schema

$$n \rightarrow p + e^- + \nu,$$

und die bei künstlich hergestellten Kernen gelegentliche Aussendung von Positronen entsprach

$$p \rightarrow n + e^+ + \nu.$$

Es folgte nun eine Zeit intensiver experimenteller Erforschung von künstlichen Kernumwandlungen und der Herstellung neuer Isotope. Dabei festigte sich die Ansicht vom Aufbau der Kerne aus Protonen und Neutronen. Kernspins wurden aus den Atom- und Molekelspektren bestimmt und Energieschemata der Kerne aus den Kernumwandlungen erschlossen.

Man fragte natürlich auch: Kann man das System der Kerne und ihre Energiestufen in ähnlicher Weise verstehen, wie man in den zwanziger Jahren das Periodensystem der Elemente verstanden hat? Man sah zwei erschwerende Umstände: Während in der Atomhülle die anziehende Wirkung des Kerns überwog und für die Elektronen genähert ein Zentralfeld angenommen werden konnte, hatte der Kern kein solch anziehendes Zentrum; die Aussichten für eine Ein-Nukleon-Näherung waren also sicher schlechter als früher die der Ein-Elektron-Näherung. Während weiter in der Atomhülle das Kraftgesetz bekannt war, waren die Gesetze der Kernkräfte noch unbekannt. Bei der Atomhülle konnte schließlich die Tragweite von Näherungsverfahren leicht an den (ja geordneten) Spektren geprüft werden; eine entsprechende Ordnung der Kernspektren war noch nicht möglich.

So wurde das Ein-Nukleon-Modell nur zögernd benutzt. Man betrachtete daneben α-Teilchen-Modelle, in denen außer α-Teilchen noch Neutronenpaare und (bei ungeradzahligen Kernen) noch ein überzähliges Neutron oder Proton angenommen wurden. Weiter erwog man „Flüssigkeitsmodelle“, bei denen eine Art Kondensat aus Nukleonen angenommen wurde.

Für den Zusammenhalt der Kerne schien HEISENBERG zunächst eine Kraft zwischen Proton und Neutron wesentlich zu sein (wegen der erwähnten Beziehung zur β-Umwandlung). Die experimentelle Untersuchung der Streuung von Neutronen an Protonen und ihr Vergleich mit der Streuung von Protonen an Protonen zeigte jedoch 1936, daß zwischen Proton und Proton (abgesehen von der Coulomb-Wirkung) genähert die gleiche Kraft wirkt wie zwischen Proton und Neutron. Man nahm daraufhin für die Kräfte zwischen Nukleonen nicht nur Symmetrie in p und n an, sondern „Ladungsunabhängigkeit" der Kräfte. Diese Nukleon-Nukleon-Kraft wird nur durch die Coulomb-Kraft ein wenig modifiziert.

Diese Untersuchungen regten (1937) Kernmodelle an, die von der Ein-Nukleon-Näherung ausgingen, also denen der Atomhülle sehr analog waren. Man ordnete den Kernen der Nukleonenzahl 1, 2, 3 ... die Konfigurationen

s	s^2	s^3	s^4	s^4p	s^4p^2 ...	s^4p^{12}
^1H	^2H	^3H	^4He	^5He	^6He ...	^{16}O
		^3He			^6Li	

zu. Während in der Atomhülle wegen der Abstoßung der Elektronen der Grundzustand stets die höchste mit der Konfiguration verträgliche Multiplizität hat, ist bei den Kernen wegen der Anziehung der Nukleonen die kleinste Multiplizität zu erwarten, in der Reihe der Kerne (unter Zuhilfenahme einer empirischen Regel):

$$^2S \quad ^3S \quad ^2S \quad ^1S \qquad ^2P \quad ^3P \quad ^2P \quad ^1S \; \ldots .$$

Es treten Viererperioden auf und besonders stabile Kerne bei ^4He und ^{16}O. 1937 fiel der Vergleich zwischen Atomhülle und Atomkern etwa so aus: In der Atomhülle wird die Wirkung des Schalenabschlusses dadurch verstärkt, daß nur bei ihm ^1S-Grundzustände auftreten. Im Atomkern wird die Wirkung des Schalenabschlusses gemildert, indem auch dazwischen niedrige Multiplizitäten vorkommen.

Multipletts konnten unter den Kernzuständen damals noch nicht sicher empirisch festgestellt werden, ebensowenig einander entsprechende angeregte Zustände von Kernen gleicher Nukleonenzahl. Für leichte Kerne zeigten sich auch einige Beziehungen der magnetischen Momente zu den angenommenen Schalenbesetzungen. Für schwere Kerne war jedoch der wesentliche Gesichtspunkt für das „System der Kerne" noch nicht erkannt.

Das „Periodensystem" der Atomkerne, in dem die Protonenzahlen und Neutronenzahlen 2, 8, 20, 28, 50, 82, 126, die „magischen Zahlen",

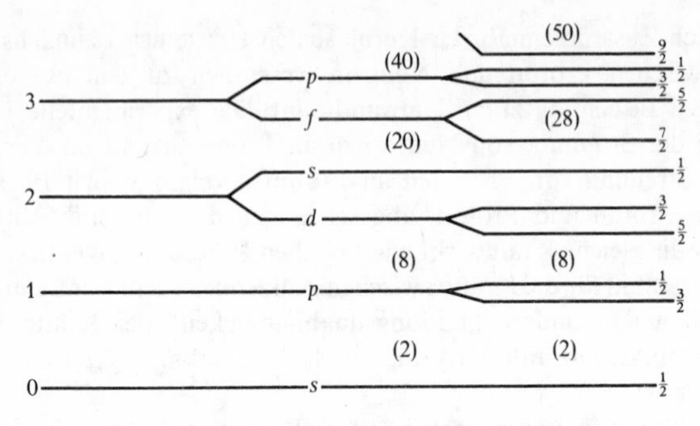

Abb. 29. Zum Schalenmodell der Kerne

energetisch begünstigt zu sein scheinen, wurde 1948 von MARIA GOEPPERT-MAYER und H. JENSEN im Rahmen des Ein-Nukleon-Modells verstanden. Abb. 29 gibt links die Energiestufen eines Nukleons im Kraftfeld eines harmonischen Oszillators an, rechts daneben die Modifikation in einem Kraftfeld, wie es im Kern herrschen mag, ganz rechts ist eine relativ große Spin-Bahn-Wechselwirkung angenommen. Unter Berücksichtigung der Abschlußzahlen 2, 6, 10, 14 … für s-, p-, d-, f-… Bahnen gäbe das ohne Spin-Bahn-Wechselwirkung günstige Konfigurationen bei 2, 8, 20, 40 Protonen oder Neutronen, mit der angenommenen Spin-Bahn-Wechselwirkung bei 28, 50 und, wenn man die Figur fortsetzt, auch bei 82 und 126 Protonen oder Neutronen. Die Auszeichnung der Anzahlen 20, 28, 40, 50, 82, 126 konnte an vielen empirischen Daten aufgezeigt werden.

Das so wieder aufgewertete Ein-Nukleon-Modell führte auch zu einem qualitativen Verständnis der Quadrupole vieler Kerne. Für ein einzelnes Nukleon kann ein von der Kugelform abweichendes Kraftfeld eine tiefere Energie liefern als ein kugelsymmetrisches. Von den f-Zuständen der Abb. 30, σ, π, δ, φ, liegt in einem verlängerten sphäroidischen Kraftfeld der σ-Zustand, in einem gedrückten der φ-Zustand am

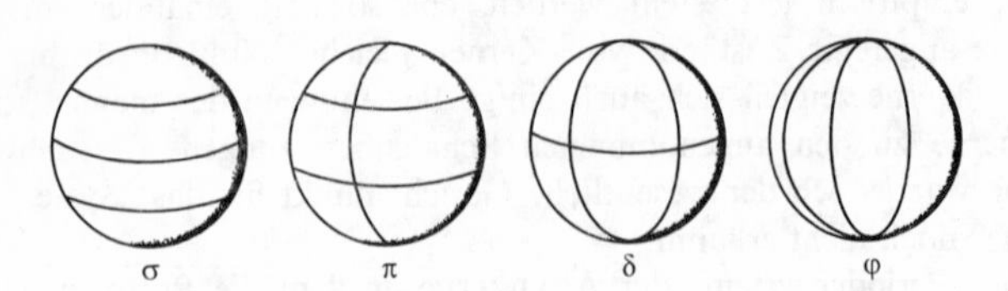

Abb. 30. Zum Verständnis der Kernquadrupole

tiefsten. So erhielt man 1952 ein qualitatives Verständnis der Quadrupole; man sah, wie das Vorhandensein nicht abgeschlossener Schalen große Quadrupolmomente begünstigte. Diese finden sich besonders zwischen den Protonenzahlen 50 und 82 und den Neutronenzahlen 82 und 126.

Das Schalenmodell, obwohl selbst nicht einwandfrei ableitbar, gab ein qualitatives Verständnis der Kernenergien und der Quadrupole.

Im Sinne der bei Ferromagnetismus und Supraleitung bestehenden Situation ist das Schalenmodell eine Theorie im zweiten Stockwerk.

Die Erscheinung der Kernspaltung, die OTTO HAHN 1938 entdeckte, war theoretisch nicht vorhergesagt worden. Sie konnte aber mit der Coulombschen Abstoßung der Protonen in schweren (und damit protonenreichen) Kernen verstanden werden. Sie führte 1942 zum Betrieb des ersten Kernreaktors und 1945 zur Atombombe.

Da eine theoretische Herleitung der Kräfte zwischen Nukleonen auch heute noch nicht vollständig möglich ist, benutzt die inzwischen weit ausgebaute theoretische Kernphysik Ansätze mit empirisch angepaßten Parametern für die Wechselwirkung je zweier Nukleonen.

Sternenergie

Die theoretische Kernphysik konnte die Frage nach der Energieerzeugung in den Fixsternen weitgehend beantworten. Die Altersbestimmungen von Mineralien mittels radioaktiver Prozesse hatten gezeigt, daß die Erde und damit die Sonne einige Milliarden Jahre alt sein müssen. Die durch etwaige Kontraktion der Sonne umgesetzte Gravitationsenergie reicht in keiner Weise aus, die Sonnenstrahlung für so lange Zeiten aufrechtzuerhalten. Man mußte entweder die Energiedifferenz zwischen Wasserstoffkernen und schweren Kernen, im wesentlichen die zwischen vier Protonen und einem Heliumkern, heranziehen oder die völlige Verwandlung von Materie in Strahlung. Die erstgenannte der beiden Energiequellen könnte die Strahlung der Sonne für etwa 10^{11} Jahre, die zweite für 10^{13} Jahre aufrechterhalten.

Eine Vorstellung von der Möglichkeit der Umwandlung von Protonen in schwere Kerne gaben 1930 R. ATKINSON und F. HOUTERMANS. Sie zeigten, daß bei einer Temperatur von einigen 10^7 Grad Protonen merklich durch das Coulomb-Feld in Kerne eindringen können. Einige 10^7 Grad war gerade die Temperatur, die man aufgrund plausibler Modelle im Innern der Sterne, der „Hauptreihe", annehmen mußte. So war es wahrscheinlich, daß dieses Eindringen von Protonen in Kerne, also die Umwandlung von Wasserstoff in schwerere Elemente, die

Energie für die Strahlung der Sterne lieferte. Nach der Entdeckung des Neutrons und nach Sammlung eines größeren Materials von Daten über Kernumwandlungen ließen sich genauere Vorstellungen bilden. Nach C.F. v. WEIZSÄCKER und H. BETHE (1938) kamen im wesentlichen Umwandlungen in Betracht, die durch folgende Schemata wiedergegeben werden (die Zeit läuft von links nach rechts):

$$\begin{array}{cccccc} p & p & \alpha & & p & \\ p & {}^{2}H & {}^{3}He & {}^{7}Be & {}^{7}Li & \alpha \\ e^{+}\,\nu & & & e^{+}\,\nu & & \alpha \end{array}$$

$$\begin{array}{ccccccc} & p & & p & p & & p \\ {}^{12}C & {}^{13}N & {}^{13}C & {}^{14}N & {}^{15}O & {}^{15}N & {}^{12}C \\ & e^{+},\nu & & & e^{+},\nu & & \alpha \end{array}$$

und die beide auf

$$4p \rightarrow \alpha + 2e^{+} + 2\nu$$

hinauslaufen. Die Energieerzeugung in den Fixsternen der Hauptreihe war damit in großen Zügen erklärt (eine amerikanische Tageszeitung faßte damals zusammen: BETHE heizt die Sonne mit Kohle). Die Entstehung der schwereren Elemente ließ sich aber bei Temperaturen von einigen 10^7 Grad nicht verstehen. Die muß in einem früheren Stadium stattgefunden haben. Die angegebenen Schemata sind dann etwas modifiziert und ergänzt worden.

Ungewöhnliche Materie

Die gewöhnliche Materie, d.h. Gas, Flüssigkeit, Kristall unter irdischen Verhältnissen, hat man als aus unveränderlich gedachten Kernen und aus Elektronen bestehend einigermaßen verstanden. Von den Kernen spielt die Ladung Ze die Hauptrolle, die Masse beeinflußt die Schwingungsfrequenzen der Molekeln und Kristalle. Aus Kernen und Elektronen bilden sich Atome; sie gehen mit geringen Änderungen in die Molekeln, Flüssigkeiten und Kristalle ein. Kurz gesagt: gewöhnliche Materie ist aus Atomen gebaut. Ihre Eigenschaften sind im wesentlichen durch die natürlichen, atomaren Einheiten $\hbar$, m, e bestimmt. Die mit diesen Einheiten gebildete „atomare Einheit" des Druckes ist

$p_a \approx 10^8$ at, die der Temperatur $T_a \approx 10^5$ K. Der Druck der irdischen Atmosphäre ist also sehr klein und die Temperatur auf der Erde niedrig gegen diese Einheiten.

Bei Überschreiten der genannten Werte p_a, T_a von Druck und Temperatur können ganz andere Formen der Materie als die gewohnten entstehen. p_a ist ungefähr der Druck, dem ein Atom standhält; bei höheren Drücken müssen die Atome zerquetscht werden und eine weniger strukturierte, aus Kernen und Elektronen bestehende Materie auftreten. T_a ist ungefähr die Temperatur, bei der Elektronen aus dem Atomverband losgelöst werden; bei höheren Temperaturen bilden sich Ionen und Elektronen, schließlich Kerne und Elektronen die „Plasmaform" der Materie.

Diese Hochtemperaturform der Materie konnte bald nach der Begründung der Quantentheorie der Atome, also um 1920 herum, theoretisch behandelt werden. Sie förderte wesentlich die Kenntnis des inneren Aufbaues der Fixsterne (A. S. EDDINGTON); dabei wurde die Energieerzeugung als noch ungeklärt angenommen; für das Gleichgewicht war die Zustandsbeziehung der Sternmaterie und die Absorption der Strahlung in ihr wesentlich. Beides lieferte die Quantentheorie. Auf die Hochdruckform der Materie wurde man aufmerksam durch die hohe Dichte, die der Begleiter des Sirius, allgemeiner „die weißen Zwergsterne" haben mußten. R. H. FOWLER deutete sie durch die genannte Hochdruckform, ein Gas aus Kernen und Elektronen.

Solange man unveränderliche Kerne und Elektronen als Bausteine der Materie ansah, kannte man außer dem gewöhnlichen Gas aus Atomen oder Molekeln und der gewöhnlichen kondensierten Materie aus Atomen und Molekeln einen sich stetig daran anschließenden Bereich des Plasmas aus Kernen und Elektronen, dessen Eigenschaften im wesentlichen die eines Elektronengases waren. Bei hohen Temperaturen wurde es mehr und mehr ein gewöhnliches ideales Gas, bei hohen Drücken ein „entartetes Elektronengas", dessen Eigenschaften nicht mehr wesentlich von der Temperatur abhingen. Eine wichtige Marke im Zustandsdiagramm (Abb. 31) war der Punkt $p_a \approx 10^8$ at, $T_a \approx 10^5$ K, $\rho_a \approx 1$ g/cm^3. Die Planeten enthalten gewöhnliches Kondensat und Gas, die großen unter ihnen im Innern schon den Übergang zum entarteten Plasma. Die Sterne der Hauptreihe bestehen aus nichtentartetem Plasma; ihre Mittelpunktstemperaturen sind ziemlich gleichmäßig 10^7 K, bestimmt durch das Einsetzen der Umwandlung von Wasserstoff in Helium. Die Hauptreihensterne sind stabil, da eine geringe Erhöhung der Temperatur im Mittelpunkt zu einer starken Erhöhung der Energieproduktion führt, deren Strahlung den Stern auseinandertreibt und damit wieder abkühlt. Die weißen Zwergsterne bestehen, wie gesagt, aus Hochdruckplasma.

Noch ungewöhnlichere Formen der Materie mußte man erschließen bei Temperaturen, bei denen auch die Kerne sich in Nukleonen auflösen; die Höchsttemperaturform wird dann ein Gas aus Protonen und

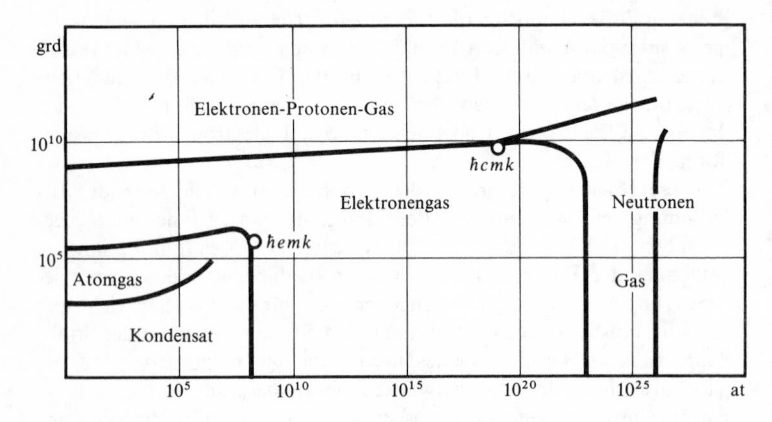

Abb. 31. Zustandsgebiete der Materie

Elektronen. Bei sehr hohen Drücken haben dann die Elektronen keinen Platz mehr, und man hat eine Höchstdruckform zu erwarten, die zunächst ein Neutronengas, schließlich eine Art dichter Neutronenmaterie, allgemeiner Materie aus Baryonen, sein muß. Die Überlegungen finden heute da eine Grenze, wo die noch nicht völlig bekannte Wechselwirkung der Baryonen merklich wird.

Eine wichtige Marke liegt bei den aus $\hbar$, c, m gebildeten Einheiten des Druckes $\approx 10^{19}$ at und der Temperatur $\approx 10^{10}$ K (in Abb. 31 eingetragen). Die vor einigen Jahren entdeckten „Pulsare" könnten Sterne aus solcher Neutronenmaterie sein. Die theoretische Untersuchung von Modellen ist im Gang.

Seit einigen Jahrzehnten bietet die Astrophysik ein Laboratorium für extreme Zustände der Materie und eine Anregung für Theorien.

17. ELEMENTARTEILCHEN

Unser Weg durch die Geschichte der physikalischen Begriffe ist nun bei der Gegenwart angelangt. Zu dieser Gegenwart möchte man die Entwicklungen rechnen, die noch unabgeschlossen sind. Sie können Erscheinungen betreffen, deren Grundlagen bekannt sind, die aber so komplizierte Struktur haben, daß sie bisher nicht vollständig oder lückenlos aus diesen Grundlagen abgeleitet werden konnten. So ist die nichtrelativistische Quantentheorie eine abgeschlossene Theorie, und Erscheinungen wie chemische Kräfte, Ferromagnetismus, Supraleitung, Flüssigkeiten und Teile der Biologie fallen in ihren Bereich; aber die Kompliziertheit dieser Dinge hat bisher nur eine Erklärung mit Lücken erlaubt. Darum sind z.B. die Festkörperphysik oder die Physik der Grenzflächen auch heute noch fruchtbare Gebiete der Forschung und sie werden es noch eine Weile bleiben. Auch von der Einsteinschen Gravitationstheorie nehmen wir an, daß sie für große Bereiche richtig ist; die Lösung der Grundgleichungen ist jedoch so schwierig, daß schon Vorgänge wie etwa die Erzeugung von Gravitationswellen noch nicht ausgerechnet werden können.

Es gibt aber auch Erscheinungsgebiete, deren Grundlagen noch nicht völlig bekannt sind. So gibt es noch keine widerspruchsfreie Grundlegung der relativistischen Quantentheorie. Weiter sind die Kräfte, die die Atomkerne zusammenhalten, noch nicht aus einer allgemeinen Theorie ableitbar. Und für die Elementarteilchen haben wir bisher nur einige Ordnungsprinzipien.

Diracsche Theorie des Elektrons

Eine Quantenmechanik, die auch im relativistischen Gebiet gilt, können wir nicht erwarten. Schon im klassischen Bereich (also bei Vernachlässigung der quantentheoretischen Unbestimmtheit) gibt es ja keine reine Mechanik des Mehrteilchensystems wegen der endlichen Ausbreitungsgeschwindigkeit aller Wirkungen. Ein mechanisches System aus Teilchen ist eben eine Abstraktion, die instantane Fernwirkung und absolute Gleichzeitigkeit voraussetzt. Man kann aber hoffen, durch

Quantisierung einer Feldtheorie zunächst von Materie und Elektromagnetismus eine relativistische Quantentheorie aufbauen zu können.

Für ein mit der elektrischen Ladung e behaftetes Teilchen in einem durch die Potentiale $U(\boldsymbol{x})$ und $\boldsymbol{A}(\boldsymbol{x})$ beschriebenen elektromagnetischen Feld gibt die Relativitätstheorie die Beziehung:

$$\left(\frac{E-eU}{c}\right)^2-(\boldsymbol{p}-e\boldsymbol{A})^2-m^2c^2=0. \tag{1}$$

Ihre Übertragung in die Feldtheorie der Materie

$$\left\{\frac{1}{c^2}\left(\mathrm{i}\hbar\frac{\partial}{\partial t}-eU\right)^2-\left(\frac{\hbar}{\mathrm{i}}\nabla-e\boldsymbol{A}\right)^2-\hbar^2\kappa^2\right\}\psi=0 \tag{2}$$

hat man 1926 erwogen. Eine solche Differentialgleichung, die in bezug auf t von zweiter Ordnung war, fügte sich aber nicht in das Schema der Quantenmechanik ein, die so etwas wie

$$\left\{H-\mathrm{i}\hbar\frac{\partial}{\partial t}\right\}\psi=0 \tag{3}$$

zu fordern schien. DIRAC suchte darum eine Aufspaltung des in (2) vor ψ stehenden Operators zweiter Ordnung in zwei Operatoren erster Ordnung. Er erhielt eine Gleichung

$$D\begin{pmatrix}\psi_1\\ \psi_2\\ \psi_3\\ \psi_4\end{pmatrix}=0$$

für eine vierkomponentige Feldgröße ψ. Der Operator D enthielt nur erste Ableitungen nach Ort und Zeit, außerdem noch vierreihige Matrizen, die die Elemente der Spalte umstellten und eine Erweiterung der Paulischen Spinmatrizen waren. Die Gleichung ließ sich in der Form (3) schreiben und anscheinend so, wie man es von der Quantenmechanik gewohnt war, interpretieren. Für $U=0$, $\boldsymbol{A}=0$ konnte man die Wellengleichung

$$-\frac{1}{c^2}\ddot{\psi}+\Delta\psi-\kappa^2\psi=0$$

daraus ableiten. Für $U\neq0$, $\boldsymbol{A}\neq0$ erhielt man jedoch Zusatzglieder gegenüber (2), die gerade das Verhalten des Elektronenspins nach Drehimpuls und magnetischem Moment beschrieben.

Anwendungen der Diracschen Gleichung, die sogleich gemacht wurden, bestärkten das Vertrauen in ihre Richtigkeit. Man lernte auch bald in den vierkomponentigen ψ eine besondere Art von Größen zu sehen, die von Skalaren, Vektoren, Tensoren verschieden waren; man nannte sie Spinoren und stellte eine Art Spinoranalysis auf, in der die Diracsche Gleichung durch

$$\begin{aligned}\text{Abl}\,\psi &= \kappa\,\chi\\ \text{Abl}\,\chi &= \kappa\,\psi\end{aligned}$$

ersetzt werden konnte, wo Abl eine kovariant gebildete Ableitung erster Ordnung und ψ, χ jetzt zweikomponentige Spinoren waren.

Die klassische Gleichung (1) erlaubt positive und negative Werte der kinetischen Energie $E-U$ (dabei $|E-e\,U| \geqq m\,c^2$); aber die negativen bleiben von den positiven getrennt. Die Diracsche Gleichung hingegen erlaubte den Übergang eines Teilchens aus einem Zustand positiver Energie in einen solchen negativer Energie und negativer Masse mit paradoxen Eigenschaften. Dies geschah z.B. beim Auflaufen eines Elektrons ($e<0$) auf eine Potentialstufe $e\,U>2m\,c^2$ (Paradoxon von O. KLEIN 1928). DIRAC ersann einen Ausweg aus dieser Schwierigkeit. Bei Teilchen mit Fermistatistik konnte er die Annahme machen, daß die Zustände negativer Masse für gewöhnlich besetzt seien. Ein ausnahmsweise unbesetzter Zustand eines Elektrons bedeutete dann ein Teilchen mit positiver Masse und positiver elektrischer Ladung. Er setzte es dem Proton gleich. Die Ungleichheit der Masse von Proton und Elektron war jedoch ein ernster Einwand, so daß schließlich 1931 DIRAC die „Löcher" in der Menge der Zustände negativer Energie als neue unbekannte Teilchen, als „Antielektronen" erklären mußte. Was in der ursprünglichen Auffassung der Diracschen Theorie als Übergang eines Teilchens aus einem Zustande negativer Energie ($E<-m\,c^2$) in einen Zustand positiver Energie ($E>+m\,c^2$) (Abb. 32) erschien, war in der „Löchertheorie" Erzeugung eines Lochs in dem sonst vollbesetzten Gebiet der Zustände negativer Energie und eines Teilchens mit positiver Energie, also Erzeugung eines Paares aus Antiteilchen und Teilchen. Das Antiteilchen zum Elektron, das „Positron", wurde 1932 experimentell gefunden, bald auch die Erzeugung eines Elektron-Positron-Paares. Ein Antiproton wurde vermutet, 1955 wurde es gefunden. Die Theorie wurde 1934 von DIRAC und HEISENBERG in eine in Teilchen und Antiteilchen symmetrische Form gebracht.

Die Diracsche Gleichung lieferte im Gewande einer Einteilchentheorie Aussagen über ein Mehrteilchensystem, nämlich über Erzeugung und Vernichtung von Paaren. Dies wurde später von großer Wichtigkeit.

Die Diracsche Theorie des Elektrons wurde später Bestandteil einer Quantenfeldtheorie der Materie.

Quantenfeldtheorie

Zunächst suchte man eine Quantenelektrodynamik. Anfänge davon waren die Behandlung der elektromagnetischen Eigenschwingungen der Strahlung als zu quantisierende Oszillatoren, weiter DIRACS Behandlung der Strahlungsamplituden als q-Zahlen. Ein Glied

$$\sim b_i\, a_k\, a_l^*$$

in der Wechselwirkung von Licht und Materie, wo b_i die Amplitude einer Eigenschwingung des Lichtfeldes, a_k des Materiefeldes war, entsprach der Absorption eines Lichtquants und Übergang eines Elektrons vom Zustand k zum Zustand l (Vernichtung eines Elektrons in k, Erzeugung eines Elektrons in l). Ein Glied

$$\sim a_l\, a_k^*\, b_i^*$$

entsprach der Emission eines Lichtquants und dem Übergang eines Elektrons von l nach k. Zu einer allgemeinen Quantenelektrodynamik wurden diese Ansätze durch Aufstellung von Vertauschungsregeln für die elektromagnetischen Feldgrößen. Sie konnten schließlich lorentzinvariant formuliert werden (JORDAN und PAULI 1927).

Es folgten nun allgemeine Schemata einer Quantenfeldtheorie, in denen zunächst eine nichtquantisierte Feldtheorie wie ein Mechanismus behandelt wurde, dessen Koordinaten q_k die Feldgrößen $\psi(\boldsymbol{x})$ an den einzelnen Raumstellen waren und dessen kanonisch konjugierte Impulse p_k gemäß

$$p_k = \frac{\partial L}{\partial \dot{q}_k}$$

gebildet wurden. Die kanonischen Gleichungen waren so die Feldgleichungen. Die Theorie wurde dann mittels der kanonischen Vertauschungsregeln quantisiert (HEISENBERG und PAULI 1929). Das gab eine Theorie für Teilchen mit Bose-Statistik. Um Teilchen mit Fermi-Statistik zu erhalten, mußten Vertauschungsregeln mit dem +-Zeichen angewandt werden. Auch der Diracschen Gleichung des Elektrons entsprach jetzt ein Materiefeld, das mit den +-Vertauschungen quantisiert werden konnte.

Nach Aufstellung der Dirac-Gleichung hatte man eine Weile geglaubt, daß diese Gleichung mit einer spinoriellen Feldgröße die einzig mögliche relativistische Quantentheorie der Materie abgäbe und darum der Spin $\hbar/2$ der einzig mögliche Spin eines Elementarteilchens sei. Das änderte sich, nachdem 1934 W. PAULI und V. WEISSKOPF die Quantisierung einer skalaren Feldtheorie der Materie durchführten. Während in DIRACS

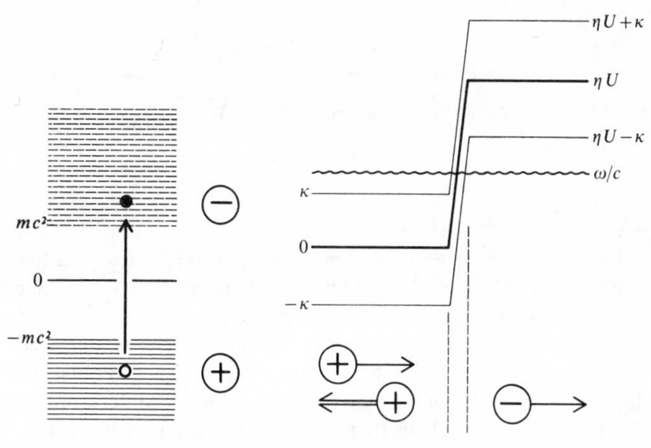

Abb. 32. Paarerzeugung Abb. 33. Materieerzeugung

Theorie die elektrische Ladung $\sim\psi^*\psi$ nur ein Vorzeichen hatte, gab es in der skalaren Theorie beide Vorzeichen der Ladungsdichte $\sim i(\psi^*\dot{\psi}-\dot{\psi}^*\psi)$, aber stets positive Energie. Bei der Diracschen Theorie war die Umdeutung zur Löchertheorie notwendig, um Teilchen mit beiden Ladungsvorzeichen und immer positiver Energie zu erhalten; bei der skalaren Theorie war eine solche Umdeutung nicht nötig und bei Quantisierung mit der $-$-Vertauschung wegen der Bose-Statistik auch nicht möglich. Die Dirac-Gleichung konnte zunächst formal als Gleichung für ein Teilchen angesehen werden, nach der Umdeutung enthielt sie Prozesse der Erzeugung oder Vernichtung eines Teilchen-Antiteilchen-Paares. In der quantisierten skalaren Theorie gab es keinen Erhaltungssatz für die Teilchenzahl, Paarerzeugung war möglich. Wohl aber gab es einen Erhaltungssatz für die Energie und die elektrische Ladung.

Es gibt eine ziemlich einfache Verdeutlichung der Paarerzeugung in der skalaren Theorie. Eine Materiewelle mit der Beziehung

$$\frac{\omega^2}{c^2}-k^2-\kappa^2=0$$

für die Frequenz ω und die Wellenzahl k läuft gegen eine hohe Stufe U elektrischen Potentials (Abb. 33). Dahinter kann sie als Welle mit

$$\left(\frac{\omega}{c}-\eta U\right)^2-k^2-\kappa^2>0$$

weiterlaufen, wenn

$$\left(\frac{\omega}{c}-\eta U\right)^2>\kappa^2$$

ist. Für $\eta U>2\kappa$ ist also eine einlaufende Welle mit $\omega/c>\kappa$ und eine weiterlaufende mit

$$\frac{\omega}{c}-\eta U<-\kappa$$

möglich; das erste bedeutet positive, das zweite negative elektrische Ladung. Aus einem einlaufenden Materiestrom positiver Ladung entsteht also ein hinter der Schwelle weiterlaufender Materiestrom negativer Ladung, dazu ein rücklaufender Strom positiver Ladung, der wegen der Erhaltung der gesamten elektrischen Ladung stärker sein muß als der einfallende (die Rechnungen entsprechen denen einer bekannten Aufgabe der Optik). In der Potentialstufe wird also stationär Materie mit positiver und Materie mit negativer Ladung erzeugt. Der Satz von der Erhaltung der Energie ist dadurch erfüllt, daß die positiv geladene Materie in einem Gebiete tiefen elektrischen Potentials, die negativ geladene Materie in einem Gebiete hohen elektrischen Potentials erzeugt wird. Diese Materieerzeugung tritt schon in einer klassisch anschaulichen Feldtheorie der Materie auf, sie ist kennzeichnend für eine relativistische Feldtheorie. Die Quantisierung dieses Feldes bewirkt (nun nicht mehr anschaulich), daß die Materieerzeugung in der Stufe auch ohne einlaufende Welle stattfinden kann und nun (da die Quantisierung ja Teilchen liefert) eine Erzeugung von Paaren ist.

Bald wußte man: Materieerzeugung ist ein allgemeiner Zug einer relativistischen Feldtheorie der Materie. Für die Materiemenge gilt kein Erhaltungssatz. Spontane Paarerzeugung ist ein Zug einer quantisierten relativistischen Feldtheorie der Materie. Für die Teilchenzahl gilt kein Erhaltungssatz. Es gibt skalare, spinorielle, vektorielle ... Feldtheorien für Teilchen mit Spin $0, \frac{1}{2}, 1 \ldots$.

Wegen der beiden Vorzeichen der Energie war beim Spin $\frac{1}{2}$ eine Umdeutung im Sinne der Löchertheorie nötig; somit war Fermi-Statistik gefordert. PAULI konnte schließlich den Satz beweisen, daß allg. für Teilchen mit halbzahligem Spin die Fermi-Statistik, für Teilchen mit ganzzahligem Spin die Bose-Statistik gilt.

Eine Reihe von Folgerungen der Quantenelektrodynamik konnten durch Messungen bestätigt werden. Eine Schwierigkeit war jedoch, daß die Berechnung bestimmter Größen zu divergenten Ausdrücken führte, z.B. die Berechnung der Selbstenergie eines Elektrons wegen seiner Wechselwirkung mit dem elektromagnetischen Feld. Man hat Verfahren erdacht, diese Schwierigkeit für manche Überlegungen auszuklammern. *Aber eine konsistente Quantenfeldtheorie gibt es heute, 40 Jahre nach den Anfängen, noch nicht.*

Kopplungen der Elementarteilchen

Die rasche Entwicklung der theoretischen Physik im 20. Jahrhundert brachte es mit sich, daß fast von Jahrzehnt zu Jahrzehnt ein anderes Gebiet im Mittelpunkt des Interesses stand. Solche Modegebiete oder Gebiete, denen sich viele der produktiven theoretischen Physiker zuwandten, waren etwa:

1910 Relativitätstheorie
1920 Quantentheorie und Spektren
1930 Bau der Molekeln, Chemie, Metalle
1935 Atomkerne
1940 kosmische Strahlung
1950 Elementarteilchen.

Bis dahin etwa konnten die schöpferischen Forscher sich noch bei allen zentralen Fragen der Physik für zuständig halten. Dann trat auch bei ihnen eine Spezialisierung ein.

Wichtige Entdeckungen auf dem Gebiete der Elementarteilchen waren: 1922 der Compton-Effekt, der die Teilchennatur des Photons deutlich machte, 1933 die experimentelle Entdeckung des Neutrons und des Positrons und der theoretische Schluß auf das Neutrino, 1935 der theoretische Schluß auf ein „Meson" und um jene Zeit auch die Feststellung von Mesonen in der kosmischen Strahlung, 1947 die Unterscheidung von π- und μ-Teilchen, in den fünfziger Jahren die Auffindung der „strange particles" und die Systematik der „Hadronen", der Teilchen mit starken Kopplungen (ʻαδρός stark). 1955 wurde das Antiproton gefunden, 1957 die Verletzung der Parität gezeigt. Die sechziger Jahre brachten den Nachweis neuer kurzlebiger Hadronen, die zur Erkenntnis einer neuen, genähert erfüllten Symmetrie im System der Hadronen führte. Zu der alten Spektroskopie der Atom- und Molekelhülle und zu der späteren der Kerne trat nun eine „dritte Spektroskopie" der

Hadronen. Die erste spielte sich im eV-Gebiet, die zweite im MeV-Gebiet ab; die dritte bewegt sich im GeV-Gebiet.

Wir betrachten zunächst die Anfänge einer Theorie der Elementarteilchen.

DIRACS Theorie der Elektronen schuf den Begriff des Antiteilchens. Die anschließenden Rechnungen zum Compton-Effekt enthielten Ausdrücke, die man als kurzdauernde Existenz eines „virtuellen" Elektrons oder Positrons deuten konnte. Die Unbestimmtheitsbeziehung $\Delta E\,\Delta t \approx \hbar$ erlaubte die Vorstellung kurzlebiger Zwischenzustände, die nicht die Energie des Anfangs- oder Endzustandes hatten. Diese Auffassung des Compton-Effekts wurde später durch die Graphen der Abb. 34 wieder-

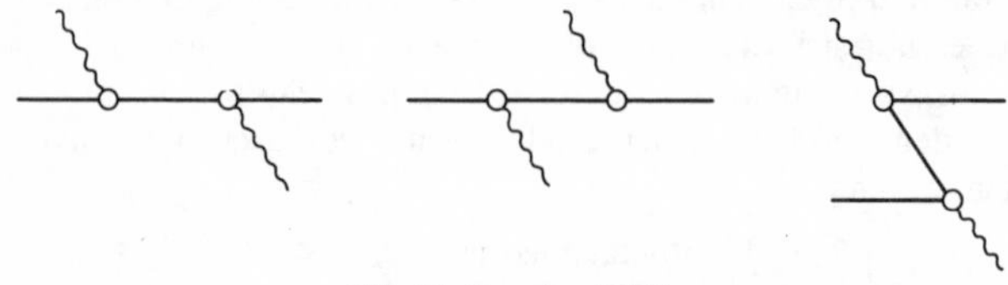

Abb. 34. Compton-Effekt

gegeben (die Zeit läuft von links nach rechts). Aus der Diracschen Theorie folgte auch die Möglichkeit der Zerstrahlung eines Elektron-Positron-Paares (Abb. 35). Für die Prozesse

$$e^- + \gamma \leftrightarrow e^- + \gamma$$

$$e^- + e^+ \leftrightarrow \gamma + \gamma$$

gab es eine „Algebra" der Reaktionsformeln; beim Überstellen auf die andere Seite gingen Teilchen in Antiteilchen über. Das Photon mußte dabei als sein eigenes Antiteilchen angesehen werden.

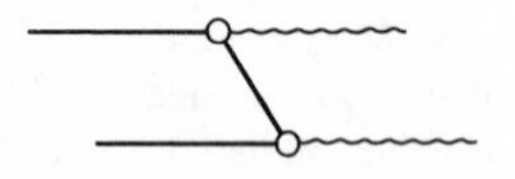

Abb. 35. Elektron-Positron-Zerstrahlung

Nach der Entdeckung des Neutrons wurde der β-Zerfall als

$$n \rightarrow p + e^- + \nu$$

gedeutet, und im Rahmen der theoretischen Kernphysik wurden n und p als zwei Zustände des Nukleons aufgefaßt.

Gegen 1935 waren die bekannten Elementarteilchen außer dem Photon (γ) das Neutrino (ν), das Elektron und sein Antiteilchen (e^-, e^+) sowie die beiden Nukleonen (n, p). 1935 kam dazu ein hypothetisches Teilchen. H. YUKAWA erklärte die Kraft zwischen Nukleonen als Kraft eines Materiefeldes; ihm entsprachen Partikel, deren Masse etwa das 200fache der Elektronenmasse betrug. Die Feldgleichung

$$-\frac{1}{c^2}\ddot{\psi}+\Delta\psi-\kappa^2\psi=0$$

läßt ein statisches kugelsymmetrisches Feld

$$\psi\sim\frac{e^{-\kappa r}}{r}$$

zu, das Kräfte der Reichweite $1/\kappa$ vermittelt. Aus der bekannten Reichweite der Kernkräfte, etwa 10^{-13} cm, schloß YUKAWA auf die Masse der dem Feld entsprechenden Partikel; Proton und Neutron sah er als „Quellen“ dieses Materiefeldes an. Wenn wir die Partikel gleich mit ihrem späteren Namen π-Teilchen benennen, so gestattete die Theorie von YUKAWA die virtuellen Prozesse

$$\mathrm{n}\leftrightarrow\mathrm{p}+\pi^-$$
$$\mathrm{p}\leftrightarrow\mathrm{n}+\pi^+.$$

Nach Aufdeckung der Ladungsunabhängigkeit der Kernkräfte mußte man

$$\mathrm{n}\leftrightarrow\mathrm{n}+\pi^0$$
$$\mathrm{p}\leftrightarrow\mathrm{p}+\pi^0$$

zufügen. Den β-Zerfall faßte YUKAWA als Prozeß

$$\pi^-\rightarrow e^-+\nu$$
$$\pi^+\rightarrow e^++\nu$$

auf (mit virtuellem π). In einer Feldtheorie der Kopplungen der Nukleonen mit den π-Teilchen traten Glieder wie $n\,p^*\,\pi$, $n^*\,p\,\pi^*$ auf.

Man hatte nun eine neue Art Kraft in die Physik eingeführt, die „Kernkraft“, neben der elektromagnetischen Kraft und der Gravitation. Bald kamen noch mehr Arten von Kräften hinzu.

Eine gewisse Verwirrung entstand dadurch, daß man damals in der kosmischen Strahlung Teilchen fand, die ungefähr die Masse der von YUKAWA angenommenen Teilchen hatte. Man nannte sie Mesonen und hielt sie für die Yukawaschen Teilchen.

Eine zweite Phase der Lehre von den Elementarteilchen begann 1947 damit, daß man zwei Arten „Mesonen" unterscheiden lernte, die π und die μ-Teilchen, und Prozesse

$$\begin{aligned} &\pi^{\pm} \rightarrow \mu^{\pm} + \nu \\ &\mu^{\pm} \rightarrow e^{\pm} + \nu + \nu \\ &\mu^{-} + p \rightarrow n + \nu \end{aligned}$$

sicherstellte. Mittels der großen Teilchenbeschleuniger konnte man π-Teilchen herstellen und Prozesse wie

$$\pi^{-} + p \rightarrow n + \gamma$$

messend verfolgen. Die Prozesse

$$\pi^{\pm} \rightarrow e^{\pm} + \nu$$

wurden wesentlich später gefunden; sie stellten die vermißte Gleichartigkeit von μ und e wieder her.

Um 1950 war etwa folgender Stand erreicht: Die Teilchenumwandlung ist das charakteristische Phänomen der Hochenergiephysik. Man kann die Reaktion der Teilchen auf Kopplungen wie ($e e \gamma$), ($n p \pi$), ($n p e \nu$), ($n p \mu \nu$), ($\mu \nu e \nu$) *zurückführen. Es kommen alle Reaktionen vor, die mit diesen Kopplungen und den Erhaltungssätzen verträglich sind. Die Baryonenzahl* (1 *für* n, p; 0 *für* π, μ, e, ν, γ) *und die elektrische Ladung bleiben erhalten.*

Aus der Häufigkeit der Umwandlungen konnte man auf die Stärke der Kopplungen schließen. Man unterschied die „starke Kopplung" ($N N \pi$) (N kann für n und p stehen), die elektromagnetische Kopplung ($e e \gamma$), ($p p \gamma$), ($\pi \pi \gamma$), die „schwachen Kopplungen" ($n p e \nu$), ($n p \mu \nu$), ($\mu \nu e \nu$) und schließlich die Gravitation. Die Kräfte standen etwa im Verhältnis $1 : 10^{-2} : 10^{-14} : 10^{-39}$.

Ordnung der Hadronen

Wollte man die durch Streuexperimente nahegelegte Gleichheit der Kernkräfte zwischen pp, pn, nn mit Hilfe der ($N N \pi$)-Kopplung verstehen, so mußte man eine Art ladungsunabhängiger ($N N \pi$)-Kopplung annehmen (N. Kemmer 1938). Experimente mit Streuprozessen

$$\pi + N \rightarrow \pi + N$$

bestätigen durch die Häufigkeiten der speziellen Fälle

$$\pi^- + n \to \pi^- + n, \quad \pi^- + p \to \pi^- + p, \quad \pi^- + p \to \pi^0 + n,$$

$$\pi^+ + n \to \pi^+ + n, \quad \pi^+ + n \to \pi^0 + p \quad \pi^+ + p \to \pi^+ + p$$

eine solche einheitliche Kopplung. So war die Auffassung vom „Isospin" begründet. n, p bildeten ein Dublett mit dem Isospin $\frac{1}{2}$ und $\pi^+ \, \pi^0 \, \pi^-$ ein Isotriplett mit dem Isospin 1.

Um 1950 wurden neue Teilchen entdeckt. Sie wurden schließlich als K-Mesonen und Λ, Σ, Ξ-Baryonen eingeordnet. Nach einigen Jahren hatte man das Schema:

$$\begin{array}{ccc} \Xi^- & \Xi^0 & \\ \Sigma^- & \Sigma^0 & \Sigma^+ \\ & \Lambda & \\ & N^0 & N^+ \\ & K^0 & K^+ \\ \tilde{K}^- & \tilde{K}^0 & \\ \pi^- & \pi^0 & \pi^+ \end{array}$$

($\tilde{K}$ ist Antiteilchen zu K).

Die neuen Teilchen entstanden relativ häufig, hatten aber verhältnismäßig lange Lebensdauern (um 10^{-8} s). Man mußte daraus schließen, daß sie mit starker Kopplung entstehen und schwacher Kopplung zerfallen. Für starke Kopplung mußte es also einen genähert gültigen Erhaltungssatz geben, der z.B. den Zerfall

$$\Sigma \to N + \pi$$

nur als Folge schwacher Kopplung zuließ. Ein solcher wurde von M. Gell-Mann und K. Nishijima 1963 aufgestellt. Er lief hinaus auf eine Erhaltung des Ladungsschwerpunktes $2Y$ und des Isospins I. Die Nukleonen hatten $Y=1$; Λ und Σ hatten $Y=0$; Ξ hatte $Y=-1$. Die elektrische Ladung war durch

$$Q = \tfrac{1}{2} Y + I_3 \qquad |I_3| \leqq I$$

gegeben. Nach dem genannten Erhaltungssatz konnten z.B. Λ-Teilchen durch den Prozeß

$$\pi + N \to K + \Lambda$$

mit starker Kopplung entstehen. Neben dem Ladungsschwerpunkt, also der Quantenzahl Y, benutzte man auch die „strangeness“ zur Charakterisierung. Da die gewöhnlichen Mesonen (π) $Y=0$ und die gewöhnlichen Baryonen (N) $Y=1$ zeigten, wurde die strangeness

$$S=-B+Y$$

(B Baryonenzahl). Um 1960 konnte das Schema der Hadronen (Teilchen mit starker Kopplung) so geschrieben werden:

$$\begin{array}{c|ccc}
B\uparrow & \Xi & \Lambda,\Sigma & \mathrm{N} \\
 & \tilde{\mathrm{K}} & \pi & \mathrm{K} \\
 & \tilde{\mathrm{N}} & \tilde{\Lambda},\tilde{\Sigma} & \tilde{\Xi} \\
\hline
 & & & \rightarrow Y.
\end{array}$$

Eine etwas andere Schreibweise des Systems der Mesonen und Baryonen war:

$$\begin{array}{c|ccccc}
Y\uparrow & & \mathrm{K}^0 & & \mathrm{K}^+ & \\
 & \pi^- & & \pi^0 & & \pi^+ \\
 & & \tilde{\mathrm{K}}^- & & \tilde{\mathrm{K}}^0 & \\
\hline
 & & & & & \rightarrow I_3
\end{array}
\qquad
\begin{array}{c|ccccc}
Y\uparrow & & \mathrm{N}^0 & & \mathrm{N}^+ & \\
 & \Sigma^- & & \Lambda,\Sigma^0 & & \Sigma^+ \\
 & & \Xi^- & & \Xi^0 & \\
\hline
 & & & & & \rightarrow I_3.
\end{array}$$

Sie zeigte eine sechszählige Symmetrie in der Anordnung. Diese Symmetrie konnte natürlich nur genäherte Bedeutung haben, da ja die Massen von π und K, sowie von N, Λ, Σ, Ξ verschieden sind. Man fand nun bald zahlreiche neue Teilchen kurzer Lebensdauer („Resonanzen“ in Streuprozessen), die eine ähnliche Symmetrie aufwiesen, z.B.

$$\begin{array}{c|ccccccc}
Y\uparrow & \mathrm{N}^{-*} & & \mathrm{N}^{0*} & & \mathrm{N}^{+*} & & \mathrm{N}^{++*} \\
 & & \mathrm{Y}^{-*} & & \mathrm{Y}^{0*} & & \mathrm{Y}^{+*} & \\
 & & & \Xi^{-*} & & \Xi^{0*} & & \\
 & & & & \Omega^- & & & \\
\hline
 & & & & & & & \rightarrow I_3;
\end{array}$$

weiter fand man neben dem π^0 noch ein η, das die Analogie der Mesonen mit den Baryonen vollständig machte. Man nahm daraufhin eine besondere Symmetriegruppe (SU 3) für die Elementarteilchen an. Sie besagte im wesentlichen, alle aus Elementarteilchen durch dreizählige Drehung des I_3, Y-Schemas entstehenden kommen auch vor.

So wie man gewöhnliche Multipletts und Isomultipletts formal aus Spinzuständen $\pm\frac{1}{2}$ aufbauen konnte, kann man die Schemata der SU 3-Gruppe aus drei Elementen q und ihren Antielementen q̃ mit der Baryonenzahl $\frac{1}{3}$ und gebrochenen Werten von Y und I_3 formal aufbauen. q q̃ gibt die Mesonen, q q q die Baryonen, q̃ q̃ q̃ deren Antiteilchen. Diese gedachten Elemente wurden Quarkteilchen genannt. Beim Bekanntwerden neuer Hadronen, die nicht mehr in das Schema der drei Quarkteilchen paßten, ergänzte man es um ein viertes Teilchen („Charme"-teilchen). Auch fand man Gründe, jedes Quarkteilchen durch drei (denen man je eine „Farbe" zuerteilte) zu ersetzen. Doch das ist schon Gegenwart und nicht mehr Geschichte.

Eine Feldtheorie der Kopplungen begegnete den Schwierigkeiten, die oben bei der Quantenfeldtheorie erwähnt wurden. Bei den starken Kopplungen leuchtet auch ein, daß eine Störungsrechnung nicht praktikabel ist, da die Entwicklungsglieder $\lambda, \lambda^2, \lambda^3 \ldots$ bei einem Entwicklungsparameter $\lambda \approx 1$ von gleicher Größenordnung wären.

Es ist ein bestechender Gedanke, die verschiedenen Elementarteilchen als Eigenlösungen einer einzigen nichtlinearen Feldgleichung zu verstehen. Sie müßte vom Typ

$$-\frac{1}{c^2}\ddot{\psi} + \Delta\psi - l\psi^*\psi\psi = 0$$

sein, natürlich komplizierter wegen des Spins und Isospins. Neben den Konstanten c und $\hbar$ (in den Vertauschungsregeln) enthielte die Theorie noch eine Kopplungskonstante l, wodurch natürliche Einheiten der Zeit, der Länge und der Masse festgelegt wären. Neben den Massen der Teilchen müßten auch die für die starke Kopplung charakteristischen Konstanten aus dieser Theorie folgen. HEISENBERG und seine Mitarbeiter haben sich um eine solche Theorie bemüht, doch ohne überzeugenden Erfolg.

Leptonen

Baryonen (und ihre Antiteilchen) und Mesonen sind an starken Kopplungen beteiligt. Teilchen, die (vom Elektromagnetismus abgesehen) nur schwache Kopplungen eingehen, heißen Leptonen (λεπτός zart). Man rechnet also $\mu^\pm$ zu den Leptonen (nicht mehr zu den Mesonen), dazu kommen $e^\pm$ und ν. Angesichts der Analogie von μ und e ist die verhältnismäßig große Masse des μ auffallend; ihre Erklärung dürfte ein Prüfstein für eine künftige Theorie sein.

Das Fehlen des Zerfalls $\mu^{\pm} \to e^{\pm} + e^{+} + e^{-}$ und der Umwandlung $\mu \to e + \gamma$ versuchte man mit der Erhaltung einer Leptonenladung zu verstehen, die bei e^{-} und μ^{+} die gleiche sein sollte. Später verstand man es mit der Annahme zweier Neutrinos ν_e und ν_μ und ihrer Antiteilchen, den Umwandlungen

$$n \to p + e^{-} + \tilde{\nu}_e$$

$$\mu^{-} \to e^{-} + \nu_\mu + \tilde{\nu}_e$$

und der Erhaltung einer e- und einer μ-Leptonenladung.

Eine Überraschung war die Verletzung der Parität bei Prozessen, in denen Neutrinos auftreten (T. D. LEE und C. N. YANG 1956). Man mußte dem Neutrino einen Schraubencharakter, nämlich einen polaren Vektor des Impulses und einen axialen Vektor des Drehimpulses zuschreiben. Nennt man die Operation der Zeitumkehr *T*, der Inversion *P* (Parität) und der Umkehr aller ladungsartigen Größen *C*, so sind die Gesetze der klassischen Physik, z. B. die Theorie des elektromagnetischen Feldes, *T*-invariant, *P*-invariant und *C*-invariant. Bei Vorgängen der schwachen Kopplung ist die *P*-Invarianz verletzt; es kann aber Invarianz gegen *PC* (gleichzeitige Inversion und Ladungsumkehr) bestehen. Ein „*PCT*-Theorem“ besagt, daß aus sehr allgemeinen Voraussetzungen der Theorie die *PCT*-Invarianz (gegen gleichzeitige Inversion, Ladungs- und Zeitumkehr) folgt. Es wurde zwischen 1952 und 1957 allmählich bewiesen.

Neben den hier erwähnten Prozessen, die aus den Kopplungen (n, p, e, ν_e), (n, p, μ, ν_μ) und (μ, ν_μ, e, ν_e) folgen, hat man neuerdings auch Prozesse gefunden, die (e, e, μ, μ), (e, e, ν_e, ν_e) oder (e, e, ν_μ, ν_μ) entsprechen.

Man hat versucht, solche Viererkopplungen von Fermionen einheitlich zu beschreiben und in je zwei Dreierkopplungen (f, f, b) und (b, f, f), z. B. (μ, ν_μ, e, ν_e) in (μ, ν_μ, b) und (b, e, ν_e) aufzulösen, wo f ein Fermion und b ein Boson mit großer Masse bedeutet.

Zur Zeit verfügt man noch nicht über eine Theorie der Elementarteilchen, die ihre Massen und Kopplungskonstanten auszurechnen oder zu schätzen erlaubt. Aber man hat Ordnungsprinzipien, zu denen die Erhaltung von Ladungsschwerpunkt und Isospin bei starken Kopplungen, die genäherte SU 3-*Symmetrie der Hadronen, die Erhaltung der beiden Leptonenladungen und die Schraubenstruktur der Neutrinos gehören.*

Was ist nun eigentlich ein Elementarteilchen? Gegenwärtig nennt man so eine große Schar von Teilchen, bei denen noch offen ist, ob sie in irgend einem Sinne aus „noch elementareren“, vielleicht wirklich „letzten“ bestehen, oder ob es bei einer größeren Schar bleibt, die gemäß ihrer Kopplungen sich ineinander umwandeln. Der Begriff „Teilchen“ ist immer mit der Einschränkung gemeint, die die quantentheoretische Unbestimmtheit oder der Dualismus setzt. Vielleicht gibt es noch weitere, noch nicht bekannte Einschränkungen der Anwendbarkeit unserer Begriffe. Vielleicht gewinnt auch die Auffassung an Boden, daß es Dinge gibt, die in erster Linie Teilchen sind (und wegen der Quantentheorie auch Welleneigenschaften zeigen), nämlich die Fermionen, und daß es Dinge gibt, die in erster Linie Felder sind (und wegen der Quantentheorie auch Teilcheneigenschaften zeigen), nämlich die Bosonen.

18. GELÖSTES UND UNGELÖSTES

Gang der Geschichte

Unser Gang durch die Geschichte der physikalischen Begriffe zeigte uns nicht einen gleichförmigen Ablauf, sondern mehrere charakteristische Epochen stärkerer Verdichtung. Wir wollen sie uns noch einmal kurz vergegenwärtigen.

Die Anfänge wissenschaftlichen Denkens über die Natur setzten eine gewisse Distanz des Menschen von dieser voraus. Sie wurde in der Loslösung vom Mythos gewonnen. Die Naturwissenschaft begann dann mit der Schaffung einer wissenschaftlichen Sprache und mit dem Entstehen einer Denkdisziplin. Die Loslösung von dem, was wir heute Naturphilosophie nennen, gelang nur zum Teil. Nur auf einzelnen Gebieten ist es in der Antike zu einer exakten Fachwissenschaft gekommen; die meisten Probleme waren zu schwierig, um schon eine Lösung zu finden. Warum erlosch die antike Naturwissenschaft? Man kann Symptome angeben, aber keine Gründe. Symptome waren die Trennung von philosophischem Denken und Praxis, der mangelnde Wille, die Welt zu gestalten. Ein neuer Keim entfaltete sich dann im 14. Jahrhundert. Im Zuge der Verarbeitung des antiken Wissens, das etwa im 12. und 13. Jahrhundert in den Gesichtskreis des Abendlandes kam, entstand das Bedürfnis nach verschärftem Ausdruck; es bildete sich die Auffassung, daß physikalische Zusammenhänge durch (wie wir heute sagen) analytische Ausdrücke darzustellen seien, und es entstanden Vorformen des mathematischen Funktionsbegriffes. Der Keim entfaltete sich nicht recht weiter. Wieweit die wirtschaftlichen und sozialen Krisen, die religiöse Unruhe oder einfach die aufkommende Bewegung des Humanismus, der wissenschaftliche Vertiefung als Verengung des Menschseins ansah, den Keim erstickt haben, ist wohl schlüssig nicht zu beantworten.

Das rasche Aufblühen der Naturwissenschaften und das Entstehen einer mathematischen Mechanik im 17. Jahrhundert ist durch das gegenseitige Stützen von Mathematik und Experiment gekennzeichnet. Die physikalischen Fragen regten die Entstehung neuer mathematischer Methoden an; diese erleichterten das Aussprechen der Naturgesetze. Der Begriff des Naturgesetzes wurde eigentlich damals gebildet. Während die grundlegenden Gedanken der neuen Mechanik im 17. Jahrhundert erfaßt wurden, füllte die mathematische Durcharbeitung mit Hilfe der Infinitesimalrechnung das 18. Die Mathematisierung der übrigen Gebiete der Physik, das Ausgreifen der exakten Physik über die Mechanik hinaus, setzte dann ziemlich rasch am Anfang des 19. Jahrhunderts ein, vorbereitet durch die Erfolge bei der mathematischen Fassung der Mechanik. Die Aufstellung der Theorien des elektromagnetischen Feldes und der Wärmeerscheinungen, die um die Jahrhundertmitte und bald danach erfolgte, setzte aber auch systematisches Experimentieren voraus, das durch die beginnende Industrialisierung gefördert wurde. Die mikroskopische Physik des 20. Jahrhunderts ruht in verstärktem Maße auf der Verfeinerung dieses Experimentierens.

Im ganzen möchte man so einen durch die Sache und durch die technisch-wissenschaftliche Entwicklung geradlinig bestimmten Gang der Geschichte der Physik herauslesen.

Ehe wir aber auf die Frage Sachzwang oder Zufall in dieser Geschichte und auf das damit verbundene Verhältnis von Tradition und Erfahrung eingehen, müssen wir den Gang der Geschichte uns noch an Hand der einzelnen Probleme vergegenwärtigen.

Das Problem der Veränderung war für die Ortsveränderung leichter zu behandeln als für die stofflichen Umwandlungen. Die beiden Grenzfälle der Ortsveränderung, die dem Menschen zunächst auffielen, die fortdauernde Bewegung der Gestirne und die entweder sich erschöpfende oder mit Anstrengung zu erhaltende Bewegung der irdischen Körper, bestimmten die Aufteilung auf zwei Wissenschaften, die Astronomie und die irdische Bewegungslehre. Letztere blieb weitgehend am Grenzfall der Bewegung mit starker Reibung und damit an der Verknüpfung von Kraft und Geschwindigkeit haften. Die zweite geschichtliche Stufe der Bewegungslehre ging vom entgegengesetzten Grenzfall der reibungsfreien Bewegung aus und konnte so eine einheitliche Mechanik für die Bewegung am Himmel und auf der Erde schaffen. Die Konstanz der Beschleunigung beim Fall, die (genäherte) Proportionalität der Beschleunigung mit der Auslenkung bei der Schwingung, die Richtungsänderung der Geschwindigkeit als Folge einer Kraft und dann das Gravitationsgesetz waren wichtige Einsichten, die schließlich zur Grundbeziehung

$$m\ddot{\boldsymbol{x}} = \boldsymbol{F}$$

und zum Gesetz der Wechselwirkung

$$\boldsymbol{F}_1 = -\boldsymbol{F}_2$$

verschmolzen. Das Problem der Bewegung war so um 1700 im Grundsatz gelöst.

Das durch das Gegensatzpaar hell–dunkel gestellte Problem konnte nur vorläufige Lösungen finden, bis die Natur der elektromagnetischen Erscheinungen geklärt war. Von den wichtigsten Einsichten, die zu dieser Klärung führten, dem Coulombschen Gesetz, der magnetischen Wirkung eines elektrischen Stromes und dem Induktionsgesetz, setzten die beiden letztgenannten die Herstellung starker Ströme und feiner Meßgeräte voraus. Die Schaffung einer Theorie des elektromagnetischen Feldes erforderte die Ausgestaltung der mathematischen Analysis von Funktionen mehrerer Variablen. Dies alles war um 1860 beisammen, und es kam zur Maxwellschen Theorie des elektromagnetischen Feldes.

Das durch den Gegensatz warm–kalt gestellte Problem konnte erst beim Eindringen in die mikroskopische Welt ganz durchschaut werden, ebenso das Problem der stofflichen Veränderungen. Dieses Eindringen geschah zunächst in einer spekulativen Phase, dann (im wesentlichen erst im 20. Jahrhundert) in einer experimentell begründeten. Für ein Verstehen der Grundbegriffe der Wärmelehre genügte eine statistische Mechanik mit der Annahme sehr kleiner Atome oder Molekeln. Für eine eigenständige Chemie bedurfte es nur der experimentellen Erforschung des Makroskopischen an den Vorgängen. Ein physikalisches Verständnis jedoch dieser Chemie konnte erst die Quantentheorie bringen, die auf Experimenten aufbaute, die in den mikroskopischen Aufbau eindrangen. Sie war um 1927 genügend abgeschlossen.

Die Reihenfolge in der Aufstellung der Theorien im 19. und 20. Jahrhundert ist also im wesentlichen durch den Grad der Verborgenheit des erklärenden Hintergrundes bedingt: des sinnlich nicht direkt faßbaren des elektromagnetischen Feldes, des mikroskopischen bei der Wärmelehre und statistischen Physik, des anschaulich nicht mehr beschreibbaren beim Atom.

Die uralten Probleme der Bewegung, des Lichtes und der Stoffe sind also gelöst. Die Erforschung des Subatomaren erfüllt die Gegenwart.

Der Gang der Geschichte der physikalischen Begriffe hat jeweils bestimmte Modelle der physikalischen Wirkung herausgestellt. Wir sehen deutlich fünf bis sechs solcher Wirkungsmodelle.

Die herrschende antike Auffassung vom Naturgeschehen legte eine bestimmte Ordnung der Welt als Idealfall zugrunde. Beeinflußt durch den Eindruck, den die Bewegung der Gestirne machte, und wohl auch durch mythische Vorstellungen aus dem Orient, war es eine Ordnung in Sphären, die von außen angetrieben wurden und deren innerste die ruhende Erde war. Das Geschehen am Himmel war Ausdruck dieser Ordnung, das Geschehen auf der Erde Wiederherstellung der irgendwie gestörten Ordnung. Dieses Wirkungsmodell scheiterte schließlich an der Unordnung der Welt. Die Bewegungen der Gestirne waren gar nicht so einfach zu verstehen, und Einzelheiten der irdischen Bewegungen wurden nicht verständlich. Andere Modelle der Antike blieben unausgefülltes Programm, so das Modell des Stoßes bei den Atomisten und das *πνευμα* der Stoiker.

Die neue Mechanik des 17. Jahrhunderts führte zu einem ganz anderen Weltmodell. Die Ordnung der Welt ist nicht eine geometrische, sondern sie ist durch das Naturgesetz gegeben. In einer ersten Ausgestaltung wurden Druck und Stoß als die eigentlichen mechanischen Wirkungen angesehen. In der anderen Ausgestaltung, die sich durchgesetzt hat, bekam das Naturgesetz die Form eines mathematischen Ausdrucks für die Kraft zwischen Partikeln. Anfangszustand und Kraftgesetz determinierten den Ablauf des Geschehens. Die Differentialgleichung wurde das Symbol der Natur. LAPLACES Fiktion eines Geistes, der alle Naturgesetze und den gegenwärtigen Zustand der Welt genau kennt und damit die Zukunft ausrechnen kann, war eine Verdeutlichung dieses Wirkungsmodelles. Es war der Schwierigkeit ausgesetzt, daß zu seiner Durchführung die nichtvollendbare Kenntnis des mikroskopischen Baues der Materie nötig war; es wurde schließlich durch die quantentheoretische Unbestimmtheit eingeschränkt. Das spezielle korpuskularkinetische Weltmodell erwies sich als unzureichend zur Beschreibung des elektromagnetischen Geschehens.

Das Wirkungsmodell eines physikalischen Feldes, dessen Änderungen durch Feldgleichungen bestimmt sind und in dem auch die strenge Determinierung gilt, löste die Vorstellung eines stofflich gedachten Äthers ab. Es hat sich als allgemeines Modell nicht durchgesetzt. Es bestand neben dem Modell des Systems von Partikeln und wurde wie dieses durch die Quantentheorie eingeschränkt.

Die praktische Unmöglichkeit, das mikroskopische Geschehen genau verfolgen zu können, führte zu einem weiteren Wirkungsmodell, dem der statistischen Physik. Die große Zahl der Freiheitsgrade ergab darin einen weitgehend determinierten Ablauf im Großen bei Zufall im Kleinen.

In der klassischen Physik wurde dieser Zufall und die dadurch bedingten Wahrscheinlichkeitsaussagen als Folge der praktischen Unmöglichkeit einer Messung aller Bestimmungsstücke angesehen. In der Quantentheorie, die das nächste Wirkungsmodell abgibt, sind die

Wahrscheinlichkeitsaussagen Folge einer prinzipiell eingeschränkten Determinierung. So gehört zum modernen Modell des Weltgeschehens das Naturgesetz und der Zufall, sowohl der durch Unkenntnis der Einzelheiten bedingte „sogenannte" Zufall als auch der aus der quantentheoretischen Unbestimmtheit fließende „wirkliche" Zufall.

Die gegenwärtige Physik benutzt das Partikelmodell wie das Feldmodell, sie erkennt beide als einander komplementäre Aspekte einer nicht modellmäßig (im anschaulichen Sinne) zu beschreibenden Wirklichkeit.

Solcher Wechsel im herrschenden Wirkungsmodell war mit weltanschaulichen Wandlungen verbunden, wobei oft schwer zu sagen ist, ob die Änderung im Denken der Physiker oder die der Weltanschauung voraufging. In der Antike ging die „Aufklärung" wohl der Begründung einer Naturwissenschaft voraus. Auch die Ansätze des 14. Jahrhunderts folgten dem Aufkommen einer kritischen Haltung. Die Beseitigung der Sonderstellung der Erde im 16. Jahrhundert, zunächst durch ihre Einreihung in die Planeten, dann durch die Einreihung der Sonne in die unermeßliche Zahl der Fixsterne, mußte zu einer anderen Einschätzung des Menschen und der überkommenen religiösen Lehren führen. Der Aufschwung der Physik im 17. Jahrhundert wiederum folgte einem neuen Weltgefühl, einem neuen Verhältnis zur Wirklichkeit, zeitigte selbst aber eine neue „Aufklärung". Heute sind wir vertraut damit, daß die Physik sich von der Welt des Augenscheins, der Welt, „in der wir leben und lieben", sehr weit entfernt hat. Wir gewöhnen uns an die Vorstellung von Gesetz und Zufall im Geschehen. Auch die Entwicklung des Lebens und die biologische Evolution sehen wir als stark vom Zufall bedingt an. Wir vermuten z.B., daß höher organisiertes Sein, was wir „Leben" nennen, auf anderen Weltkörpern auch bei gleichen Voraussetzungen eine von der irdischen sehr abweichende Gestalt hat.

Zufall, Tradition und Erfahrung

Der kurze Rückblick auf den Gang der Geschichte der physikalischen Begriffe mag den Anschein erwecken, als sei diese Geschichte recht konsequent verlaufen. Ganz so war es ja aber nicht.

Da ist zunächst die Frage, warum eine gedanklich durchgeformte Physik nur im Abendlande, nicht auch in anderen Kulturkörpern entstanden ist. Ostasien z.B. hat eine frühe Technik und ausgebildete Sozialordnungen entwickelt, aber keine exakte Naturwissenschaft. Die geographische Bevorzugung des Mittelmeers und Westeuropas erklärt nicht alles. Für die Anfänge einer Zivilisation sind leidlich günstiges Klima und wohl auch von der Natur gestellte Aufgaben günstig. Ein Binnenmeer und Flußoasen hatten der Mittelmeerraum und Ostasien, und in beiden Gebieten entwickelten sich Handel und Wohlstand. Vielleicht war es am Mittelmeer leichter zu einer individuellen Gestaltung des Daseins zu kommen als etwa in China, wo die großen Ströme mehr Gemeinschaftsaufgaben stellten. Die alte mittelmeerische Zivilisation erbten der Islam und das christliche Abendland; der erstere war lange Zeit der entwickeltere Kulturkörper. Trotzdem ist die moderne Naturwissenschaft, diese Synthese aus exaktem Denken und Gestaltungswille, nur im Abendland entstanden. Ist es die Gunst des Golfstromes? Wir werden die Fragen nicht ganz beantworten können.

Einige der großen Schritte in der Naturerkenntnis wurden getan, sobald sie sachlich an der Reihe waren. Andere kamen sehr verzögert.

So fand die Antike ja nicht zu einer angepaßten Lehre von der Bewegung. Der für diese einfachste Idealfall, die reibungsfreie Bewegung, war eben nicht die alltägliche Bewegungsform, und die Beziehung zwischen Beschleunigung und Kraft war im Alltäglichen schwer zu erkennen. So verfestigte sich nicht nur das antike Weltbild der Sphärenordnung, sondern auch die spezielle Form eines Bewegungsgesetzes, das Geschwindigkeit und Kraft verknüpfte. Die enge Verbindung, die im späten Mittelalter die Kirche mit den aristotelischen Lehren einging, erschwerte ein Aufbrechen dieser Lehren. So mußte die moderne Mechanik der Tradition abgerungen werden. Gute Theorien sind oft der Feind des Fortschrittes. So hat wohl die euklidische Geometrie, eine der größten Leistungen der Griechen, die Entwicklung des Denkens in mathematischen Funktionen, das eine Voraussetzung der modernen Physik war, gehemmt.

Die wichtigsten Entdeckungen in der Optik sind wohl die der Interferenz von Lichtwellen und die der Polarisation. Erscheinungen beider kannte das 17. Jahrhundert. Verstanden wurden sie aber erst am Anfang des 19. Wir haben die Descartessche Fassung des Brechungsgesetzes und NEWTONS Abneigung gegen den Äther als Hemmungen kennengelernt (Abschnitt 2).

Die wichtigsten Entdeckungen der neuen Elektrizitätslehre, die der magnetischen Wirkung strömender Elektrizität und die der Induktion, wurden gemacht, als die technischen Voraussetzungen gegeben waren. Aber die adäquate Theorie, eine Feldtheorie, erreichte erst später ihre mathematische Form und wurde noch später allgemein akzeptiert. Hemmend war das Wirkungsmodell des 18. Jahrhunderts, die Vorstellung der anziehenden oder abstoßenden Kräfte zwischen Partikeln (Abschnitt 4).

In der Thermodynamik brauchte die Vereinigung zweier verschiedener Aspekte der Wärme ihre Zeit. Der am Kalorimeter entwickelte Wärmebegriff und die Wärme, deren Absinken in der Wärmekraftmaschine zur Arbeitsleistung führt, paßten nicht ganz zueinander. Erst CLAUSIUS hat es durchschaut (Abschnitt 8).

In ihrer spekulativen ersten Phase war die mikroskopische Physik dem Einwand ausgesetzt, Spekulation oder gar Metaphysik zu sein. Erst als man sah, wie ungeheuer der Größenunterschied zwischen dem mikroskopischen und dem makroskopischen ist (also als man die ihn ausdrückende Zahl 10^{23} geschätzt hatte), konnten frühere Ansichten über die Bewegung der Gasmolekeln überzeugen. Auch die statistische Physik, die Zurückführung determinierender Gesetzlichkeiten auf Zufall und Wahrscheinlichkeit, konnte erst überzeugen, als man sich am Zahlenverhältnis von sichtbarer zu atomarer Welt klarmachte, wie Wahrscheinlichkeit bei diesen großen Zahlen zur Sicherheit wird.

Auch in der jungen Geschichte der Quantentheorie zeigen sich Hemmungen und Irrwege: Kleben an einem alten Schema, Überschätzen eines vorläufigen neuen Schemas, Nichtbeachten wichtiger empirischer Hinweise, Schwierigkeit, mit der an früherer Erkenntnis gewachsenen Sprache die neue Erkenntnis auszudrücken[1].

So sehen wir auch in der Entwicklung der Physik Irrwege und Hemmungen; aber seit dem Aufschwung im 17. Jahrhundert haben sie den Fortschritt immer nur kürzere Zeit aufzuhalten vermocht.

Gegenwart

Wir haben heute eine Physik, die für einen mittleren Bereich im Prinzip abgeschlossen scheint, die im Bereich kleiner Dimensionen und hoher Energien der Elementarprozesse noch offen ist und deren Entwicklung vielleicht auch beim Kosmos noch zu Überraschungen führen kann.

Daß Physik überhaupt möglich ist, liegt wesentlich an zwei Voraussetzungen: an der Existenz von uns selbst, allgemeiner gesagt, an einer genügenden Reichhaltigkeit der Natur, die denkende Wesen hervor-

[1] F. HUND, Irrwege und Hemmungen beim Werden der Quantentheorie. Quanten und Felder, Heisenberg-Festschrift, Braunschweig 1971.

gebracht hat, zweitens an einer Begreifbarkeit dieser Natur. Für die Reichhaltigkeit sorgt einmal die Vielgestalt der Materieformen, dann aber auch die kosmologische Tatsache des großen Abstandes vom Gleichgewicht, der niedrige Wert der Entropie. In der Physik wurde die Begreifbarkeit dadurch erleichtert, daß die Idealfälle der Theorie im Experiment sich genähert herstellen lassen, daß bei vielen Erscheinungen die Schwere die überwiegende Kraft ist, daß die atmosphärische Luft dem Vakuum nahekommt und daß die mikroskopischen Größen so ungeheuer klein sind. Im Grunde ist jedoch die Begreifbarkeit dadurch gewährleistet, daß einzelne Erscheinungsgebiete sich isolieren lassen infolge einer deutlichen Abstufung der Größenordnungen, in denen sich die Erscheinungen abspielen. Diese Einsicht ist erst seit wenigen Jahrzehnten möglich. Die Eigenschaften der gewöhnlichen Materie sind durch die Naturkonstanten h, e, m bestimmt. Daß die Werte dieser Größen so klein sind, besagt nichts über sie, sondern drückt aus, daß wir aus ungeheuer vielen Atomen bestehen, was wohl für höher organisierte Wesen Voraussetzung ist. Die drei Größen sagen also keine Eigenschaften der Natur aus; sie sind vielmehr Einheiten, in denen wir Naturgrößen ausdrücken können.

Für die Möglichkeit, Erscheinungen aus dem Gefüge der Natur zu isolieren, sind nun gewisse Verhältnisgrößen, die stark von 1 abweichen, entscheidend. Das Verhältnis $e^2/\hbar c = 1/137$ zeigt an, daß die Strahlung im Atom ein kleiner Effekt ist und daß man im Atom von der Relativitätstheorie zunächst absehen kann. Die Kleinheit des Verhältnisses erlaubte so das Entstehen einer nichtrelativistischen Quantenmechanik vor einer Quantenelektrodynamik, erlaubte überhaupt die begriffliche Trennung von Erscheinungen der Materie und der Strahlung. Das Verhältnis $m/M = 1/1836$ der Elektronmasse zur Protonmasse hat die Kenntnis der Atome, Molekeln und festen Körper erleichtert, indem es dafür sorgt, daß die Atomkerne in erster Näherung ruhen. Zusammen mit dem Verhältnis $e^2/f^2 \approx 1/10$ bis $1/100$ der elektrischen Kräfte zu den Kernkräften ist es der Grund, weshalb überhaupt Atomkern und Atomhülle getrennt untersucht werden können, indem infolge dieser Verhältnisse die Kerne sehr klein sind gegen die Hülle und die für den Kern wichtigen Energien so viel höher liegen ($\approx 10^7$) als die für die Hülle wichtigen. Hüllenphysik (Quantentheorie) und Kernphysik konnten getrennt nacheinander ausgebaut werden; die Quantentheorie des Atoms brauchte nur das Coulombsche Gesetz zu beachten, nicht das noch unbekannte der Kernkräfte. Für diese Kernkräfte, allgemeiner für die „starke Kopplung", gilt jedoch $f^2/\hbar c \approx 1$; das bedeutet z.B., daß Prozesse, an denen viele Hadronen (virtuell) beteiligt sind, nicht seltener zu sein brauchen als solche mit wenig Hadronen, also „einfache" Prozesse nicht isolierbar sind. Das sehr kleine Verhältnis 10^{-14} der schwachen zur starken Kopplung trennt dann im Bereich der Elementarteilchen sehr deutlich zwei Gebiete mit verschiedenen Ordnungsprinzipien, die getrennt erforscht werden konnten. Das Verhältnis $\gamma M^2/e^2 \approx 8 \cdot 10^{-37}$ zwischen Gravitation und elektrischer Kraft ermöglicht es, im Bereich des Atomaren die Gravitation völlig außer Betracht zu lassen. Nur bei großen Massen spielt sie mit. Im kosmischen Bereich treten aber, wie wir gesehen haben (Abschnitt 6), Verhältniszahlen der Größenordnung 1 auf; die Gravitation ist dann keine schwache Kraft mehr, und Teile des Kosmos lassen sich nicht mehr vom ganzen Kosmos isolieren.

Für die Begreifbarkeit einer Naturerscheinung ist weiter neben der Isolierbarkeit eine gewisse Einfachheit nötig.

Die Physik scheint heute an der Grenze angelangt zu sein, die durch das Nichtisolierbare und das Komplizierte bezeichnet ist.

Die einfachen Probleme sind gelöst, das der Bewegung seit 1700, das des Lichts seit 1860 und das der Stoffe seit etwa 1927. Als ungelöst steht vor uns das der Elementarteilchen – der Materie schlechthin –, das des Kosmos und das des Komplizierten, wie etwa das des Lebens. Eine Theorie der Materie und eine Theorie des Kosmos enthalten charakteristische Konstanten der Größenordnung 1, die die Isolierung einfacher Vorgänge oder einfacher Teile verhindern.

Was enthält die gegenwärtige Physik an umfassenden Begriffen? Raum, Zeit, Substanz, Wirkung hat man immer zu ihnen gezählt. Was Raum und Zeit anlangt, so stand am Anfang der modernen Physik der Begriff des absoluten, leeren und unendlichen Raumes, der ohne physikalischen Inhalt denkbar war, und ein ähnlicher Begriff der absoluten Zeit. Ohne diese Begriffe hätte eine einfache Physik nicht entwickelt werden können. Dieser Begriff von Raum und Zeit scheint auch heute noch der Wirklichkeit angepaßt, solange man von der Gravitation absehen kann. Für die ganze Physik mit Einschluß von Gravitation und Kosmologie ist jedoch der Begriff des absoluten Raumes eine Zwischenstufe, abgelöst durch die Erkenntnis, daß Raum und Zeit von ihrem physikalischen Inhalt nicht abhebbar sind. Offen ist dabei noch die Frage nach der tatsächlichen Struktur von Raum und Zeit im Großen, ob der Raum endlich oder unendlich ist und wie im Einzelnen das Inertialfeld durch die Einbettung in das Weltganze bestimmt ist. Daß wir weiter bei der Zeit nicht über eine Art „Anfang" zurückdenken können, scheint aus der Physik unabweisbar zu folgen.

Der Begriff der Substanz hat sich gewandelt. Sie ist irgendwie das, was bei den Veränderungen bleibt. Für uns heute wird das durch die Erhaltungssätze ausgedrückt. Es gibt deren mehrere. Da, wo die Größe, die sich nicht ändert, ein Skalar ist (elektrische Ladung, Masse oder Energie), könnte man von Substanz sprechen; bei einer vektoriellen Größe (Impuls) wäre es eine Änderung des Sprachgebrauches. Längere Zeit schien es, als seien die Anzahlen der Atome eines jeden chemischen Elementes unveränderlich, als wären diese Atome die eigentlichen „Substanzen". Heute kennen wir statt dessen die Erhaltung der Baryonenzahl, der Zahl der elektrischen Elementarladungen und der *e*- und μ-Zahlen der Leptonen. Sie sind ganze Zahlen mit Vorzeichen. Ob die Anzahl der elektrischen Elementarladungen im Weltganzen null ist, muß vielleicht als offen gesehen werden. Die Baryonenzahl ist in unserer Umgebung von null verschieden (es gibt positive Protonen und negative Elektronen); ist sie für das Weltganze vielleicht doch null?

Aussichten

Wie mag die Geschichte der physikalischen Begriffe weitergehen? Grundlegende Änderungen der Denkformen können wir nicht vorhersehen; aber wir bemerken gegenwärtig keine Anzeichen dafür, daß eine solche bevorsteht. Vom heutigen Stand ausgehend, möchte man erwarten, daß in absehbarer Zeit eine abschließende Theorie der Materie komme, die Elementarteilchen, ihre Massenverhältnisse und Kopplungskonstanten umfaßt. Sie möchte im Prinzip einfach sein, in der Anwendung schwierig, da die starke Kopplung, wie oben gesagt, eine Isolierung einfacher Hadronenprozesse nicht erlaubt. So ist ja auch die Theorie der Gravitation im Prinzip einfach, während Lösungen ihrer Gleichungen es nicht sind. Wir dürfen weiter auf Einsichten in den Bau des Kosmos hoffen und erwarten, daß ein bestimmtes kosmologisches Modell sich als angepaßt erweist. Das Vorrücken in den Bereich der komplizierten Materie wird eine mühsame Arbeit sein. Das bedeutet eine Änderung im Selbstverständnis der Forscher. Zum bisherigen gehörte die Hoffnung, an der Auffindung einfacher, grundlegender Einsichten mitwirken und die Öffentlichkeit von deren Wichtigkeit überzeugen zu können. Nun, da die einfachen Gesetze vielleicht gefunden sind, wird dieses Selbstverständnis schwieriger.

Beim Gang der Forschung sind Andeutungen von Sättigungserscheinungen gegenwärtig nicht zu verkennen. Die Schwierigkeit der Probleme bedingt längere Vorbereitung, bis eigener Beitrag des forschenden Individuums möglich ist, und größeren äußeren Aufwand. Beides entfremdet die Forschung dem öffentlichen Bewußtsein und macht (angesichts anderer wichtiger Aufgaben) die Gesellschaft weniger bereit, Institutionen, deren Atmosphäre der Forschung günstig ist (bisher weitgehend die Universitäten), zu fördern oder zu dulden. Aber die öffentlichen Aufgaben der nächsten Zukunft, die durch die Erschöpfung der Energierohstoffe und anderer Materialien gekennzeichnet sein wird, werden nach Physikern rufen. Auch ist Erkennen der Natur ein so bedeutendes Anliegen, daß es immer wieder Menschen geben wird, die diese hohe Art des Menschseins auch in einer ungünstigen Umwelt durchzusetzen vermögen.

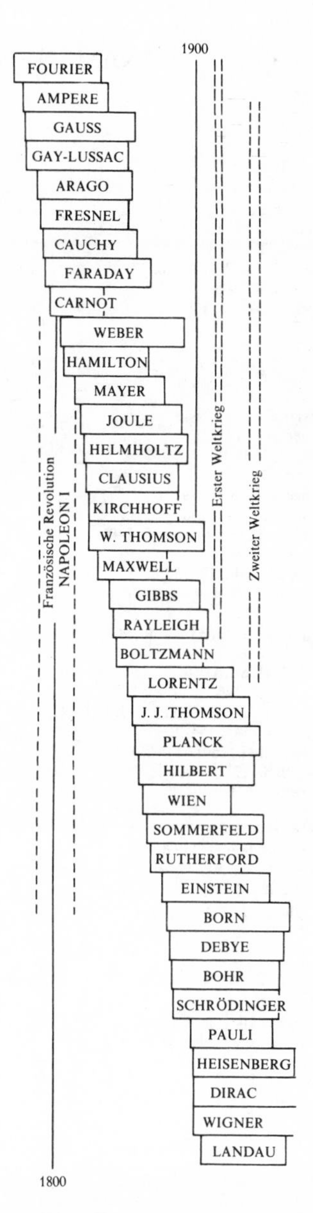

Abb. 36.
Zeittafel für das 19. u. 20. Jahrhundert

NAMENVERZEICHNIS

M

N

O

P

R

S

T

SACHVERZEICHNIS

O

P

Q

R

S

T

U

V

W

Z